MI HERMANA FRIDA

BÁRBARA MUJICA

MI HERMANA FRIDA

PLAZA & JANÉS EDITORES, S.A.

Título original: *Frida*

Primera edición: mayo, 2001

© 2001, Bárbara Mujica
© de la traducción: Gemma Rovira Ortega
© 2001, Plaza & Janés Editores, S. A.
   Travessera de Gràcia, 47-49. 08021 Barcelona

Publicado por acuerdo con la autora, representada por Baror
   International, Inc., Armonk, Nueva York

Printed in U.S.A. - Impreso en U.S.A.

ISBN: 84-01-32873-X
Depósito legal: B. 19.111 - 2001

Fotocomposición: Fort, S. A.

Impreso en Limpergraf
Mogoda, 29. Barberà del Vallès (Barcelona)

L 32873 X

A mi marido, Mauro, con todo mi amor

ÍNDICE

PRIMERA PARTE

1. ¡Frida! ¡Frida! 13
2. Frida baila 29
3. Frida pata de palo 45
4. Guerra 69
5. Prepa 91
6. Travesuras 121
7. Anfibio 135
8. Impasse 163
9. Revelaciones 169
10. Infracciones 175
11. 17 de septiembre de 1925 191
12. Retratos 203
13. Encuentros y acoplamientos 217
14. Finales y principios 235

SEGUNDA PARTE

15. El país de las maravillas 259
16. Canto fúnebre 277
17. Bifurcación 285

18. Momento decisivo   311
19. Mi hermana la artista   329
20. Fragmentos   337
21. Ama y esclava   353
22. Relaciones   367
23. Muñecas rotas   389
24. *Agnus Dei*   415

Nota de la autora   441

PRIMERA PARTE

I

¡FRIDA! ¡FRIDA!

Sé muy bien lo que usted quiere oír, doctor, pero lo siento, no conseguirá arrancarme una confesión sórdida. Ustedes los psiquiatras son todos iguales. Se alegraría si yo dijera que la odiaba, que me fastidiaba que siempre fuera ella el centro de atención, pero se equivoca. En realidad yo no soportaba que la gente me mirara, lo cual ocurría a menudo, porque lo cierto es que yo era la más guapa de las dos. Eso me lo dijo *él*.

Pero esto no es justo. Créame, a pesar de todo, yo la quería. Ella siempre fue buena conmigo, hasta donde alcanza mi memoria. Me protegía. Yo siempre la admiré; ella era la más inteligente de las dos, la que tenía más talento. Yo era tranquila. Ella era dinámica. Yo era más guapa. Quizá ella no lo creyera, pero... bueno, supongo que, aunque fingiera lo contrario, se daba cuenta de que todo el mundo admiraba mi físico. Al fin y al cabo, no era tonta. *Él* siempre decía que yo era preciosa. Era un mentiroso, por supuesto; un adulador. Pero aun así, era a mí a la que le gustaba pintar. Yo era su modelo favorita. A ella no le gustaba que yo posara para él, pero yo lo hacía, de todos modos. Continuamente. Desnuda.

Pero no crea que lo que yo pretendía era vengarme de ella. Ella tenía sus virtudes, y yo las mías. Ella era inteligente. Yo era atractiva. ¿Cómo iba a ser ella atractiva? ¿Una muchacha coja, con bigote y con una pierna más corta que la otra? A veces se burlaba de mí, pero eso era de esperar. Para algo ella era la lista y yo la idiota. Pero la verdad es que se burlaba de todo el mundo, no sólo de mí. Digamos que yo no era una excepción. Yo nunca fui la excepción en nada.

No es que yo no supiera lo que hacía; lo sabía, pero creía que a ella no le importaría. Ella era tan alocada y tan excéntrica. Nunca le importaron las normas. Tampoco le importaban los sentimientos de los demás. De modo que me dije: de acuerdo, si a ella le tienen sin cuidado los demás, si cree que uno debe hacer lo que se le antoje sin tener en cuenta lo que piensa la gente, seguiré sus consejos.

Verá, ella era la líder, y yo la seguidora. Yo siempre fui la seguidora.

Le pondré un ejemplo. Antes me pidió que hablara de nuestra infancia, ¿verdad?

Esto ocurrió hace mucho, mucho tiempo, cuando éramos pequeñas. Sin embargo, todavía lo recuerdo perfectamente, como si las imágenes estuvieran grabadas en mi cerebro. Mire, yo también soy artista, a mi manera. No sé pintar sobre un lienzo, pero grabo las imágenes en mi memoria. Pero eso no tiene mucho valor, ¿verdad?

Esto es lo que veo: Frida está agachada detrás de una columna, vigilando a sus enemigas. Estela, la comandante, le habla al oído a María del Carmen, la estratega. Estela da la señal y se forman las líneas de batalla. Hay cerca de cuarenta niñas en el patio. Unas quince se agrupan en equipos de ataque. Las otras siguen saltando a la cuerda o jugando a la rayuela, enfrascadas en sus actividades. Ahora Frida asoma la cabeza por detrás de la columna, evaluando las fuerzas enemigas y mordiéndose el labio.

Era una niña adorable, no como yo. Yo era regordeta y un

tanto sosa. He de reconocerlo. En aquella época ella era la guapa, aunque no tardó en dejar de serlo. A los seis años era una niñita encantadora, de cutis dorado, mejillas sonrosadas y bracitos rechonchos. Tenía un cabello suave y sedoso, y los enormes rizos castaño oscuro le enmarcaban una cara que todavía conservaba rasgos infantiles. Mami siempre la enviaba a la escuela con un lazo blanco en la cabeza, y con su delantal de algodón a cuadros parecía un ángel.

El edificio de la escuela era una estructura de estilo colonial español, con un patio interior rodeado de una arcada con columnas. Acababa de llover (uno de esos aguaceros breves y repentinos tan frecuentes en la meseta Central en el mes de abril), pero ahora volvía a brillar el sol, y los charcos que se habían formado en las baldosas del patio emitían destellos. En el centro del patio las colegialas, risueñas, saltaban en los charcos, compitiendo para ver quién salpicaba más.

Frida no les prestaba atención. No les quitaba los ojos de encima a Estela y a María del Carmen, que se habían cogido del brazo y habían tomado posiciones a la cabeza de sus tropas. Querían provocar a Frida para que saliera a campo abierto. Pero Frida no esperó a que empezaran las pullas. Levantó la barbilla con gesto desafiante, así, y salió de detrás de la columna.

—¡Frida! —susurré—. ¡No vayas, Frida! —Yo estaba escondida en las sombras.

—¡Cállate! —me ordenó ella—. ¡No seas tonta! —Siempre me llamaba tonta.

Me agaché detrás de la columna, esperando a que ella saliera al patio y se enfrentara a la línea de ataque. De pronto noté algo húmedo y caliente entre las piernas. Me retorcí y sentí deslizarse la orina hacia mis calcetines blancos nuevos, con ribetes de encaje. Mami se pondría furiosa.

Frida se plantó delante de Estela. Tenía los ojos entrecerrados, seguramente porque le molestaba el sol. Le temblaban los labios, pero tenía los pies firmemente afianzados y miraba fijamente a su adversaria.

Estela sonrió burlona y, como si obedecieran una orden, las niñas de la brigada se pusieron a cantar:

¡Frida, Frida
fue servida
al diablo
por comida!
¡Frida, Frida
escupida
de su boca
por judía!

Fue espantoso. Horrible. Nosotras éramos católicas. Habíamos hecho la primera comunión, pero en aquella escuela las niñas siempre nos llamaban judías, a causa de papá.

Yo deseé que Frida se diera la vuelta y se marchara de allí, pero lo que hizo fue apretar las mandíbulas para que no le temblaran. Las niñas que hasta entonces habían estado jugando formaron un corro a su alrededor. Frida levantó la barbilla y se cruzó de brazos. Yo tenía un nudo en el estómago, cada vez más apretado. Empecé a sollozar.

Hubo un instante en que a Frida le tembló la barbilla, pero pestañeó con fuerza y consiguió contener las lágrimas. Algunas niñas se reían por lo bajo y señalaban. Una especie de fosforescencia envolvía el patio. Frida tragó saliva y respiró hondo.

—¡Cállate! —le espetó a Estela.

Las niñas siguieron cantando, aún más alto.

—¡Cállense! —volvió a gritar Frida, pero esta vez apenas se la oyó a causa del canto de las niñas.

—¡Frida, Frida!

—¡Cállense! ¡Cállense!

Las voces empezaron a apagarse.

—¡Qué canción tan estúpida! —gritó Frida—. ¡Debe de haberla inventado un idiota!

Algunas niñas soltaron risitas. Otras siguieron cantando, pero esta vez en voz más baja.

Yo apenas veía lo que estaba pasando. Me asomé por la columna y me puse de puntillas, pero era más baja que las niñas que habían formado aquella barricada alrededor de Frida y no alcanzaba a ver por encima de sus cabezas. Me habría gustado acercarme para ver mejor, pero sabía que las otras niñas se reirían de mis calzones y mis calcetines mojados, y además, quizá se metieran conmigo por el simple hecho de ser la hermana de Frida. Así que me quedé escondida.

Estela y Frida se miraban fijamente, a sólo un palmo de distancia. Nadie se movía. Hacía tiempo que la tensión se iba acumulando. Semanas, o incluso meses. Y ahora, finalmente, había llegado la hora del pulso. La hora de la confrontación. Todas las niñas miraban expectantes, asustadas pero también emocionadas, y albergaban esperanzas de que ocurriera algo espantoso.

—Aquí no eres nadie, no eres de los nuestros —dijo Estela entre dientes—. ¡Eres una extranjera!

Las niñas retrocedieron, temerosas, como si el coco hubiera saltado del tejado al centro del patio. Todas las miradas estaban clavadas en Frida. Yo me moría de ganas de matar a Estela, pero ¿qué podía hacer? Permanecí detrás de la columna.

—¡No soy una extranjera! —se defendió Frida.

—¡Ya lo creo que sí! ¡Frey-da! —Estela pronunció el nombre con una r gutural alemana—. ¡Tu nombre es extranjero!

Frida titubeó un momento. Era cierto que escribía su nombre en alemán: F-r-i-e-d-a. Y también era cierto que nuestro padre era un judío alemán de origen húngaro.

Frida la miró fijamente y dijo:

—Me llamo Magdalena Carmen Frieda Kahlo y Calderón. ¡Con ese nombre me bautizaron en la iglesia!

—¡Son extranjeros! Tu padre habla español con acento alemán. Cuando dice *república* o *revolución*, gruñe como un cerdo.

—¡No soy extranjera! ¡Soy mexicana!

—¡Los mexicanos somos católicos!

—¡Yo soy tan católica y tan mexicana como tú! ¡Voy a misa todos los domingos! ¡Voy a la iglesia de San Juan, igual que tú! Y lo sabes.

No es que haya nada malo en ser judío, doctor. Años más tarde, Frida alardeaba de ser judía. Pero en aquella época, en el México posrevolucionario, todo lo extranjero era malo. ¿Es usted judío, doctor?

—¡Tu padre se llama Wilhelm!

—¡Mi padre se llama Guillermo!

—¡Su verdadero nombre es Wilhelm!

—¡Wilhelm, Wilhelm! —coreaban las niñas—. ¡Su padre se llama Wilhelm!

El sol iluminaba el cabello de Frida, y le hacía brillar la coronilla como si tuviera un halo. Parecía un serafín, vaporosa y centelleante. Se llevó sus delicados dedos a los labios y se quedó mirando fijamente a Estela.

—Mi madre dice que tu padre es uno de esos extranjeros que se trajo Porfirio Díaz —prosiguió Estela—. Dice que los extranjeros arruinaron el país, pero que ahora, con la Revolución, los van a colgar a todos.

—¡Tu madre es una maldita puta!

Frida había pillado desprevenida a Estela. Los padres de aquella niña simpatizaban con el revolucionario Emiliano Zapata y con su reforma agraria, pero eran personas decentes, no gentuza. En aquellos refinados ambientes burgueses no se oía esa clase de lenguaje. Y menos aún de labios de una niña de seis años. Estela contuvo la respiración. ¡Todavía me dan ganas de reír al recordar la cara que puso cuando Frida pronunció aquellas palabras!

Una oleada de asombro recorrió el patio. Las niñas reían por lo bajo. «¿Oíste lo que dijo Frida? —susurraban—. ¡Dijo *p*! ¡Dijo puta!» Ni siquiera los campesinos empleaban aquellas expresiones. Los campesinos eran reservados y decorosos.

Sólo los delincuentes hablaban así. Frida estaba violando todas las normas, y había que ser muy atrevido para eso. Yo me sentí orgullosa de ella.

Las niñas miraron primero a Frida y luego a Estela. Estaban emocionadas, expectantes. Algunas asentían con la cabeza y sonreían a Frida; estaban a punto de pasarse al otro bando. Estela tenía que imponerse, porque evidentemente aquella mocosa malhablada le estaba ganando terreno.

—Tu padre trabajaba para el gobierno de Díaz. Mi madre dice...

—¡Tu madre es una mentirosa de mierda! ¡Es tan mala que le salen arañas por el culo!

—¡Frida Kahlo!

El bramido de la maestra hendió el aire como un trueno. Las niñas se dispersaron como repelidas por una potente fuerza centrífuga. En un abrir y cerrar de ojos, la señorita Caballero se abatió sobre aquella hermosa y malhablada niñita, mi hermana, la agarró por la oreja y la sacó a rastras del patio.

—¿Qué lenguaje es ése? ¿Se ha oído alguna vez a una niña decente decir esas palabrotas? ¡Es repugnante!

Frida se soltó, pero la maestra la agarró por el volante del delantal.

—¡Tú! —gritó la señorita Caballero con asco—. ¡Tú, que pareces un angelito de Dios! ¡Hablas como un barrendero! ¡Hablas como si te estuvieras criando en un establo y no en un hogar decente! ¡Como si no tuvieras una madre respetable, una devota cristiana! ¡Deberías avergonzarte!

Tiraba de Frida por la arcada hacia la puerta que conducía a su salón de clases. Yo iba correteando detrás de ellas.

De pronto, la señorita Caballero se dio la vuelta.

—¡Y tú! —dijo señalándome con un dedo que parecía una salchicha—. ¡Tú también estás aquí! ¡Naturalmente! A donde va Frida, ahí vas tú. Te pegas a ella como si fueras su sombra. Pero será mejor que tengas cuidado, Cristinita. Tu hermana es una alborotadora y te meterá en sus líos.

Me quedé quieta, mirando a la maestra. Tenía las piernas pegajosas, y los calzones mojados, y me picaba todo. La señorita Caballero me cogió de la mano y olisqueó el aire. El olor de la orina empezaba a notarse.

—Oh, no. Otra vez no —se lamentó la maestra—. ¿Has vuelto a orinarte, Cristina? ¡Son un par de desvergonzadas repugnantes!

Así fue como nos llamó: *un par de desvergonzadas repugnantes*.

Agarró a Frida por la oreja y a mí por el brazo y nos metió en el salón de clases.

—Vamos —me dijo—, quítate esos calzones mojados y dámelos. Los envolveré con papel para que los lave la lavandera de tu madre. Y ven aquí, que te voy a enjuagar.

En lugar de quitarme los calzones, me escabullí y me agazapé debajo de una mesa. La maestra se acercó a mí para levantarme la falda.

—Puedo hacerlo yo sola —dije gimoteando. No quería que ella me tocara... allí abajo.

—No seas tonta —me espetó.

Me asió por el brazo e intentó sacarme de debajo de la mesa, pero le mordí el pulgar con fuerza y me escurrí hasta un rincón. La maestra soltó un gritito que, más que dolor, denotaba asombro.

Intenté quitarme los calzones sin levantarme la falda, para que la señorita Caballero no me viera el trasero. Había oído ciertos comentarios sobre la señorita Caballero, pero era demasiado pequeña para entender lo que insinuaban. Aun así, sabía que debía de tener algo raro, por el modo en que la gente bajaba la voz cuando hablaba de ella. Algunos de esos comentarios estaban relacionados con su apellido. Yo creía que era porque tenía manos muy grandes. Tenía unas manos que parecían de hombre.

No sé exactamente qué pensaba Frida de ella. Creo que la encontraba asquerosa y fascinante al mismo tiempo. Le gustaba gastarle bromas, ponerla a prueba, como hacen los niños con las personas que tienen autoridad; pero también le gustaba observarla. Le encantaba que la señorita Caballero le prestara atención, pero es que a Frida siempre le gustó ser el centro de todo.

La maestra era una mestiza de piel clara con facciones toscas y una boca firme que denotaba determinación y frustración a un tiempo. Corría el rumor de que llevaba peluca, aunque como ninguna de nosotras nunca la había visto sin aquellas gruesas trenzas negras que le rodeaban la cabeza, no podíamos estar seguras. Vestía siempre de negro; llevaba unos vestidos que parecían vestidos de baile antiguos reconstruidos. Pese a su rudo porte tenía un cuerpo redondeado, blando y sensual. Sus manos me recordaban a racimos de plátanos maduros. Yo tenía la impresión de que podía ser simpática si quisiera, pero no quería. Aunque no era más que una niña, intuía que había algo que la hacía contenerse, impidiéndole mostrar el cariño que tenía dentro.

Finalmente la señorita Caballero me inmovilizó entre la mesa y la pared. Me agarró con una mano y me sujetó con fuerza. Con la otra mano, vertió agua en un cuenco. Luego, con un paño húmedo, me limpió las piernas y las nalgas.

—Anda, levántate la falda —me ordenó. A mí me daba miedo desobedecer. Me cogí el delantal y me lo levanté hasta la cintura, muerta de vergüenza.

Frida habría podido ayudarme. No sé, gritar o lanzarle algo a la señorita Caballero. Pero quizá no lo hizo porque yo no la había ayudado cuando Estela y las otras niñas se burlaban de ella. Quizá su silencio fuera una especie de venganza. El caso es que se quedó allí mirando cómo la maestra me pasaba el paño por los muslos y entre las piernas, una y otra vez.

—Abre más las piernas para que pueda limpiarte —me espetó la señorita Caballero.

Separé los pies y doblé las rodillas. Ella siguió limpiándome. Frida no nos quitaba los ojos de encima. En lugar de decir algo, se quedó allí plantada, mirándonos fijamente.

Cuando hubo terminado, la maestra enjuagó el paño y lo escurrió.

—Y ahora —le dijo a Frida—, quítate los calzones y dáselos a Cristi.

Frida me lanzó una mirada de odio.

—¿Por qué? —preguntó.

—Porque lo digo yo.

—¿Por qué voy a ser yo la que se vaya a casa sin calzones? ¡La que se ha meado encima es ella!

—Porque eres la mayor —le respondió la señorita Caballero.

Frida lo pensó un momento, pero no le encontró ninguna lógica.

—¿Qué tiene que ver que yo sea la mayor? —dijo sacando la barbilla.

—¡Haz lo que te digo!

Frida se quitó los calzones lentamente y me los dio.

—¡Niñita estúpida! —dijo por lo bajo.

—No le hagas caso —replicó la señorita Caballero. Me ayudó a ponerme los calzones de Frida y añadió—: Te crees muy mayor, ¿verdad, Frida? ¿Recuerdas lo que pasó aquella vez en la clase de ciencias? ¿Aquel día que les estaba explicando cómo funcionaba el universo?

Frida agachó la cabeza.

La señorita Caballero prosiguió:

—Apagamos las luces. Yo cogí una vela con una mano y una naranja con la otra, y les enseñé cómo la tierra gira alrededor del sol y cómo la luna gira alrededor de la tierra. ¿Te acuerdas?

—Sí —respondió Frida. Sabía qué iba a decir la maestra a continuación. Apretó los labios y esperó, resignada, a que la señorita Caballero la humillara.

—¿Qué pasó aquel día, Frida?

Frida no contestó.

—Te emocionaste mucho, ¿verdad?

Frida la miró con rencor.

—Venga, Frida. Te acuerdas, ¿verdad?

—Sí.

—Sí, señorita.

—Sí, señorita. —Frida sabía que la habían derrotado. Se estaba sonrojando, y se le estaba tensando la mandíbula.

—Y ¿qué hiciste, Frida?

—Me meé encima.

—Exacto. Te orinaste encima. —La señorita Caballero sonrió, satisfecha. Había vencido.

Pero el día de la clase de ciencias, la victoria no había estado tan clara.

En cuanto Estela vio el charquito que había debajo de la silla de Frida, se puso a canturrear: «¡Frida se hizo pipí! ¡Frida se hizo pipí!» Pronto toda la clase estaba coreando: «¡Frida se hizo pipí!» Cualquier maestra decente se habría llevado a Frida del salón de clases y la habría ayudado a limpiarse en privado. Pero la señorita Caballero la arrastró hasta la tarima e intentó levantarle el vestido. Sin embargo, Frida era escurridiza y rápida. La maestra intentó sujetarla por la faja del vestido, pero Frida se escabulló. Y al hacerlo derribó el cuenco de agua con que la maestra iba a lavarla. ¡Iba a lavarla delante de toda la clase! El cuenco cayó al suelo con estrépito. Frida corrió hacia la puerta, derribando a su paso pizarras y libros. El alboroto debió de confundirla, porque se tambaleó y golpeó el borde del estante donde guardaban las témperas. Una botella de témpera roja cayó al suelo y se rompió, salpicándolo todo de diminutas gotas color sangre. Frida habría podido huir y ponerse a salvo, pero se quedó allí plantada, cautivada por los dibujos que la pintura formaba en el suelo. Tenía los calcetines, blancos y con volantes, empapados de pintura, y las piernas manchadas.

De pronto se agachó y metió sus regordetes dedos de niña de seis años en el charco de témpera.

—¡Quieta! —gritó la señorita Caballero, pero Frida ya había empezado a embadurnarse el vestido, los brazos y la cara con pintura.

Hasta los párpados los tenía cubiertos de aquel líquido denso, rojo y pegajoso. Se había metamorfoseado en demonio. Yo, que tenía cinco años, me imaginaba que aquello que le goteaba de los labios era sangre, y me parecía ver un resplandor mágico irradiando de sus ojos. Los brumosos rayos que entraban por la ventana la transformaban en una figura enorme y siniestra.

—¡Ven a limpiarte inmediatamente! —bramó la señorita Caballero.

Frida rió burlonamente. Levantó ambas manos y movió los dedos, como si fueran patas de cangrejo. Era una imagen grotesca. Yo estaba aterrada, y tan enfadada con Frida que me habría gustado aporrearla.

Finalmente la señorita Caballero cedió. Aquel día Frida volvió a casa cubierta de pintura roja.

Frida había humillado a la señorita Caballero delante de toda la clase, y por eso la maestra, siempre que tenía ocasión, hablaba de aquella vez en que mi hermana se había emocionado tanto durante una clase de ciencias que se había orinado encima. Lo que quería la señorita Caballero era reducir a Frida, hacer que se sintiera como una mosca en un cagarro.

Veamos, ¿por dónde iba? Estoy tan vieja que no puedo concentrarme en nada. Ah, sí, le estaba diciendo que Frida siempre me protegía. Pues bien, yo me había puesto sus calzones limpios. Frida me tendió la mano; yo se la cogí y apoyé la cabeza en su hombro.

Las otras niñas habían formado fila fuera del salón de clases y esperaban para entrar. «Quédense aquí», dijo la señorita Caballero. Se arregló la falda y fue hacia la puerta. Las niñas fueron entrando y ocupando sus asientos.

—¡Vámonos, Cristi! —me susurró Frida—. ¡Larguémonos de aquí!

El edificio era una casa de estilo español renovada que había sido transformada en escuela. Era un edificio de dos plantas con forma de U cuadrada y un patio en el centro. En la planta baja, los lados de la U contenían dos aulas, un almacén, un pequeño despacho y una diminuta capilla. Las dependencias de la propietaria de la escuela y de la señorita Caballero estaban en el piso superior. No había pasillos; todas las habitaciones de la planta baja daban directamente al patio, y las del piso superior daban al balcón que discurría sobre la arcada. Las aulas tenían dos puertas en la pared que daba al patio. Mientras la señorita Caballero hacía entrar a las alumnas por una de las puertas, Frida salió corriendo por la otra, arrastrándome.

Yo estaba muerta de miedo.

—No podemos irnos. Mami nos matará.

—¡Mami no se va a enterar!

La señorita Caballero nos vio y salió a perseguirnos, pero antes de que pudiera alcanzarnos habíamos llegado a la verja, que no estaba cerrada con llave, y salido a la calle.

Frida y yo nos conocíamos Coyoacán como la palma de la mano. No sé si ha estado usted allí alguna vez, doctor; es un pueblo colonial muy pintoresco situado al sur de la Ciudad de México, acerca de una hora. Lleno de iglesias barrocas, plazas y tianguis (mercados de indígenas). Hernán Cortés vivió en Coyoacán cuando luchaba contra los aztecas. Ahora ha crecido mucho. Hay muchos turistas, claro. Turistas que van a ver nuestra casa. O mejor dicho, la casa de Frida. Van a verla porque Frida vivió allí, no porque viviera yo. El pueblo todavía está rodeado de campos y ranchos ganaderos, pero ahora es un barrio de la Ciudad de México, ese monstruo voraz que no deja de crecer. La capital es muy bulliciosa, sucia y peligrosa, por supuesto, como cualquier gran ciudad, pero Coyoacán conserva una atmósfera un tanto anticuada. Conserva el encanto del pueblecito, un aire pintoresco e histórico.

Echamos a correr por una calle adoquinada, y llegamos a un camino sin asfaltar que conducía a los Viveros de Coyoacán, un enorme parque lleno de árboles por donde discurría un sereno riachuelo. Los vendedores ambulantes ofrecían juguetes de llamativos colores, de madera, calabaza o papel maché, y yo le pedí a Frida que me comprara un balero, un artilugio con el que jugábamos cuando éramos pequeñas.

—No digas tonterías —me espetó—. Si entráramos en casa con un balero, mami sabría inmediatamente que estuvimos vagando por las calles. Mira que eres boba, Cristi. —Siempre me decía lo mismo: «Mira que eres boba, Cristi.»

El plan de Frida era sencillo. Iríamos al parque y jugaríamos hasta la hora en que Conchita, nuestra niñera, iba a buscarnos a la escuela. Entonces esperaríamos en la pequeña papelería que había enfrente de la escuela, lo bastante lejos para que no nos viera la señorita Caballero, pero no demasiado, para ver llegar a Conchita por la calle. En cuanto apareciese la niñera, correríamos a reunirnos con ella y regresaríamos a casa como siempre. Mami no se daría cuenta de nada.

No muy convencida, seguí a Frida. Pasamos por delante de una pulquería (una tienda de pulque, esa bebida blanca y espesa hecha con jugo de maguey). En aquella época las paredes estaban cubiertas de pinturas del folclore mexicano: un bandido asaltando a un terrateniente escuálido, una prostituta chabacana contando sus ganancias. Yo quería marcharme cuanto antes de allí, pero Frida estaba maravillada con el colorido y con las canciones obscenas que entonaban los bulliciosos obreros de la construcción.

Frida sacó una moneda del bolsillo de su delantal y le compró una quesadilla (una tortilla con queso y salsa de chile) para mí a un vendedor ambulante. Frida no sabía cómo se llamaba aquel vendedor, pero lo consideraba amigo suyo porque solía comprarle cosas.

—No te manches el delantal de queso. Si lo haces, mami sabrá que te he comprado una quesadilla en la calle —me advirtió—. Nos hemos ido de pinta —le contó al vendedor.

El hombre sonrió y le dio otra quesadilla.

—Sólo tengo un centavo —dijo Frida.

—No importa —repuso él—. Ésta te la regalo.

Corrimos al parque y jugamos durante lo que nos pareció una media hora. Frida no dejaba de molestarme, diciéndome que no me ensuciara el vestido, que no me manchara los zapatos de barro, que no me manchara los calcetines de hierba, para que mami no supiera dónde habíamos estado.

Frida observaba el movimiento del sol por el cielo. Cuando, según sus cálculos, llegó la hora de marcharse, me llevó por las polvorientas calles hasta la escuela.

En cuanto vi la papelería me quedé de piedra. Era la hora de comer, y estaba cerrada. Dado que las tiendas cerraban desde las dos hasta las cinco o las seis, aquello significaba que las clases habían terminado hacía horas. Miré calle abajo. La florería también estaba cerrada, así como la panadería y la tortillería. No quedaba ninguna niña esperando junto a la verja de la escuela. Las calles estaban desiertas.

—¡Vámonos! —me ordenó Frida—. Deben de estar buscándonos.

—¡Nos va a llegar! —me lamenté—.Y todo por culpa tuya.

Frida no me contestó. Me cogió de la mano y echamos a correr hacia la casa.

2

FRIDA BAILA

Siempre he pensado que la razón por la que Frida era tan exageradamente patriota, tan mexicana, eran aquellas experiencias que habíamos tenido en la escuela. Para Frida, el cielo mexicano era el más puro, el más exquisito del universo (pese a que en la Ciudad de México el aire es del color de los calcetines sucios o de la orina mezclada con mierda). Pero eso no podías decírselo. Ni hablar. Si lo hacías, ella te acusaba de haberte vendido a los yanquis. Te acusaba de ser un títere del capitalismo o de lamerle el culo a la elite intelectual europea. Frida hablaba como un camionero. Pero eso no hace falta que se lo diga, porque usted ya lo sabe. En fin, te ponía verde sólo por decir que el cielo no era tan resplandeciente en México como en California, por ejemplo. Ella era así, fanática en todo. Para Frida el cielo de México era ámbar líquido, una turquesa, un manto de zafiros pulverizados. No lo veía como era en realidad, una masa de aire mugriento. Para Frida nada era como era en realidad. Ella vivía en un mundo imaginario. *Él* lo encontraba encantador, por supuesto; pero si quiere que le diga la verdad, yo creo que Frida exageraba. A veces me ponía muy nerviosa. Pero quizá no fuera culpa suya, porque cuando estás harto de que se burlen de ti, cuando estás harto de que te llamen judío y extranjero, es fácil que te vuelvas fanático. Por otra parte, a ella le gustaba provocar a la gente. A veces era tan brutalmente franca y beligerante que sacaba lo peor de las personas.

Aunque quizá me equivoque. Al fin y al cabo, ¿quién soy yo para intentar explicar estas cosas? El que tiene que averiguar lo que pasaba por su cabeza es usted, señor mío. ¡Usted es el médico!

Lo que quiero decir es que... bueno, supongo que usted ya me entiende, porque también es extranjero. Ya sabe lo que es sentirse un intruso, aunque la situación actual no puede ni compararse con la que nos tocó vivir a nosotras. Además usted es una persona que infunde respeto, un psiquiatra. Nosotras no éramos más que un par de niñas vulnerables, y nos afectaba mucho que nos llamaran extranjeras, hebreas, inmigrantes. A Frida la afectaba más, porque ella era la más agresiva de las dos, la que siempre estaba en medio de la refriega. Ésa es otra de las cosas que a *él* le encantaba: su espíritu batallador, aunque creo que a veces Frida interpretaba ese papel sólo para que *él* le prestara atención. Sí, Frida era batalladora por naturaleza, pero más adelante exageró esa actitud para crear determinada imagen. Y *él* también era un buen actor. El revolucionario. El muralista del pueblo. Todo eso era parte de su personaje.

Para ella, demostrar que era más mexicana que nadie se convirtió en una obsesión. Mire, Frida nació en 1907, el 6 de julio, para ser exactos, pero siempre decía que había nacido en 1910, el año del inicio de la Revolución mexicana. Quería ser una verdadera hija del nuevo México, hasta en la fecha de su nacimiento.

A veces cerraba los ojos y, muy exaltada, proclamaba: «¡Soy tan mexicana como el águila que extiende sus alas de nieve y ceniza y surca el cielo, rozando la estratosfera con su poderoso pico!»

«¡Y cagándose encima de mis murales!», replicaba *él*. Y reíamos a carcajadas.

La gente decía que Frida se ponía aquellos largos vestidos indígenas para esconder su pierna tullida o para disimular su cojera, pero ése sólo era uno de los motivos. Ella quería demostrar su *mexicanidad*, pese a que nosotras teníamos menos sangre india en las venas que miel tiene el mar. Bueno, no, eso no es del todo cierto. El padre de mi madre era un indígena de Morelos. El caso es que Frida quería que la identificaran con la causa revolucionaria, sobre todo debido a lo importante que era *él* dentro del movimiento. Y el otro motivo era que le gustaba destacar.

¿Cómo dice? ¿Que me estoy apartando otra vez del tema?

Ah, sí, el otro día le estuve contando que Frida siempre me protegía. Siempre. Hasta cuando éramos pequeñas. Le estuve hablando del día que nos escapamos de la escuela.

Cuando nos dimos cuenta de lo tarde que era, fuimos hacia casa, rezando para que mami no se hubiera enterado de lo ocurrido y se hubiera puesto hecha un basilisco. Desgraciadamente, la señorita Caballero había enviado a un empleado a nuestra casa con la noticia de que nos habíamos escapado. *Empleados*: así los llamábamos para no tener que llamarlos criados, para demostrar que éramos democráticos y que respetábamos a todo el mundo, para demostrarnos a nosotras mismas que no los considerábamos simples indios que nos obedecían sin rechistar. Aquel «empleado» se llamaba Arturo. La señorita Caballero siempre decía que parecía un ternero recién degollado.

Por el camino, Arturo se encontró a Conchita, que iba a la escuela a recogernos.

Cuando mami se enteró de que nos habíamos escapado de aquel infierno que llamaban jardín infantil, en lugar de sopesar detenidamente la situación y esperar a que llegáramos, envió a Manuel, nuestro sirviente, al estudio de papá, en la Ciudad de México, para comunicarle la noticia.

Me imagino a Manuel, un vejestorio, entrando en el cuarto oscuro de mi padre y anunciando: «¡Las niñas han desaparecido!»

Me imagino a papá, con aquellos ojos de loco, mirando fijamente a Manuel e intentando hacer llegar aquella información hasta su cerebro. Veo la escena como si la hubiera presenciado. Papá mira a Manuel, aturdido, intentando asimilar sus palabras.

—¡Señor! ¡Las niñas han desaparecido! ¡Se marcharon de la escuela y nadie sabe dónde están! La señorita Caballero envió un mensajero a la casa. ¡La señora está fuera de sí!

Papá está mudo.

—¡Sus hijas, señor!

—¿Mis hijas? —Guillermo Kahlo empieza a procesar el mensaje. Gotas de sudor perlan su frente.

Tenga usted en cuenta que, en aquella época, un niño desaparecido podía convertirse fácilmente en un niño muerto. Nosotras crecimos durante la dictadura de Victoriano Huerta, que llegó al poder en 1913. En varias ocasiones los hombres de Huerta habían secuestrado niños en el parque para coaccionar o castigar a sus familias. Los simpatizantes de Zapata, como nuestros padres, eran un buen blanco. Los peces gordos huertistas se las daban de respetables (al fin y al cabo, les habían arrebatado el poder a los rebeldes y habían devuelto el orden a la sociedad, ¿no?), pero tenían matones que se encargaban de hacerles el trabajo sucio, y esos hombres no tenían piedad. Tanto les daba degollar un cabrito como rebanarle el cuello a una criatura angelical de tres añitos. Los niños eran peones fáciles en el ajedrez del poder.

Estoy convencida de que cuando papá asimiló finalmente el mensaje de Manuel, dejó las fotografías que estaba revelando y salió a toda prisa de su estudio, seguramente dejando el mostrador lleno de productos químicos y sin acordarse de ponerse el sombrero.

¿Que cómo era como padre? ¿Qué tiene eso que ver con

el tema que nos ocupa? Lo que intento explicarle es lo buena que Frida era conmigo, para que usted deje de insinuar que yo... que yo hice lo que hice porque tenía celos de ella, o porque la odiaba. Ya sé que es a eso a lo que pretende llegar.

¿Qué tiene que ver mi padre?

Está bien, le hablaré de él. Déjeme pensar un minuto. Era un hombre raro. Como padre era distante, casi inasequible. Pero en el fondo nos quería, sobre todo a Frida. Frida lo era todo para él, quizá porque ella se le parecía mucho: era genial, alocada, emprendedora. Para él, Frida era el último huevo duro del pícnic, la última aspirina del armarito de las medicinas, la última jarra de ponche de la nevera. Frida la pillina. Frida la alborotadora. Frida era la que lo acompañaba en sus paseos. Juntos examinaban flores o recogían piedras que después clasificaban por tamaño y color. A veces yo los acompañaba, pero siempre me sentía fuera de lugar, como gallina en corral ajeno. Papá tenía esperanzas de que algún día Frida fuera investigadora científica, o quizá médico. La sentaba en sus rodillas y se quedaba contemplando el cielo, trastornado y absorto, como un santo presenciando la Resurrección.

En cuanto a mí, nuestro padre creía que llegaría a ser lo que fui: nada.

Bueno, estoy segura de que la idea de que Frida pudiera correr algún peligro lo dejó descompuesto, y de que en su mente había una gran confusión.

Entretanto, Frida y yo nos acercábamos con cautela a la casa, que desde lejos parecía un pastel gigantesco recubierto de merengue azul. Las vigas y los marcos de las ventanas eran trozos de canela en rama y bombones de chocolate. Era una casa de estilo colonial con estrechas ventanas con postigos que daban a la calle. Dentro, las habitaciones se conectaban entre ellas alrededor de un gran patio, donde había tiestos de terracota con geranios y cactus. Unos años antes de que naciera Frida, papá hizo construir la casa y pintarla de azul real. Todo el mundo la llamaba la Casa Azul.

Durante el trayecto mi hermana había adoptado una actitud muy valerosa, pero ahora me daba cuenta de que estaba francamente asustada.

—A lo mejor podemos colarnos dentro y llegar a nuestro cuarto sin que nos vean —me susurró—, y fingir que no nos hemos movido de allí.

—¿Crees que funcionaría?

—A lo mejor sí. —Intentó sonar convincente, pero ambas sabíamos que seguramente mami nos había buscado por toda la casa. Me la imaginaba arrojando cosas contra las paredes, mientras maldecía a los apóstoles, a la señorita Caballero, y sobre todo al imbécil de su marido, que le había dado unas hijas tan díscolas.

—Será mejor que primero intentemos encontrar a Conchita —propuso Frida.

Entramos en la casa por la cocina. Concha no estaba allí, pero Inocencia, la cocinera, estaba arrodillada frente al pequeño altar que había junto a la despensa, rezándole a la Virgen de Guadalupe: «... pobres niñas... criminales... asesinos... Virgen Madre... devuélvenoslas...».

—Esto no pinta nada bien —dijo Frida.

Empecé a sollozar débilmente. Frida se llevó el dedo índice a los labios indicándome silencio.

—¡Sssh! ¡Cállate, tonta!

La cocinera seguía rezando, y le caían gruesas lágrimas por las oscuras mejillas.

Frida se colocó detrás de Inocencia y le tocó suavemente el hombro.

—¡Inocencia! —dijo en voz baja.

La cocinera se sobresaltó y abrió mucho los ojos.

—¡Fridita!

Frida rió y yo sonreí, vacilante. Inocencia, que seguía arrodillada, nos abrazó y se puso a gemir: «¡Oh, gracias a Dios!

34

¡Gracias a Dios! ¡Gracias, Virgen santa!» Se levantó con movimientos torpes y nos sirvió jugo y tortillas.

—¿Dónde se habían metido? —dijo, fingiendo regañarnos—. Su pobre madre está preocupadísima. Tienen que ir a decirle que están bien.

Yo me estaba atiborrando de tortillas, pero Frida se quedó allí de pie, mordiéndose el labio.

—¿Por qué no le dices que estábamos aquí contigo? —propuso al cabo de un rato.

—Ah, no. Doña Matilde me mataría. Además, no se lo creería. Han buscado por toda la casa, y su madre ha enviado a dos criados a buscarlas por las calles. Hasta han enviado a Manuel a la ciudad para avisar a su papá.

—¿Que han ido a avisar a papá? ¡Oh no! —se lamentó Frida—. Tendríamos que meternos en el río y dejar que los mozos nos encontraran. Así podríamos decir que estábamos a punto de ahogarnos y que gracias a Dios nos salvaron. Mami se alegraría tanto que no se acordaría de regañarnos.

—De eso nada —dijo Inocencia poniéndose severa—. Lo mejor será que vayan a decirle a su madre que están bien, y que se atengan a las consecuencias.

—Por favor, Inocencia —dijo Frida—, ayúdanos. —Se abrazó a la cocinera y le dio un beso en la mejilla. Frida sabía cómo engatusar a la gente para conseguir lo que quería.

»—Vamos, Cristi —me dijo entonces—. Nos vamos al río.

Pero yo estaba ocupada untando una tortilla caliente con aguacate.

—¡Vámonos, boba! ¿Cuándo vas a parar de comer? No me extraña que estés tan gorda.

Arranqué un trozo de piel de aguacate y se lo lancé.

—¡Déjame en paz! Tú tienes la culpa de que estemos metidas en un lío. Se lo voy a decir a mami.

Aquello la enfureció. Yo no era la favorita de mami (ella prefería a las niñas mayores, a Matilde y a Adriana), pero me toleraba más a mí que a Frida. Si tenía que elegir entre creernos a una de las dos, se decantaría por mí, y no por Frida, la descarada.

—Bueno, estamos metidas en un lío —admitió Frida—. Y ¿qué? Afronta la realidad y deja de lloriquear.

Yo ya había echado a correr hacia la puerta.

—¡Quieta, idiota! Piensa un momento. Todavía podemos librarnos del castigo. Diremos que nos secuestraron esos tipos del gobierno de los que siempre hablan, esos que se llevan a los niños en unos coches negros. A ver... Eran muy brutos... y crueles. Y llevaban unas pistolas grandes como el pito de un toro. Pero conseguimos escapar por una ventanilla. Ya lo verás, mami se llevará tal susto que estará encantada de tenernos de nuevo en casa. A menos que tú lo estropees todo, claro.

Me puse a gritar:

—¡Mami! ¡Ya estamos aquí, mami!

Ella estaba en otra parte de la casa, dándole instrucciones a un criado, y no supo si me oía gritar o si su imaginación le jugaba una mala pasada. Años después me dijo que llevaba toda la mañana oyendo voces de niños, desde que llegó el mensajero de la señorita Caballero. Había oído risas en un armario y gemidos en la cocina, y había hecho registrar todos los armarios, cubos y cestos a Inocencia. Los gemidos y los susurros la estaban volviendo loca.

Inocencia fue corriendo al lavadero.

—¡Señora! —dijo—. ¡Las niñas han vuelto! ¡Fridita está en la cocina y Cristinita en el patio!

—¿Que han vuelto? Y ¿están bien?

—Sí, señora. Están bien, gracias a Dios.

Mami tuvo una especie de ataque religioso.

—¡Virgen santísima, gracias! ¡Gracias! —gritaba.

Yo la oía desde el patio, cerca de la puerta. Cuando mi madre creyó que ya le había expresado su gratitud a la Virgen lo suficiente, salió corriendo y me vio agazapada junto a la pared, sollozando como María Magdalena. Me agarró por el brazo y, de un solo bofetón que resonó en todo el patio, me tumbó. Debí de gritar, porque los criados acudieron asustados. Pero mami no les dejó acercarse a mí y les ordenó con vehemencia:

—Vayan a buscar a Frida. Está en la cocina.

Pero Frida no estaba en la cocina. Ni en los dormitorios. Ni en la sala, ni en el lavadero. Frida no aparecía por ninguna parte. Mami temblaba de arriba abajo, no de miedo sino de rabia. Estaba tan pálida que sólo la punta de la nariz, que parecía una fresa no muy madura, tenía algo de color. Finalmente, la anciana Inocencia, que había salido a la calle, divisó a Frida a media manzana de la casa.

—¡Allí está, señora! —gritó.

Concha salió a buscar a Frida, y la trajo a casa a rastras.

—¿Qué significa todo esto? ¿Dónde han estado? —Mami agarró a Frida por los hombros y la zarandeó—. ¡Nos hemos vuelto locos buscándolas! ¿Dónde estaban? —Sus gritos frenéticos resonaban por el patio. Tenía el rostro tenso, desencajado.

Me acordé de esos espejos cóncavos y convexos que hay en las ferias, que te distorsionan las facciones y hacen que parezcas Pinocho o un demonio con forma de pera. Me imaginé a mami con la cabeza enorme y con forma de reloj de arena, los hombros diminutos y la cintura hinchada. Me mordí el labio para impedir que se me escapara la risa. No quiero ni imaginarme lo que habría pasado si hubiera sonreído en aquel momento. ¡Quizá no estaría aquí contándole esta historia!

Ahora mami estaba callada, pero más tensa que la cuerda de una guitarra recién afinada. Levantó una mano para darle una bofetada a mi hermana, pero Frida se desplazó hacia un lado, esquivando el golpe. Era espantoso, pero al mismo tiempo tremendamente divertido. Mami, tan seria, tan formal, dando manotazos como si intentara matar una mosca, como uno de esos personajes de los dibujos animados americanos que se hicieron famosos mucho más tarde: el gato que intenta atrapar el pájaro, ¡zas! ¡zas!, así. Mi madre, tan sólida e imperturbable, perdió el equilibrio, y a punto estuvo de caer al suelo. Pero en cuanto se recuperó volvió a levantar la mano, y esta vez acertó. Le dio de lleno en la oreja.

Yo sabía cómo dolía aquello. Aunque no era a mí a la que habían pegado, me sentí como si me hubieran dado en la cabeza con un bate. Me dolía la cabeza, el cuello y los hombros. Pero Frida no lloró. Se quedó mirando fijamente a mami, desafiante.

—¡Mocosas de mierda! —gritó mi madre.

Frida se cruzó de brazos y, fingiendo tranquilidad, dijo:

—No ha sido culpa de Cristi. Ha sido culpa mía.

¿Lo ve? Eso es lo que yo quería decir. Frida siempre hacía todo lo posible para protegerme. Se plantaba delante de mi madre y le decía que la que se había portado mal era ella.

—¡Lucifer ha hecho un nido en tu alma, criatura indisciplinada! —Eso le dijo mami.

¿Se imagina a una madre hablándole así a su hija de seis años, doctor? No me extraña que Frida saliera como salió.

No, no quería decir eso. No quería decir que Frida saliera mala, ni que en el fondo no fuera más dulce que un mango. Frida era muy dulce. Bueno, no exactamente dulce, pero buena sí. Eso es precisamente lo que intento explicarle. Ella aceptaba la culpa y al mismo tiempo se llevaba los laureles.

—¡Ha sido culpa mía! —insistió—. Tuve una pelea en la escuela. No quiero volver allí, mami. ¡Odio a la señorita Caballero!

¿Si era verdad que Frida odiaba a la señorita Caballero? No lo sé, no estoy segura.

—¿Qué ha pasado? —preguntó mami—. ¿Por qué te has peleado esta vez?

—Por nada —contestó Frida levantando la barbilla.

—Nos llamaron... —intenté explicar.

Frida me fulminó con la mirada.

—Por nada —repitió. No pensaba decirle a mami que habían vuelto a llamarnos extranjeras y judías. No pensaba darle más motivos para meterse con papá.

De pronto mami se relajó.

—Me van a mandar a la tumba —se limitó a decir—. ¡Con todo lo que tengo que soportar por ustedes dos, y no hacen más que darme disgustos! Virgen santa, ¿qué he hecho yo para merecer unas hijas así? —Pero ya no gritaba. Ya se le había pasado el arrebato.

Papá había entrado en el patio y estaba allí plantado, taciturno y silencioso, mirando a su esposa e hijas. Mi madre se percató de su presencia pero no lo saludó, ni siquiera se volvió para mirarlo.

—Su padre ha vuelto del trabajo porque pensó que estaban en peligro —dijo—. Ha tenido que venir desde la ciudad. Ha cerrado el estudio. Y eso que vuelve a encontrarse mal. Esta mañana tuvo otro ataque. Pero aun así, ha vuelto a casa. Y ustedes, ¡ustedes resulta que sólo estaban haciendo travesuras! —Pero seguía sin gritar.

Ahora yo me sentía más culpable. Papá casi nunca venía a casa a la hora de comer. Manuel hacía el largo viaje a la ciudad cada día y le llevaba una cesta con la comida. Yo sabía que para que papá hubiera vuelto a Coyoacán tenía que estar muy desesperado.

—Anda, diles lo malas que han sido —le dijo mami al salir del patio—. Diles cómo las vas a castigar.

Papá se quedó mirándonos con aquellos ojos inexpresivos y extraviados.

Frida corrió hacia él. Papá se agachó torpemente, y ella lo rodeó con sus bracitos y lo besó en la mejilla.

—Vamos, Cristi —me dijo.

Seguí su ejemplo y besé a mi padre, pero luego me fui corriendo a nuestra habitación. Supongo que pensé que era mejor dejarlos solos, dejar que Frida le contara la historia a su manera. Ella sería la protagonista, por supuesto. Pero también interpretaría los otros papeles. Cuando interpretara a Estela, pondría voz áspera, como uñas rascando una pizarra. Para interpretar a la señorita Caballero inflaría las mejillas y se envolvería los dedos con trapos para que parecieran más gordos. ¿Cómo me representaría a mí? ¿Saldría yo en la historia? Al final ella vencería a sus enemigos. Frida era una gran actriz. ¡La heroína! ¡La salvadora!

Me metí en la cama y me dormí.

A la mañana siguiente Frida me dijo:

—¿Sabes qué? Anoche la princesa Frida Zoraída vino a verme.

Yo sólo tenía cinco años, y creía en la princesa Frida Zoraída.

—¿Crees que algún día vendrá a visitarme a mí? —pregunté.

—Claro que no —respondió ella—. Es amiga mía.

Frida estaba sentada en una pequeña butaca, una miniatura de las que había en el salón, mirando por la ventana que daba a la calle Allende. Parecía triste. La noche anterior ambas nos habíamos quedado sin cenar, porque mami estaba tan enfadada que no permitió que Inocencia nos diera la cena. Me pareció que Frida tenía ganas de llorar; pero ella jamás habría llorado delante de mí.

—De pronto oí su voz —dijo.

—¿Su voz? —pregunté—. ¿Qué te dijo? —Frida tenía mucha suerte, creía yo, porque una princesa de verdad, la princesa Frida Zoraída, iba a visitarla siempre que ella necesitaba una amiga.

Había tenido que aguzar mucho el oído, me explicó, pero al final la princesa la llamó desde el centro de la tierra: «¡Frida! ¡Frida!»

—Me levanté y fui a la ventana —prosiguió—. La dulce y melodiosa voz de la princesa Frida Zoraída sonaba como un móvil oriental de campanillas agitado por la brisa. «¡Ven, Frida! ¡Ven a jugar conmigo!», decía la princesa con aquella voz sobrenatural.

«¿Eres tú, princesa Frida Zoraída?», susurró Frida.

La princesa no respondió.

«¿Eres tú, princesa Frida Zoraída?», repitió.

La respuesta fue una canción, débil y fantasmal:

«¡Estoy escondida en tu mente! / ¡Abre la puerta! / No me preguntes cómo. / ¡No te diré nada más!»

—¡Estaba tan emocionada! —continuó Frida—. Eché el aliento en el cristal de la ventana, y cuando estuvo bien empañado dibujé una puerta. Y entonces noté que salía volando por aquella puerta y cruzaba la llanura que rodea Coyoacán. Llegué a la lechería Pinzón; había un enorme letrero con el nombre del establecimiento, y me puse a dar vueltas alrededor. Finalmente entré por la O de Pinzón.

Siguió volando hasta que llegó al centro de la tierra, donde la esperaba la princesa Frida Zoraída.

La princesa era una niñita idéntica a Frida. Tenía la misma barbilla con un hoyuelo, los mismos ojos traviesos, las mismas mejillas regordetas, el mismo lazo blanco en la cabeza. Pero en lugar de delantal, ella llevaba una larga túnica roja adornada con espejitos redondos del tamaño de un peso, cuentas y lentejuelas, y un ribete trenzado de color violeta. Llevaba también unas botas de fieltro violeta con la puntera vuelta hacia arriba.

«¡Ven! —dijo la princesa con su aguda vocecilla—. ¡Ven a bailar conmigo!»

Cogió a Frida de las manos y le dio un beso en la mejilla. Luego se puso a bailar, flotando ingrávida, inclinándose hacia uno y otro lado. Sujetaba a Frida por los dedos, mientras sus piececillos revoloteaban por los aires. «¡Baila! —le decía—. ¡Baila!» Frida daba vueltas y saltaba, y Zoraída seguía sus movimientos ágilmente, como un globo, sin tocar el suelo con los pies. «¡Maravilloso! —exclamó la princesa, riendo—. ¡Qué ágil eres! ¡Qué hermosa! ¡Me encanta tu precioso delantal!» Frida sonrió y la besó.

—Me sentía tan a gusto —me explicó—. Me olvidé por completo de mami y de esas mocosas de la escuela.

«Me encanta tu vestido —le dijo Frida a la princesa Zoraída. Y entonces añadió—: Hoy he tenido un mal día en la escuela.» Siempre le contaba sus problemas.

«¿Qué ha pasado? —preguntó la princesa, acariciándole suavemente la mejilla—. Cuéntamelo todo.»

«Las niñas se han burlado de mí. Sobre todo Estela y María del Carmen.»

«Son unas niñas muy tontas.»

«¿Sabes cómo me han llamado?»

«¿Cómo?»

«¡Extranjera y judía! Dime, princesa Frida Zoraída, ¿soy extranjera y judía?»

«¡No! ¡Claro que no! Eso es una tontería.»

«Dicen que como papá nació en Alemania nosotras no somos mexicanas de verdad.»

«¡Qué estúpidas! Deberías darles una lección.»

«Eso fue lo que pensé. Y ¿sabes qué hice?»

«¿Qué?»

«¡Las insulté! Les dije cosas terribles.»

«¡Fenomenal, Fridita! Hiciste muy bien. Hiciste lo mismo que habría hecho yo.»

«Y luego, cuando la señorita Caballero empezó a regañarme, ¡me escapé y me escondí en el parque!»

La princesa Frida Zoraída se echó a reír, y a Frida su risa le pareció el sonido de un millón de gorriones gorjeando y un millón de carillones tintineando. Ambas se abrazaron y rieron y siguieron bailando.

—Fue maravilloso, Cristi —me dijo Frida. Se acercó a la ventana y miró a la calle.

—¿Todavía sigue ahí? —pregunté, esperanzada. Me levanté y me coloqué a su lado, buscando a la princesa por la calle Allende. Pero sólo los robles, que se alzaban contra un cielo gris, rompían la monotonía de la acera adoquinada.

¿Se inventó Frida aquello para darme envidia, o creía lo que me estaba diciendo? No lo sé. Es posible que creyera en la existencia de la princesa Frida Zoraída. Frida tenía una imaginación tan vívida que no creo que pudiera distinguir entre realidad y fantasía, ni siquiera de mayor. De todos modos, ¿qué es la realidad? ¿Lo sabe alguien? A veces yo tampoco estoy segura de lo que pasó entre Frida y yo. A veces ni siquiera sé si hice lo que usted dice que hice.

3

FRIDA PATA DE PALO

Frida siempre fue una excelente actriz, y le encantaba actuar. Por eso, la noche que despertó gritando yo creí que estaba fingiendo.

Los gritos de un niño que sufre. Un fragmento de cristal en las entrañas. Una astilla de hielo en la garganta que te corta la respiración y te paraliza, impidiéndote gritar para pedir ayuda en la oscuridad. ¿Cómo puede una madre soportarlo? Cuando Antonio e Isolda, mis hijos, eran pequeños, a veces chillaban así, y a mí me entraba pánico, porque la pesadilla de los gritos de Frida volvía a asaltarme en fragmentos inconexos. Pero la noche de la que le hablo, a mí todavía me faltaba mucho para ser madre. No era más que una niña, y lo primero que pensé fue que Frida había tenido una pesadilla, o que tenía gases, y se había puesto a gritar desconsideradamente para despertar a toda la casa. No habría sido la primera vez que lo hacía. De hecho, aquello se había convertido en una costumbre: Frida gritaba a menudo por las noches para que todos acudieran corriendo en su ayuda. Mami con el gorro de dormir arrugado, e Inocencia con el chal raído, entraban tambaleándose en la habitación y como zombis accedían a todos los caprichos de Frida para que la pobre víctima, la pobrecita niña que sufría, pudiera dormirse de nuevo.

«¡Inocencia! ¡Una taza de hierbabuena!» Y la sirvienta iba a la cocina a preparar la infusión relajante.

«¡Mami! ¡La muñeca nueva!» Y mami me la arrancaba de los brazos y se la ponía a mi hermana junto al pecho.

Frida y yo dormíamos en la misma habitación, pero aquella semana ella había estado resfriada, y mami me hizo dormir en la habitación de Adriana y Matilde.

Mis hermanas mayores no debieron de oír nada, porque ninguna se movió. Agucé el oído esperando oír los pasos de mami en el patio, pero por lo visto todos dormían. Pensé que quizá lo había soñado. Me arrimé a Adriana e intenté conciliar de nuevo el sueño.

Cuando estaba a punto de quedarme dormida, otro grito perturbó el silencio. Esta vez me levanté de un brinco de la cama y fui hacia la habitación que normalmente compartía con Frida. Mi intención era decirle que se callara, que dejara de armar escándalo. Pero entonces vi que mami y papi ya estaban allí. Mami temblaba. Papá, todavía adormilado, se acercaba tambaleándose a la cama de Frida.

Creo que a mi padre llevaba varios días atormentándolo una vaga ansiedad. Frida había tenido fiebre, dolor de cabeza y de garganta. Mi padre insistía en que no era más que un simple resfriado. Papá tenía seis hijas: nosotras cuatro y otras dos fruto de su primer matrimonio. En cuanto se casó con mi padre, mami se encargó de que enviaran a nuestras hermanastras a un convento. Quería tenerlas bien lejos, para que no le recordaran a aquella otra mujer. Más adelante, todas nos hicimos amigas, pero ésa es otra historia que ahora no viene a cuento. Pese a que papá siempre se había mantenido al margen del cuidado de sus hijas, sabía que los niños solían tener fiebre y dolor de garganta. Pero después vinieron las náuseas y los vómitos. Y a continuación la diarrea.

—Debe de ser un virus intestinal —dijo mi padre. Eso fue por la tarde.

—Seguramente —repuso mami. Estaba cortando un mamey, y al perforar la corteza de color rojizo, los dulces jugos amarillos corrieron por su mano—. Pero de todos modos deberíamos llamar al médico.

—Llámalo si quieres. —Papá escrutó el rostro de mami en busca de alguna señal de preocupación grave. Creía que las mujeres eran unas criaturas misteriosas, como los gatos, y que tenían métodos secretos para saber cosas. Ella se mordió el labio y siguió cortando la fruta con golpes firmes. Quizá mi padre detectara aprensión en sus ojos; quizá no estuviera seguro.

—No pensarás que pueda ser algo más que un virus intestinal, ¿verdad? —preguntó.

Creo que le tembló un poco la voz, pero ha pasado tanto tiempo que no puedo asegurarlo. Estas cosas las recuerdas tantas veces que, pasado un tiempo, no estás seguro de si pasaron realmente como tú piensas o si te las inventaste, adornando la escena un poquito cada vez para evocarla, añadiendo pequeños detalles, hasta que tu imagen mental difiere completamente de la realidad.

Mami no contestó, pero tampoco envió a buscar al doctor. Andábamos cortos de dinero y los médicos eran caros. Supongo que pensó que podía esperar un día más.

Aquella noche Frida se acostó a la hora habitual, pero durante el día se había quejado de rigidez en el cuello y la espalda. Yo seguía pensando que hacía cuento para llamar la atención, pero me inquietó el modo en que papi le acariciaba el cabello y la arropaba.

—No me siento bien, papá —seguía lamentándose Frida, jadeando y con voz entrecortada, como si le faltara el aliento.

Papá contempló su rostro, que denotaba miedo y sufrimiento, e hizo una mueca de dolor, como si tuviera serpientes retorciéndose en el estómago.

—Dios mío —susurró—. A pesar de que no creo en ti, por favor, haz que esto no sea más que un resfriado.

Sus ojos y los de Frida se encontraron, y sentí... bueno, ¿por qué no voy a decirlo?, sentí celos. No olvide que yo sólo tenía cinco años, y que para mí Frida estaba haciéndose la huérfana moribunda para conseguir que papá se sentara en su cama.

—Ya lo sé, Friducha —dijo mi padre—, pero mañana llamaremos al doctor. No te preocupes.

Papá apagó la luz. Estaba tan absorto en sus pensamientos que ni siquiera me vio, agazapada en la oscuridad. En cuanto mi padre salió, Frida volvió a llamarlo.

—Papá —dijo cuando él se sentó a su lado. Tenía los ojos vidriosos—. Hoy Cristi se portó mal conmigo.

La odié. Tengo que admitirlo. En aquel momento la odié.

—Seguro que no, Fridita. Cristina es más pequeña que tú. A veces hace tonterías, y cuando te fastidia no lo hace a propósito.

—¡Ya lo creo! ¡Es muy mala!

—Le diré a mami que hable con ella.

¡Típico! Él nunca me sentaba en sus rodillas y me acariciaba el cabello, ni me preguntaba si las estúpidas acusaciones de Frida eran ciertas. Se limitaba a decir «Le diré a mami que hable con ella». Se lo consentía todo a Frida, sólo porque ella era su favorita.

—¡Me quitó la muñeca! —gimoteó Frida.

Era mentira. Yo no había tocado su muñeca. A veces le cogía juguetes, pero aquel día no lo había hecho, porque ni siquiera me habían dejado entrar en su habitación. Pero ¿se le ocurrió a papá preguntarme si era verdad?

—Está bien. Mañana le diremos que te la devuelva —dijo.

—¡La quiero ahora!

—Cristina está durmiendo. Tendremos que esperar hasta mañana.

Frida cerró los puños y empezó a temblar de rabia.

—¡La quiero ahora! —insistió.

Yo me moría de ganas de gritar: «¡Yo no tengo tu asquerosa muñeca!», pero no quería que supieran que estaba escuchando, así que no dije nada.

Papá parecía agotado. Con la enfermedad, el mal genio de Frida se había acentuado, hasta el punto de que incluso mi padre tenía que admitir que era insoportable.

—Duerme, Friducha.

—¡No hay derecho! ¡Quiero mi muñeca!

Papá apagó la luz por segunda vez y fue hacia su estudio.

—¿Saben lo que soy? —les dijo a las criaturas invisibles de la noche. Hablaba tan bajo que apenas se le oía—. Soy una especie de reptil que debería haberse extinguido hace siglos.

Miré por el ojo de la cerradura (era de esas antiguas, con un agujero grande), y le vi repasar su colección de discos sin fijarse en los nombres, y luego una segunda vez, con más atención. Hizo una selección, encendió la Victrola, y se sentó en una cómoda butaca. Poco después, las notas de una sonata de Beethoven llenaron la habitación y salieron por el ojo de la cerradura. Mi padre cerró los ojos e intentó escuchar la música, pero Frida empezó a gimotear de nuevo. Mi padre se incorporó y se acercó a la puerta, como si la hubiera oído, pese a que yo sabía que era imposible. La voz de Frida era demasiado débil para que mi padre la oyera con la música. Sin embargo, mi padre volvió a hacer aquella mueca de dolor, como si tuviera serpientes en el estómago. Yo no era más que una niña, pero percibía su nerviosismo. Ahora comprendo que lo que intentaba él era no pensar en aquello que lo atormentaba inconscientemente: ¿Y si la enfermedad de Frida no era un simple resfriado? ¿Y si tenía alguna enfermedad más grave?

Lo vi quedarse dormido en la butaca, despertarse de pronto y volver a dormirse. Se resistía a acostarse. Supongo que pensaba que mientras estuviera sentado en aquella butaca era menos vulnerable a los demonios que lo acosaban. Las preocupaciones económicas ya lo habían dejado agotado, y aquel nuevo temor lo estaba royendo por dentro. Finalmente, cuando ya no podía soportar el peso de sus párpados, se levantó y fue hacia la puerta. Yo corrí hacia una mesita y me escondí debajo, y desde allí le vi volver a su dormitorio.

Las ventanas que daban al patio estaban cubiertas con gruesas cortinas. Mis padres habían dejado una cortina descorrida y la ventana entreabierta, quizá para que entrara aire fresco. Me subí a una regadera y me asomé por aquella ventana del cuarto de mis padres; y pude oír, aunque con dificultad, su conversación.

Mami estaba tumbada leyendo la Biblia.

—¿Te sirve de algo? —le preguntó papá.

No creo que lo dijera con sarcasmo, pero ella no contestó. Cerró el libro y se tumbó sobre el costado. Papá se metió en la cama, besó a mi madre en la oreja y apagó la luz.

Me quedé mirando la habitación oscura. Ya habían acabado de hablar. Me estaba entrando sueño, y no tenía sentido que me quedara allí a oscuras, así que volví al dormitorio de mis hermanas y me metí en la cama, junto a Adriana. Pero no podía dormir. No dejaba de pensar en papá en su cama, retorciéndose como un gato con urticaria. Me lo imaginaba contemplando la asfixiante oscuridad, aguzando el oído por si oía algún grito o gemido, o cualquier otra señal de que Frida empeoraba.

Tuve una aterradora pesadilla en la que papá tenía una pesadilla todavía más espantosa. Entonces, de pronto, ambas pesadillas fueron interrumpidas por una realidad alarmante: el grito de Frida. Un grito que laceró la noche y resonó dolorosamente en mi cabeza. Pero no me moví. Me quedé allí tumbada, imaginando los titánicos esfuerzos de mi padre para subir la mano hasta el borde de la manta y apartarla con sus pesados y rígidos dedos. Otro grito, este más agudo y más cercano que el primero, y aun así enormemente distante.

No vi cómo Matilde y Adriana se incorporaban, pero sentí sus movimientos, rápidos y automáticos, como si la voz de Frida hubiera accionado unos muelles en sus caderas. Sin embargo, yo salí antes que ellas de la habitación, y corrí descalza hacia la de Frida.

—Debiste llamar al médico —decía mi padre—. No debimos esperar.

Mami lo fulminó con la mirada.

—¡Mi pierna! —gemía Frida—. ¡Me duele la pierna! ¡Me duele mucho!

—¿Qué pierna? —Mami retiró las mantas con una eficiencia perturbadora.

—Esta, la derecha. Toda esta parte de aquí. —Frida señaló su pantorrilla.

Mami le levantó el camisón hasta la rodilla y le masajeó la pierna bajo la atenta mirada de mi padre. Mi madre tenía gesto sombrío, pero no lloraba ni estaba histérica. No se comportaba como si se encontrara en una situación crítica.

—¿Aquí? —preguntó mami sin dejar de masajear.

—¡Me duele! —gritó Frida—. ¡No lo soporto! ¡Me duele mucho, mami! ¡Me duele tanto que quisiera cortármela!

Papá se estremeció y cerró los ojos.

—Hay que llamar al doctor Costa —balbuceó.

—Envía a avisarlo enseguida —ordenó mami. Luego miró a Matilde y dijo—: Dile a Inocencia que venga. —Dirigiéndose a Adriana, añadió—: Y tú ve a hervir agua.

—No creo que sea necesario despertar a los criados —susurró mi padre.

—Sólo a Inocencia y a Manuel. Manuel tendrá que ir a avisar al doctor.

Antes de que Matilde fuera a llamarla, Inocencia apareció en la puerta con un rosario en las manos. Parecía un borrego espectral con su arrugado camisón blanco. Sus trenzas se cruzaban en lo alto de la cabeza y caían a ambos lados, como orejas. Frida casi sonrió.

—Qué graciosa está Inocencia —dijo entre gemidos.

—¡Dios bendito! —susurró Inocencia—. ¿Qué le pasa a la niña?

—Traiga el linimento. Le duele mucho la pierna.

Mami seguía haciéndole masaje a Frida con decisión. Cuando se cansó, Inocencia la relevó. Pero Frida seguía gimiendo.

—Frida, Fridita —murmuraba la cocinera—. Vamos, pequeña. Eres muy valiente. No llores.

Papi y yo acompañamos a Manuel hasta la acera. Una luna fosforescente colgaba inerte en un cielo intensamente negro. La contemplé intentando distinguir una cara en ella. No la vi. La luna estaba muerta.

El doctor Costa se tomó su tiempo. Manuel nos dijo que había tenido que llamar a la puerta una eternidad hasta que apareció un criado con una vela en la mano.

—El doctor está durmiendo —dijo el criado.

—Ya lo imagino —repuso Manuel—. Es de noche y todo el mundo duerme. Pero esto es una urgencia. Vaya a despertarlo.

El criado se resistió, pero Manuel insistió.

—La hija de don Guillermo está enferma. No me iré de aquí hasta que avise al doctor.

Cuando finalmente el médico llegó a casa, estaba macilento y medio dormido, pero no había olvidado coger su maletín negro. Tres cuartos de hora más tarde llegó Manuel. El doctor Costa había venido en su automóvil, conducido por un chófer, y Manuel había tenido que regresar a pie. Aquel médico era un desgraciado, se lo aseguro. Pero a Frida siempre le encantaron los médicos. Le encantaba cualquiera que le prestara atención. Yo, en cambio, los odio. Bueno, no a todos; a usted no.

El médico examinó meticulosamente a Frida, pero no llegó a ninguna conclusión. Sólo dijo que tendríamos que llevarla al hospital por la mañana para hacerle algunos análisis.

—No podemos moverla —dijo mi madre—. Le duele

mucho la pierna. —Pero tanto ella como papá sabían que no tenían alternativa.

Matilde y Adriana se quedaron en casa. Mis padres insistieron en que yo los acompañara, por algún motivo que ni siquiera ahora comprendo. Quizá creyeran que mi presencia tranquilizaría a Frida durante el largo trayecto de Coyoacán a la Ciudad de México. Quizá me llevaran para distraer a Frida por el camino. Recuerdo que el hospital apestaba a formaldehído. Todo era verde. Paredes verdes, suelos verdes, sillas verdes. Me estaban entrando náuseas. Al menos las tocas y los hábitos de las enfermeras eran blancos.

Papi estaba como aturdido. Quién sabe en qué estaría pensando. En aquella época, la gente no se atrevía ni a pronunciar el nombre de aquella temida enfermedad infantil para la que no había cura. Mi padre estaba lívido, abrumado, supongo, por una especie de terror larvario. Con sólo mirarlo me daba cuenta de que tenía la boca seca.

—No cabe duda de que soy de los Elegidos —dijo papá en voz alta—. Todo en mi vida se está pudriendo.

Mami rezaba el rosario:

—Santa María, llena eres de gracia...

—¡Basta! —dijo mi padre con un sonoro susurro que hizo que varias personas giraran la cabeza.

—¿Cómo que basta? ¡Le estoy rezando a la Virgen por la salud de nuestra hija!

—Ten fe en los médicos.

—Yo tengo fe en Dios.

—Yo no —dijo papi en voz baja. Estaba como atontado. Se sentó en una silla. Pensé que se había olvidado de mí, pero de repente dijo—: ¿Sabes en qué estoy pensando, Cristina?

—¿En qué, papi?

—Estoy haciendo ruidos mentalmente: olas que rompen contra las rocas, tempestades bíblicas, accidentes de tráfico, volcanes en erupción, tigres que rugen. Cosas así. ¿Sabes para qué, Cristi?

—¿Para qué, papi?

—Para no oír rezar a tu madre.

—Pero si mami reza por Fridita.

Mi padre no contestó. Mi madre seguía murmurando: «Dios te salve, María, llena eres de gracia; el Señor es contigo; bendita tú eres entre todas las mujeres... Dios te salve, María... salve María... salve María...»

—¿Y yo quiero a esta mujer? —dijo papi.

—¿Qué? —pregunté.

Un hombre al que no conocíamos se plantó delante de nosotros con gesto adusto.

De pronto papi estaba muy atento. Me fijé en una mancha roja que el desconocido tenía en la chaqueta blanca, en un pelo negro que le asomaba por el orificio izquierdo de la nariz, en unas partículas de caspa amarillentas que tenía en los hombros. Me di cuenta de que era médico. Oí llorar a un niño, y los estridentes gorjeos de unos pájaros. Un objeto metálico cayó al suelo con lo que habría sido un gran estruendo si el objeto hubiera estado más cerca. Pasó una enfermera que llevaba un ramo de flores pestilente. Pasó también un anciano raquítico, cojeando cogido del brazo de un adolescente. Papi se miró las uñas.

—Hemos examinado a Frida y tenemos un diagnóstico —anunció el doctor.

—Virgen santísima —murmuró mami. Mi padre y yo no dijimos nada.

—Lamento tener que decirles que la niña sufre parálisis infantil.

Yo no sabía qué significaba «parálisis infantil», pero me estremecí al oír «lamento tener que...».

—También se conoce como poliomielitis o polio.

Miré a mi madre, y luego a mi padre. Todo el mundo sabía lo que era la polio: una enfermedad espantosa que dejaba tan débiles a los niños que no podían andar, montar en bicicleta, lanzar una pelota ni jugar a casi nada. Un pensamiento horrible pasó por mi mente: ¡Ja! ¡Ahora ya no será la mejor en todo! No, espere. No fue un pensamiento real. Es decir, no fue algo en lo que me puse a pensar. Fue sólo una especie de... flash. Luego desapareció, pero yo me sentí muy desgraciada; me sentí culpable y traidora. Aunque en realidad no puede culparme por eso. Al fin y al cabo, yo era muy pequeña. No entendía las cosas, y Frida me hacía la vida imposible. Fue un pensamiento fugaz, no me aferré a él; fue sólo un pensamiento inconsciente que se desvaneció al instante.

No sabía qué hacer. ¿Cómo se suponía que tenía que reaccionar? ¿Tenía que llorar? ¿Tenía que abrazarme a mami o coger una rabieta? Mis padres no me estaban ayudando mucho. Mami seguía aferrada a su rosario, pero tenía los ojos secos. Su reserva me desconcertó, aunque yo sospechaba que el dique se rompería en cuanto el médico saliera de la habitación.

—Su hija tiene polio paralítica —continuó el médico—. Es una enfermedad vírica incurable. Durante las fases activas de la enfermedad tendrá que permanecer en cama para no forzar las extremidades. Las compresas calientes le aliviarán el dolor.

—¿Se morirá? —susurré con una vocecilla que incluso a mí me pareció demasiado débil. Mis palabras temblaron en el aire como gorriones en la nieve.

—Todos nos moriremos —dijo el doctor con naturalidad.

En ese momento deseé que papá fuera un hombre robusto y musculoso que pudiera darle un puñetazo al doctor. Deseé que hablara español sin acento extranjero.

Mami abrió la boca, pero tardó un poco en articular las palabras:

—¿Cuánto... cuánto duran las fases activas?

—Es imposible decirlo. Tendrán que encargarse de que beba mucho líquido. ¿Entiende?

Dijo «¿Entiende?» como si hablara con una niña de dos años. Papi lo miró como si aquel hombre fuera imbécil.

—Tienen que suministrarle mucho líquido para impedir la deshidratación. La deshidratación es la pérdida de agua, y puede producir una impactación fecal. Eso significa que los intestinos quedan bloqueados por materiales secos y duros, y entonces el paciente no puede eliminar los excrementos.

—Este hombre está acostumbrado a hablar con indios —dijo papi por lo bajo.

—¿Y después? —preguntó mami—. Después de... las fases activas...

Contuve la respiración. ¿Y si el médico no contemplaba un después?

—Conteste la pregunta, por favor —dijo papi. Creo que pretendía sonar autoritario, pero le tembló la voz. Estaba atrapado entre la angustia que le producía el estado de Frida y la rabia que le daba la pasmosa arrogancia del médico. Por una parte, quería sacarle toda la información posible, y por otra quería partirle la boca.

—Después —y creo que añadió «si es que hay un después», pero no estoy segura—, Frida tendrá que hacer mucho ejercicio para combatir la parálisis. Bailar, saltar a la cuerda y cosas así.

El médico siguió hablando, pero yo ya no le prestaba atención. Me había quedado atascada en las palabras «si es que hay un después». Sí, ahora estoy segura de que lo dijo. Bueno, casi segura. ¿Cómo voy a explicarle lo que sentí en aquel momento? Frida siempre vencía en todas nuestras rivalidades, y sí, yo estaba celosa. Había momentos en que la odiaba. Pero a esa edad es natural que las hermanas se odien. Lo que quiero decir es que yo nunca deseé... verla muerta. Se lo juro. ¡Yo no quería que Frida muriera!

—Me gustarrría hablarrr con nuestrrro médico de cabecerrra —dijo mi padre con un acento más marcado de lo habitual.

—Por supuesto. Está con Frida. Ya pueden entrar a verla.

Frida estaba sentada en una butaca, con las piernas recatadamente cruzadas por los tobillos. Su rostro todavía denotaba dolor, pero era evidente que había conquistado al joven ayudante del doctor Costa, el doctor San Pedro. Estaba conversando con ella, tan embelesado como si estuviera charlando con una mujer fascinante y mundana. El doctor Costa no les prestaba atención. Estaba de pie mirando por la ventana, fumando y tirándose pedos.

¿Qué más puedo decirle? En la escuela, Frida siempre me había protegido. Ahora Frida ya no podía ir a la escuela, y me di cuenta de que yo ya no necesitaba protección. Podía apañármelas sola. No me metía en líos. Hice amistades. Fascinaba a mis compañeras de clase con historias sobre la espeluznante enfermedad de Frida y sobre la heroica lucha de mi familia para alejar a la muerte de nuestra puerta. Ahora, a veces yo era la estrella del espectáculo. No muy a menudo, pero de vez en cuando sí.

Pero papá... El otro día me preguntaba usted acerca de mi padre; quería saber qué clase de padre era. Pues bien, lo único que puedo decirle es que la enfermedad de Frida lo cambió. Hasta entonces siempre había vivido encerrado en su propio mundo, perdido en su melancolía y su soledad. Frida y él solían ir a pasear juntos (a veces yo los acompañaba), pero incluso durante aquellas escapadas, cuando ambos compartían su interés por las piedras, los pájaros y los insectos, papá siempre se mantenía a cierta distancia de ella, afable pero un tanto indiferente. Sin embargo, durante los nueve meses que Frida pasó en la cama, mi padre se volvió más atento, al menos con ella.

Frida cada vez estaba más delgada y más seria. Su pierna derecha colgaba de su cuerpo como una serpiente muerta. Ella parecía horrorizada y al mismo tiempo fascinada por su transformación. A veces me daba miedo: se pasaba horas sentada, mirándose en el espejo, comparando sus hundidas mejillas con los redondos mofletes de la fotografía que papi le había tomado unos meses atrás. Daba la impresión de que le producía un placer perverso ver cómo su cuerpo iba perdiendo carne y cómo sus ojos iban hundiéndose en sus cuencas.

—Hacemos todo lo que podemos —le dijo papi.

—Eso dice mami.

—El médico nos ha prometido que cuando te cures podrás volver a andar.

—Ese médico no hace más que tirarse pedos.

Papi frunció el entrecejo.

—Cada vez que viene deja la habitación apestosa.

—Es un buen médico, y está intentando ayudarte.

—Ya lo sé, pero huele peor que un orinal.

—Frida...

Frida rió, y papá le guiñó un ojo y le apretó la mano.

Todos sabíamos que Frida se esforzaba por hacerle creer que seguía siendo la niña traviesa de siempre, pero lo cierto es que se estaba volviendo reservada y amargada. A veces, cuando llegaba del trabajo, papi la sorprendía absorta en sus pensamientos, contemplando el cielo por la ventana. Frida era como una iguana. Se pasaba horas contemplando las cosas, con los ojos abiertos, inexpresiva.

¿Que cómo me sentía yo? ¿Cómo me sentía respecto a qué?

Bueno, no me alegraba ver a mi hermana convertida en... una inválida.

¿Respecto a lo físico? ¿Se refiere a su transformación física? Bueno, no, no me producía placer verla marchitarse. ¿Cómo se le ocurre pensar eso? No le negaré que después de haber sido siempre la gordita, la menos atractiva, era agradable que me vieran como la guapa, la mona y la sana. Pero me sentía culpable, porque ahora ya no había ninguna duda: yo era la adorable. Yo era la belleza. Yo tenía la sensación de haberle robado algo a mi hermana. Daba un poco de miedo. Todos sabíamos que Frida podía morir, y yo no soportaba la sensación de que mi hermana se estaba convirtiendo en un

esqueleto ante mis ojos. Pensaba qu[...]
nía la culpa, porque a veces, aunque no [...]
sí alguna que otra vez, cuando éramos muy p[...]
deseado que Frida desapareciera. Y entonces, de rep[...]
da se estaba extinguiendo delante de mis narices. Deterio[...]
dose. Esfumándose. Pero no, se lo juro, cuando Frida enfermó,
lo que yo más deseaba era que se curara.

El caso es que no sólo su aspecto era extraño; también se
comportaba como si viviera en otro mundo. Frida siempre
había tenido a su princesa imaginaria, Zoraída, pero ahora era
mucho más exagerado. Hablaba con un montón de personas
invisibles, las únicas, al parecer, que podían hacerla feliz. Papá
decía que no había que preocuparse, que seguramente eran
almas benévolas y juguetonas que la consolaban y la hacían
reír. Y es verdad que a veces, cuando Frida se ponía a hablar
con ellas, de pronto se reía. Pero cuando papá le preguntaba
acerca de sus nuevos amigos, ella se ponía taciturna y malhumorada.

Pasaba la mayor parte del tiempo sola en su habitación. Ni
siquiera podía acercarse a la ventana para dibujar una puerta
en el cristal, pero aun así, podía conjurar a la princesa Frida
Zoraída cerrando los ojos, respirando hondo y recitando las
palabras mágicas:

> Zoraída, Zoraída
> Ven a ver
> A la pequeña Frida.
> Date prisa.
> No te entretengas.
> Ven ahora mismo
> A jugar conmigo.

—¿Sabes qué? —me dijo un día—. La princesa Frida Zoraída también tiene una pierna atrofiada.

—¿Cómo lo sabes? —pregunté.

la niebla y vino a verme.
⸎dó contemplando el techo.

⸎ a la princesa de la niebla. De la
⸎a, la princesa llevaba la misma tú-
⸎s. Sólo que sus zapatos eran diferen-
⸎e puntera arqueada, llevaba una zapa-
⸎quierdo y una aparatosa bota ortopédica
⸎ierna derecha llevaba una férula.

⸎ailar —dijo Frida—; yo le dije que ya no
poa⸎ ⸎ me contestó: «¡Claro que puedes!»

Yo esta⸎ ⸎ravillada.

«¿No ves que tengo la pierna atrofiada?», le dijo Frida a la princesa.

«¡Yo también! ¿No lo ves?», replicó la princesa.

Entonces la princesa Frida Zoraída cogió a Frida por los dedos y la besó dulcemente en la mejilla, y las dos se elevaron por los aires; sus horribles zapatos flotaban como centelleantes zepelines negros.

Mami obedecía al médico al pie de la letra, y dirigía a Inocencia con una precisión militar. «Llena la bañera de agua de nueces caliente. Eso le calmará el dolor.» Inocencia preparaba el baño medicinal. «Ahora báñale la pierna media hora.» Inocencia llevaba a Frida a la bañera. «Ahora prepara compresas con toallas calientes y aplícaselas a los músculos de las pantorrillas.» Cuando Inocencia se cansaba, mami y papi se turnaban para hacer compañía a Frida en el taburete que había junto a su cama.

Frida se sometía a los tratamientos sin protestar. Estoy convencida de que le encantaba recibir tantas atenciones. Por otra parte, cuando yo le hablaba de la escuela, se ponía de mal humor. No quería oír hablar de las bromas de mal gusto de Estela ni de la estúpida sumisión de María del Carmen. Ya no le interesaba la obsesión de la señorita Caballero por los calzones limpios. No tenía paciencia para escuchar mis relatos sobre las cambiantes alianzas de las niñas. Supongo que todas las historias que le contaba parecían iguales. A veces las niñas del barrio iban a visitarla, y le hablaban de fiestas, primeras comuniones y mejores amigos. Frida escuchaba un rato, sin disimular su aburrimiento. Luego se daba la vuelta y se sujetaba la pierna, haciendo muecas de dolor y gimiendo.

No dudo que sufriera realmente. Pero era como si agradeciera el dolor como una distracción del parloteo de sus amigas. No lo sé. Quizá le fastidiaba que la escuela y la vida siguieran como siempre sin ella.

Frida estuvo postrada en cama nueve meses. ¡Nueve meses! ¡Nueve meses son una eternidad para una niña de seis años! En nueve meses, una niña de seis años cumple siete, y las facciones infantiles dan paso a un perfil firme y definido. Me acuerdo de cuando mi Isolda tenía seis años. Y cuando esa niña de seis años tiene polio, la transformación todavía es mucho más dramática. La cara de niña desaparece por completo. En lugar de mirar con aquellos ojos radiantes y pícaros, Frida lo hacía con unos discos apagados, sin brillo. En lugar de sensuales y alborozados, sus labios estaban pálidos y marchitos. Y aun peor, el descaro y el desparpajo de la niña de seis años dieron paso a la extremada timidez de la niña de siete años que se sabe diferente.

Nueve meses... El tiempo que tarda un niño en formarse dentro del útero y salir a la luz. El tiempo que tardó Frida en convertirse en una inválida.

Finalmente llegó el día en que pudo sostenerse de nuevo en pie, pero... Mire este retrato de familia, doctor. Está tomado en 1914. Esta niña larguirucha y desgarbada que se esconde detrás de los arbustos no es la misma que le plantó cara a la bravucona de la clase el año anterior. Mírela bien, doctor. Ha cambiado. Está triste y débil. No quiere pasear por el jardín, ni nadar, ni montar en la bicicleta nueva que papá le compró. Lo único que quiere es quedarse escondida en las sombras. Prefiere a la princesa Frida Zoraída a sus amigas.

Anda por ahí deprimida en lugar de esforzarse por recobrar sus fuerzas.

Pero papá no pensaba permitir que su hija favorita se marchitara y muriera.

—No soy Job —le dijo a mi madre—. No voy a dejar que Dios se lo lleve todo.

—Pensaba que no creías en Dios —repuso mi madre secamente.

—No creo —repuso papi—. Por eso no pienso permitir que se salga con la suya. —Miró a Frida y dijo—: Vamos a dar un paseo.

Pero Frida no quería ir.

—Lo manda el doctor.

Frida protestó y lloriqueó, pero papá se mostró inflexible.

—Esta vez no te vas a salirrr con la tuya —dijo con voz ronca. Cuando se enfadaba, se le ponía el acento gelatinoso—. ¡Vas a venirrr ahorrra mismo!

Frida no se reía a menudo, pero no pudo evitar reírse al oír las pegajosas erres de papá. Parecía que estuviera haciendo gárgaras.

—Sí, herr Kahlo.

—¡No me llames herr Kahlo!

—¡De acuerrrdo, herr Kahlo! ¡Irrré ahorra mismo, herr Kahlo!

Acabaron riendo los dos. A papi no le gustaba que los demás bromearan con su acento, pero aquello era una buena señal. Finalmente Frida recobraba las agallas.

En los primeros paseos no me dejaron acompañarlos, pero papi debió de darse cuenta de que a Frida le iba bien tener alguien con quien jugar, o mejor dicho, alguien ante quien exhibirse.

Al principio nos limitábamos a pasear por el jardín. Frida tenía que descansar bajo el gran cedro cada cinco o diez minutos, pero no tardó en empezar a correr detrás de una pelota que yo le lanzaba en diferentes direcciones.

—¡Voy a trepar a ese cedro! —dijo Frida un día.

—Ni hablarrr, no crrreo que estés prrreparrrada parrra eso, *lieber* Frida —dijo papi.

—Escucha, herr Kahlo —repuso ella, desafiante—. Si quiero trepar a ese árbol, lo haré.

—¡No lo harrrás! —dijo papá, siguiéndole la corriente.

—¡Lo harrré, herr Kahlo! ¡Harrré lo que quierrra!

—Está bien. Veamos.

Frida se abrazó al tronco del árbol, sujetándose con las rodillas. Luego, centímetro a centímetro, fue ascendiendo.

—¡Brrravo! —gritó papi.

—¡Brravo, herr Kahlo! —replicó Frida—. ¡Parece que estés a punto de asfixiarte!

Papá nos llevó al parque Chapultepec, donde Frida podía remar en los estanques. Hasta aprendió lucha libre y boxeo, y una vez, durante una visita de unos parientes nuestros, le dio tal paliza a uno de nuestros primos que el niño entró corriendo en la casa, llorando y sangrando por la nariz.

El doctor Costa no era partidario de que Frida practicara la lucha libre.

—¡La rayuela! —dijo Frida riendo cuando el médico sugirió que ese juego era el más adecuado para una muchacha.

—¡La rayuela! —repitió papi. Le dio un pellizco en el codo a Frida—. Qué hombrrre tan anticuado y lleno de prrrejuicios —susurró—. Ya nos pensarrremos lo de la rayuela.

Papi no tenía dinero para comprar material nuevo para su estudio, pero se las ingeniaba para comprarle a Frida un montón de juguetes de muchacho: patines, pelotas y una bocina para la bicicleta roja que finalmente Frida aprendió a llevar. A ella nunca se le ocurría compartir aquellas cosas conmigo, y la verdad es que a mí no me importaba. Yo prefería las muñecas.

A veces, en las templadas y fragantes tardes de otoño, íbamos al parque, y Frida montaba en la bicicleta y pedaleaba como un demonio, echando a las parejas de enamorados del camino, aterrorizando a los chiquillos, desmontando cestas de merienda y persiguiendo perros. También aprendió a nadar estupendamente, y aventajaba incluso a los niños de su edad. Jugaba a fútbol con todo el mundo: con primos, vecinos y hasta con los pilluelos que había por las pulquerías. ¡Y había que verla patinar! Cuando patinaba, se le inflaban las faldas como una cometa a punto de elevarse. ¡Era digno de ver!

Frida hacía grandes progresos, pero el camino no siempre fue fácil. La polio le había dejado las piernas desiguales. Frida sólo tenía siete años, y la cojera la abrumaba, así que papá le enseñó a ponerse varios calcetines para disimular la delgadez de su pantorrilla y le pidió al doctor que encargara la construcción de un zapato derecho especial con alza. Con la firme mano de papá bajo el codo, Frida aprendió a caminar con seguridad, luego sin cojear y finalmente con elegancia. A veces mi hermana acompañaba a papá en sus excursiones fotográficas. Recorrían varios kilómetros, y Frida volvía con piedras y trozos de corteza recogidos en el campo. Ambos se sentaban en el patio después de cenar, deleitándose con la belleza de las luciérnagas o con el garbo de las ranas. Papá, que siempre había sido tan taciturno, parecía más abierto con Frida. Creo que compartía sus pensamientos más íntimos con ella. A veces, mientras estaba fuera con Frida, a mi padre le daba uno de sus ataques, y ella echaba a la gente que se les acercaba y montaba guardia junto al material de papá hasta que pasaba la crisis. Eso los acercó aún más. Eran íntimos amigos. ¿Si estaba celosa? No lo sé. Creo que lo aceptaba.

Papá no había tenido hijos varones. Bueno, tuvo uno pero murió al poco de nacer, y creo que él veía en Frida todo lo que habría podido tener en un hijo, todo lo que él habría podido ser si la vida hubiera resultado de otro modo. Y cuando Frida enfermó, bueno, él no quería renunciar a aquel sueño.

Papá había estudiado en la Universidad de Nuremberg, pero tuvo un accidente. Resulta que sufrió una caída y se lastimó la cabeza, y la lesión le causó aquellos ataques epilépticos que lo atormentaron el resto de su vida. ¡Pobre papá!

Tuvo que dejar su carrera universitaria, y luego murió su madre. Poco después, su padre se casó con una mujer a la que papá consideraba una bruja pedante. El mundo de mi padre se estaba desmoronando, y él creyó que la única solución era marcharse de Alemania. Tenía dieciocho años y era aventurero, así que le pidió dinero a su padre, compró un billete para México y nunca regresó.

Por las calles de Coyoacán veíamos a todas aquellas niñas tontas de la escuela: Estela, María del Carmen, Aurora, Inés. Se paraban y se quedaban mirándonos mientras nosotras bajábamos por la calle tomados de la mano de papá. Papá era un hombre muy apuesto. O quizá no tanto. No resulta fácil ser objetivo con tu propio padre. Pero sí, era guapo. La gente decía que era uno de los hombres más guapos de Coyoacán. Tenía la tez clara y el cabello castaño y ondulado. A veces las niñas se burlaban de nosotros. A veces señalaban el grueso zapato de Frida y cantaban: «Frida Pata de Palo.»

—Seguid caminando —murmuraba papá—. No les hagáis caso.

Papá las ahuyentaba y Frida se mordía la lengua. Delante de mi padre no podía decir las cosas horribles que yo sabía que estaba pensando.

Pero llegó el día en que el doctor Costa anunció que Frida estaba lo bastante recuperada para volver a la escuela. Allí estaría en territorio enemigo, y no podría contar con la protección de papá. Tendría que defenderse sola con sus agudezas.

Las niñas tomaron partido. Algunas admiraban a Frida, que había luchado contra un ogro y seguía en pie. La admiraban no sólo por su increíble recuperación, sino también por su destreza en los deportes, su elegante porte, su audacia, sus agallas y, por supuesto, su vocabulario subido de tono.

Pero otras la envidiaban por toda la atención que recibía. De pronto, la señorita Caballero se desvivía por ella. «Deja que te ate los libros, Frida. Deja que te ayude a subir la escalera, Frida.»

María del Carmen se quejaba de las lisonjas de la señorita Caballero, pero Estela sabía que era peligroso burlarse de Frida en el patio de la escuela porque las maestras vigilaban atentamente. Le tenían miedo a mi madre.

Pero nuestras compañeras sabían que a veces Frida y yo jugábamos en el parque.

Una fría y húmeda tarde, Frida montaba en bicicleta y yo jugaba con una muñeca. Lo que no sabíamos era que Estela y su pandilla nos estaban espiando desde detrás de unos matorrales.

Frida iba por el camino, con el vestido inflado por el viento, cuando de pronto una piedra fue lanzada de detrás de un matorral y cayó delante de la bicicleta. Frida, asustada, se paró en seco. Un aluvión de palos y piedras le cayó en la cara y la cabeza, y algo le hizo daño en el ojo, en el párpado inferior.

Un grupo de niñas salió de entre los matorrales. Frida se quedó mirándolas un momento, y luego arrancó con la bicicleta. Inés y Anita la cogieron por la falda y la hicieron caer. Las niñas formaron una barrera y empezaron a cantar:

¡Frida Kahlo
Pata de Palo!
¡Un pie bueno
El otro malo!

Como de costumbre, Frida se defendió con las palabras.

—¡Putas! —les gritó—. ¡A la mierda con sus estúpidas canciones!

—¡Frida Kahlo! —siguieron cantando las niñas.

—¡Apártense de mi camino! —gritó Frida—. ¡Salieron del culo de sus madres, en lugar de por el agujero que tienen entre las piernas!

Verá, a los seis o siete años Frida ya sabía mucho sobre esos temas, y yo también, porque teníamos hermanas mayores.

Las niñas estaban tan acostumbradas al lenguaje de Frida

que no se sorprendieron. Siguieron cantando: «¡Frida Kahlo! ¡Pata de Palo!»

Frida colocó su pie bueno en el pedal izquierdo y miró con odio a las niñas. Estela era la que dirigía el coro, utilizando un palo a modo de batuta.

Frida arrancó, embistiendo a María del Carmen e Inés, que cayeron al suelo.

—¡Idiota! —chilló Inés—. ¡Me rompiste el delantal!

Anita corrió tras Frida, intentando agarrarle la falda. Pero mi hermana ya se alejaba por el camino, cantando alegremente:

> ¡Inés, Anita!
> ¡Carmen, Estela!
> ¡Demasiado feas
> Para encontrar novio!

—¡Bobadas! —dijo Estela, rabiosa—. ¡Yo sé lo que hay que hacer para encontrar novio! Les dejas tocarte las...

—¡Tendríais que verla luchar! —le interrumpió Anita—. Mi madre dice que es repugnante. Se revuelca por el suelo con los chicos.

—¡Pero nunca se casará! —gritó Inés para que la oyera Frida—. ¿Quién va a querer casarse con una chica deforme?

Pero más allá de la curva, Frida seguía cantando:

> ¡Inés, Anita!
> ¡Carmen, Estela!
> ¡Demasiado feas
> Para encontrar novio!

꧁❈꧂

4

GUERRA

Corrían malos tiempos para los extranjeros. México estaba sumido en una revolución, y las masas perseguían a Díaz y a su pandilla de amigos extranjeros.

Porfirio Díaz estuvo en el poder desde 1877 hasta 1880, y volvió a estarlo desde 1884 hasta la Revolución. Al principio no parecía mal gobernante. Era un fanático del progreso, y durante su mandato México creció más que nunca. La industria prosperaba. El gobierno extendió la red de ferrocarriles, mejoró los puertos, construyó nuevos edificios públicos. Las líneas del telégrafo llegaron a todos los rincones del país. Por primera vez en la historia, podías ir a la oficina de telégrafos y enviar un mensaje a cualquier punto entre Oaxaca y Chihuahua. Y los presupuestos nacionales cuadraban por primera vez en varias décadas. Entonces ¿de qué podíamos quejarnos?

Para mucha gente la respuesta era sencilla: de los extranjeros. Estaban en todas partes. Lo dirigían todo. Díaz tenía extrañas ideas importadas de Francia. Creía que la sociedad era como un animal gigantesco, sujeto a las mismas leyes científicas que cualquier organismo. Creía que la sociedad era como un babuino o un puma, por ejemplo, y que si enfermaba y no se comportaba como debía (es decir, si no defecaba con regularidad o no aprendía a cazar a los dos años), podías llamar a un médico que solucionaría el problema. El médico le enseñaría a comportarse como era debido, ¿entiende? Y si no, le pondría una inyección o le aplicaría una descarga eléctrica, y en un abrir y cerrar de ojos el animal volvería a saltar correctamente por los aros. Díaz trajo a unos *científicos* cuya tarea consistía en organizar el país. Eran los médicos que tenían que curar una sociedad enferma, por así decirlo. Pero México no disponía de dinero para llevar a cabo sus proyectos, de modo que Díaz tuvo que cortejar a los extranjeros. Como Pearson and Son, por ejemplo. Pearson and Son era una empresa británica que diseñó una red de alcantarillado para la capital. Y las empresas norteamericanas, francesas y británicas que montaron kilómetros de vías férreas, explotaron minas de plata y oro y extrajeron toneladas de petróleo. Sí, todo aquello era bueno para el país, pero cuando nos dimos cuenta las empresas extranjeras se estaban zampando nuestra tierra, nuestros recursos minerales. ¡Y ustedes los norteamericanos fueron los peores!

Bueno, yo no era más que una niña cuando Díaz y sus científicos dirigían el país, pero durante toda mi infancia, durante la Revolución y después de ella, la gente no hablaba de otra cosa: del daño que los extranjeros le habían causado al país, de que nos teníamos que librar de toda aquella influencia extranjera. Y tenían razón: los extranjeros exprimieron México y lo dejaron como un limón reseco y arrugado. Sin embargo, había gente que decía que los extranjeros habían transformado México, que nos habían lanzado al siglo XX. Pero lo cierto es que perjudicaron mucho el país. Al menos los que nos estafaron, los que llegaron y se fueron, o se quedaron en su casa mientras le sacaban todo el dinero que podían a nuestra tierra; los que aposentaban sus gordos culos anglosajones y depositaban sus beneficios en cuentas bancarias suizas, inglesas o norteamericanas, mientras nosotros sudábamos en las minas y en los campos para que ellos pudieran flotar en whisky y bourbon. No eran extranjeros como nosotros. No, no me refiero a eso. Nosotros no éramos extranjeros. Pero papá había nacido en Alemania, y la familia de mi madre nunca se lo perdonó. Se sentaban en el patio a beber sangría y se reían de su acento. Soltaban comentarios insidiosos sobre explotadores y observaban su reacción con el rabillo del ojo. Luego, si les parecía que habían dado en el clavo, se lanzaban miradas de complicidad. Aunque no sé hasta qué punto papá se enteraba de aquello. Él solía responder con aquella risa suya de lunático. ¿Les daba la razón o se reía de ellos? ¿O ni siquiera les prestaba atención? Sea como sea, el problema no eran los extranjeros como papá. Los extranjeros como papá venían y se instalaban aquí, trabajaban y hacían una contribución real al país.

¿Que por qué se casó mami con él? ¿Si lo amaba? Quizá sí. Mi padre era un buen partido. Era muy atractivo. Lo que decían de mi madre... Me da mucha vergüenza contárselo. Verá, lo que decían de mi madre era que se estaba haciendo mayor. Había estado comprometida con otro hombre, también alemán, pero murió, y ella se casó porque no tenía más remedio. Papá era un joven viudo y tenía dos niñas pequeñas. A mi madre se le estaba agotando el tiempo. En aquella época, las chicas se casaban muy jóvenes, pero mi madre ya tenía veinticuatro años, ya no era ninguna jovencita, y por eso cuando conoció a papá... Lo que quiero decir es que eran dos personas que necesitaban casarse, dos jóvenes atractivos, pero con graves inconvenientes. La edad de ella, las hijas de él. ¿Sabe una cosa? No quiero hablar de. esto. Ya lo haré en otro momento. No, no le haré esperar mucho. Le hablaré de esto hoy mismo, antes de que se marche. Estaba hablando de Porfirio Díaz, así que le ruego que no me interrumpa hasta que haya terminado.

Pues bien, el pueblo mexicano cada vez estaba más sumido en la pobreza, y todo el mundo decía que la culpa la tenían los extranjeros. La mitad de la población rural vivía como esclavos. Les debían tanto a los adinerados propietarios de las haciendas que tenían que trabajar sin cobrar para saldar las deudas. Y mucha gente no sabía distinguir entre un forastero como papá y las sanguijuelas que nos chupaban los recursos y dejaban que nuestro pueblo se muriera de hambre en los campos.

Díaz se creía muy sofisticado. Creía que era un pastel de nata francés, cuando no era más que una simple tortilla mexicana, un mestizo de Oaxaca. Resulta que había estudiado derecho. Yo nunca estudié nada, porque Frida era la inteligente, de modo que fue a ella a la que enviaron a estudiar. Pero yo he aprendido muchas cosas por mi cuenta. He hecho todo lo que he podido para mejorar mi vocabulario, para no parecer un arriero. Siempre intento expresarme lo mejor que puedo. Cuando era joven intentaba aprender una palabra nueva cada día. Le sorprende, ¿verdad? No me extraña. Al fin y al cabo, todo el mundo dice que yo era la tonta. El caso es que Díaz causó un gran revuelo luchando contra el dictador Santa Anna y contra Maximiliano cuando los franceses dirigían México. Dicen que Díaz tenía una energía increíble, y es cierto, era un hombre muy ambicioso. Lo curioso es que a pesar de enredarse con los franceses en la época del emperador, acabó considerando a Francia la cuna de la cultura. Para él, los franceses eran la última gota de pulque del vaso. Quizá debería decir la última gota de champán o coñac, o de algo más... elegante. El pulque es para la gente sencilla, como yo. Díaz idolatraba a los europeos. De hecho, ansiaba tanto parecerse a ellos que encargaba polvos y pomadas de París para aclararse la piel, como si una babosa pudiera dejar de ser una babosa con sólo arrastrarse por un charco de pintura blanca.

Se consideraba tan condenadamente... ¿cómo se dice?... cosmo... cosmopolita, que no soportaba mezclarse con los agitadores. Prefería adular a los ricos terratenientes y dejar que ellos se apoderaran de las propiedades comunales que habían pertenecido a los indios. También les lamía el culo a los sacerdotes, lo cual era un error, porque como usted sabe (bueno, supongo que lo sabe), había leyes que limitaban el poder de la Iglesia desde que Juárez expulsó a los franceses.

¿Cómo puede decir eso? ¡Claro que somos buenos católicos! Nosotros no estamos en contra del clero. Bueno, al menos yo no lo estoy. Creo en Dios y todo eso. En cambio, Frida odiaba a los curas. Hombres que no follan, los llamaba. Hombres que llevan vestido, hombres que se ponen la ropa por la cabeza, como las mujeres. Es una suerte que después de la Revolución no les permitieran salir con hábito a la calle, porque a Frida le gustaba levantarles las faldas. «Eh, padre, ¿qué es ese fideo inútil que tiene ahí debajo? ¿Lo usa para algo?» Le encantaba meterse con los curas. *Él*, por su parte, aunque volvió a la Iglesia al final, nunca creyó en nada más que en su propio talento y su propia importancia. Creía que no necesitaba a Dios porque él era Dios.

Pero volviendo a Díaz, otro error que cometió fue cargarse la enseñanza pública. No la consideraba importante. Los campesinos y los obreros cada vez eran más pobres, y cada vez les guardaban más rencor a Díaz, a sus científicos y a sus extranjeros.

En 1910 Díaz convocó elecciones y perdió ante Madero, pero no inmediatamente. Madero era hijo de un rico terrateniente y nieto de un político, y había estudiado en California, creo, y en Francia, pero no era ningún esnob. Madero quería cambios. Había leído los periódicos revolucionarios y estaba dispuesto a ensuciarse las manos. Mi hermana Adriana todavía recuerda cuando iba a los mítines políticos con mi padre. A papá no le interesaba excesivamente la política, pero era fotógrafo y le gustaba tomar fotografías de los acontecimientos importantes: protestas, discursos y cosas así. Madero atraía multitudes. Era como un circo: había vendedores ambulantes vendiendo cacahuates, algodón de azúcar, caricaturas políticas como las de Posada, que dibujaba a los curas y los ricos como esqueletos, con su ropa normal pero con sus calaveras a la vista y las cuencas de los ojos vacías. Pues bien, Madero atraía tanta atención que Díaz empezó a ponerse nervioso. Y Díaz acabó haciendo lo que siempre hacía cuando se encontraba en una situación difícil: metió a su rival en la cárcel. Pero Madero se las ingenió para salir, y una vez fuera se puso a organizar una revolución.

Eligió un día, y ese día estallaron revueltas por todo el país. Eran pequeños incendios que las fuerzas de Díaz sofocaron sin dificultad. Pero en Chihuahua, Pancho Villa (un ex bandido que había empezado asesinando al amante de su hermana) hizo huir a Díaz. En 1911 Madero fue elegido presidente de México, y Díaz seguía corriendo, y de hecho corrió sin parar hasta París, donde murió, por fin en el regazo de la civilización.

En México, los presidentes honrados no duran mucho. Verá, los líderes rebeldes estaban acostumbrados a imponer sus propias reglas y no estaban dispuestos a aceptar las órdenes de Madero. Además, Madero cometió un grave error. Intentó librarse de Victoriano Huerta, aquel cerdo ambicioso y despiadado que había sido general bajo el mandato de Díaz. Huerta le devolvió el favor confabulándose con los enemigos de Madero y tomando la Ciudad de México. Después hizo asesinar a Madero.

Hubo levantamientos por todo el país. Carranza echó a Huerta e intentó mejorar las condiciones de vida de los campesinos, pero los auténticos radicales, como Zapata, seguían sin estar contentos. Querían reformas agrarias inmediatas, y creían que Carranza les estaba dando largas. Así que Zapata se alió con Villa, y juntos echaron a Carranza. Pero entonces cambió la marea y, ¿qué quiere que le diga?, para nosotros Zapata era un héroe. Era de Morelos, como la familia de mi madre. Frida lo adoraba como a un Dios, y él... él se quitaba el sombrero cada vez que alguien pronunciaba el nombre de Zapata, como si le hablaran de Nuestro Señor Jesucristo. Bajaba la voz y se ponía muy emotivo; hasta se le ponían los ojos llorosos. Uno de sus cuadros más famosos es un retrato de Zapata. Ya sabe a qué cuadro me refiero: Zapata montado en un caballo blanco. Yo crecí creyendo que Zapata era un santo, y supongo que lo era. No; lo era con toda seguridad. Él no tenía la culpa de que sus pendencieros soldados se comportaran como animales. Zapata nunca violó a nadie ni le robó nada a nadie.

Cuentan muchas historias sobre Zapata... Una vez sus soldados raptaron a un grupo de mujeres. Ya sabe, esas mujeres que acompañaban a las tropas del gobierno. Los soldados las hicieron prisioneras para disfrutar de ellas más adelante. Como si fueras a una fiesta y te guardaras unos pasteles en el bolso para comértelos después. No sé qué habrían hecho con ellas después; seguramente las habrían matado. Pero llegó Zapata, vio a las mujeres y les preguntó: «¿Qué hacen en este campamento? ¿Son zapatistas?» Las mujeres estaban aterrorizadas, porque ellas no eran zapatistas sino partidarias del gobierno; a los soldados hambrientos eso no les importaba (de hecho, la mayoría de los hombres son así: un par de tetas es un par de tetas, y cuando se trata de follar, tanto da el partido político a que pertenezcas). Pero a aquellas mujeres les daba miedo decir que no eran zapatistas, que pertenecían a los hombres que luchaban en el otro bando. «No son más que putas del gobierno —dijo uno de los soldados—. Nos las guardamos para más tarde.» Pero Zapata liberó a las mujeres. «Vuelvan con sus hombres —les dijo—. No queremos nada de ustedes. No son ustedes las que luchan contra las fuerzas de la liberación.» Los hombres de Zapata no eran más que campesinos pobres, y llevaban tanto tiempo siendo explotados que creían tener derecho a obtener cualquier beneficio que pudieran de la guerra: un trozo de tierra, un trozo de pan, un par de tetas. Por culpa de esos soldados llamaban a Zapata el «Atila del Sur». Sus hombres saqueaban pueblos, quemaban chozas, robaban ganado, violaban mujeres. A veces mataban a familias enteras. Iban dejando un rastro de sangre y vísceras por todo el país. Pero hay que tener en cuenta que aquella gente había sido explotada desde los tiempos de los conquistadores españoles. Frida siempre decía que no podíamos culparlos por lo que hacían, porque a ellos les habían hecho cosas peores, y quién sabe si los partidarios del gobierno no se inventaban aquellas historias, o al menos exageraban los hechos. Los soldados acaban matando por el placer de matar. Reunían a todas las mujeres embarazadas, por ejemplo, y las colgaban de los pies. Les abrían la barriga con cuchillos. Luego les sacaban los fetos y se los echaban a los perros. Si encontraban a los maridos, los obligaban a mirar. A mí me lo contó gente que lo vio con sus propios ojos. Muchas de esas personas no pueden hablar de ello sin vomitar o deshacerse en lágrimas, incluso los hombres.

Carranza volvió a la capital, y en 1917 se convirtió en el primer presidente elegido al amparo de la nueva constitución. Pero también a él lo asesinaron.

Lo que hizo la Revolución fue enseñarnos a valorar nuestro patrimonio mexicano. Con Díaz, se suponía que teníamos que mirar hacia Europa en busca de modelos. En las escuelas se enseñaba historia europea, arte europeo, filosofía europea. Pero todo aquello eran bobadas, porque nosotros no somos europeos. Los revolucionarios acabaron con aquello. Estaban llenos de furia nacionalista. Empezó con lemas como «¡Muera Porfirio!, ¡Mueran los científicos!, ¡Mueran los extranjeros!». Después de que se marcharon Díaz y los científicos, todavía había que encargarse de los extranjeros, porque muchos se quedaron en México para chuparnos la sangre. Carranza tenía los huevos bien puestos. Les dijo a los norteamericanos que no se metieran en los asuntos de México, sin más. Había continuas disputas con el gobierno de Estados Unidos, y Carranza incluso se alió con sus propios rivales, Huerta y Villa. De hecho, en 1919 (una fecha que conoce todo niño mexicano) estuvo a punto de provocar una guerra contra el Tío Sam al expropiar el petróleo norteamericano. Ustedes se lo merecían.

Se pensaban que los mexicanos éramos un juguete. Pensaban que podían hacer lo que se les antojara con nosotros y que nosotros, con lo tontos que éramos, ni siquiera nos daríamos cuenta.

Recuerdo que cuando era niña, bajo el nuevo gobierno revolucionario, todo lo mexicano era bueno y todo lo extranjero era malo. Las mujeres llevaban vestidos tradicionales, en lugar de seguir las modas europeas. A nuestra casa venían damas elegantes a jugar canasta con mi madre, ataviadas con vestidos de veracruzana. En la pintura, la escultura, la arquitectura, la música, la danza, en todos los aspectos de nuestra cultura, se valoraba nuestro pasado mexicano. *Él* formaba parte de todo aquello, por supuesto. Sus murales ensalzaban nuestra cultura. Era una figura de mucho peso. Educaba al pueblo mediante su arte y le enseñaba a valorar sus orígenes. Era una superestrella, un héroe de la Revolución. Eso fue lo primero que yo supe de *él*: que era un héroe nacional.

Me estoy apartando del tema. Siempre hago lo mismo. Es que... bueno, iba diciendo que lo que quería el nuevo gobierno era recuperar los estilos precolombinos. Pagaban a los pintores (Orozco, Siqueiros, y por supuesto al gran Diego Rivera) para que cubrieran las paredes de los edificios públicos con murales basados en temas populares. Nosotros lo adorábamos porque *él* era todo lo que nosotros queríamos ser: un buen mexicano, un buen comunista, y un servidor del pueblo. Verá, yo no era una auténtica comunista, pero Frida sí lo era. El gobierno quería transmitir a las masas la idea de que el nuevo México era para todos. Imprimía mensajes revolucionarios, mexicanistas, en los discos, las películas, los cuadros. La música de los mariachis se hizo más popular que el charlestón. En las escuelas, los niños aprendían a bailar el jarabe tapatío. «¡Viva México! ¡Viva lo mexicano!», gritaban todos.

¿Cómo que a qué viene todo esto? ¿Lo que le estoy contando? Viene a que, como le decía, eran malos tiempos para los extranjeros.

Pero cuando papá llegó a México, en 1891, la situación era muy diferente: entonces los extranjeros estaban bien vistos. Y eso favorecía a papá, porque él era extranjero de arriba abajo. Tenía aspecto de extranjero, maneras de extranjero, acento extranjero y, sobre todo, se sentía extranjero. Era un joven esbelto, guapo, de cabello castaño, con un poblado bigote con extremos puntiagudos. En las fotografías familiares se aprecian sus labios delicados y sus intensos ojos, que yo recuerdo de color avellana. Ya entonces mi padre tenía aquella mirada angustiada, de clarividente. Sus padres, Jakob Heinrich Kahlo y Henriette Kaufmann, eran judíos húngaros que se habían establecido en Baden-Baden, donde nació mi padre. Mi abuelo era joyero y también vendía material fotográfico.

Desde que tuvo el accidente, mi padre sufría ataques epilépticos. Tuvo que abandonar los estudios, y no sabía exactamente qué hacer. Poco después murió su madre, y su padre volvió a casarse con una mujer a la que mi padre siempre llamaba «la perra». «No te pongas así —le decía a mamá cuando ella se enfadaba—. Me recuerdas a la perra.» Cuando yo era pequeña, en nuestra casa siempre había perros, pequeños escuincles mexicanos, pero nunca hembras, porque a mi padre le recordaban a «la perra». Lo único que él quería era alejarse de aquella mujer. Por eso acabó en México.

Cuando llegó aquí no tenía dinero. Afortunadamente, en México había una pequeña pero próspera comunidad alemana, y mi padre encontró trabajo en una tienda propiedad de un alemán, la cristalería Loeb. Más tarde trabajó en La Perla, una joyería también propiedad de alemanes, y fue allí donde conoció a mi madre, Matilde Calderón. Su primera esposa era una mexicana que murió en el parto de su segunda hija, mi hermanastra Margarita. La noche de su muerte papá buscó consuelo en mamá. Ella lo consoló tan bien que se casaron tres meses más tarde.

Las malas lenguas decían que mi madre estaba loca por encontrar un hombre, y que tuvo suerte de pescar a uno con tanto potencial. Como ya le he dicho, ella había estado comprometida con otro alemán que se había suicidado (no sé por qué). Aquello dejó huellas en las emociones de mi madre, pero también en su reputación. A una muchacha con ese pasado no le resultaría fácil casarse en México ni siquiera ahora, así que imagínese en aquella época.

Las fotografías de mamá del álbum familiar muestran a una mujer de aspecto severo, piel morena, de grandes ojos castaños y barbilla prominente. Era la mayor de doce hermanos, y muy católica. Mi abuela materna era hija de un general español y se había educado en un convento. Era rígida, casi fanática. Papá era el alemán de la familia, pero abuelita siempre me recordaba a un general del ejército prusiano. Era muy supersticiosa. Creía que había espíritus malignos acechando en todas partes y llevaba crucifijos para ahuyentarlos.

Una vez, cuando yo tenía seis o siete años, me dio un bonito crucifijo de oro y me dijo que no me lo quitara nunca. Dijo que me protegería de los fantasmas. Ahuyentaría a los demonios. Como el ajo, pero mucho más eficaz. Pues bien, un jueves por la mañana nos fuimos todos a una feria, y yo llevaba mi crucifijo, por supuesto. Había una desvencijada rueda gigante, y vendedores ambulantes de globos y algodón de azúcar, y también mantones hechos a mano, mantillas, tejidos artesanales, peinetas, encaje, folletines (de esos que cuentan relatos por entregas), oraciones, imágenes de la virgen, imágenes de mujeres desnudas, tortillas, frijoles, enchiladas, quesos, cerdos, vacas, ovejas, cabras, perros. No se puede imaginar usted la actividad y el bullicio que había. Había gente por todas partes; unos compraban, otros vendían, otros montaban en la rueda gigante, otros sólo miraban. Yo estaba tan emocionada que me puse a dar volteretas (al fin y al cabo, no era más que una niña), y se me cayó la cruz que llevaba colgada del cuello. La recogí del suelo, pero aun así mi abuela empezó a zarandearme y a darme bofetadas hasta que me sangró el labio, gritándome que quién me creía que era para deshonrar a Jesucristo de esa forma. Yo sólo podía ser hija de un judío, que me había enseñado a faltarle el respeto a nuestro Salvador. Me hizo besar el crucifijo con los labios ensangrentados. Luego me ordenó que me arrodillara y rezara diez Avemarías allí mismo. Mi hermana le habría dicho que se metiera el ridículo crucifijo por el culo (que Dios me perdone), pero yo me quedé allí sentada, sin decir nada. Abuelita estaba plantada delante de mí con los brazos en jarras. «¡Haz lo que te digo!», me ordenó. Pero yo no me moví. Abuelita, con las trenzas recogidas en dos moños que parecían orejas de roedor, seguía gritando, enloquecida, mientras la gente pasaba por nuestro lado y nos señalaba con el dedo.

—¡Reza! —insistió.

Pero yo seguía sentada en la hierba, con las piernas estiradas, negándome a arrodillarme.

—¡Reza! —bramó mi abuela.

Se sacó un pañuelo de encaje del escote. Lo desplegó y sacó un rosario de plata; luego se arrodilló y se puso a rezar. Quería enseñarme cómo se hacía, ¿sabe? Alrededor, la gente corría de un lado para otro: del puesto de los cerdos a la rueda gigante, del vendedor de tortillas al tiovivo. Sobre el tenderete del vendedor de globos había unos globos suspendidos que parecían una bandada de pájaros de vivos colores. Abuelita no se fijaba en nada. Se arrodilló allí en medio y se puso a rezar el rosario. Al cabo de un rato me entraron ganas de orinar, pero no me atreví a decírselo, y tampoco me atreví a levantarme y marcharme. Empecé a sentirme como un odre a punto de estallar. Lo estaba pasando muy mal.

—Abuelita... —me aventuré a decir.

Ella seguía rezando.

—Abuelita...

—¿Qué pasa? —dijo ella finalmente.

Miré al suelo. Las lágrimas se agolpaban en mis ojos, y temía que el líquido que salía por un sitio estimulara la salida de otro líquido por otro sitio.

—¿Qué quieres? —me preguntó.

—Nada —murmuré.

Abuelita siguió rezando el rosario. Extendí la falda a mi alrededor tan decorosamente como pude; luego me bajé los calzones y me puse a orinar. ¡Vaya! ¡Qué sensación! ¡No sólo me estaba aliviando sino que además estaba desafiando a abuelita! Me sentí como un poni que se escapa del establo, o como un prisionero que salta el muro de la cárcel. La orina, caliente, olía a amoniaco pero no me escocía. Fluía suavemente, como agua de tamarindo vertida de una jarra. Y mientras yo orinaba, abuelita rezaba el rosario.

Di gracias en silencio a la Virgen mientras arrastraba el trasero por la hierba, cuidando de no mojarme la falda. Abuelita estaba tan enfrascada en sus oraciones que no se dio cuenta. Y a todo eso, la gente seguía correteando de aquí para allá, de las vaquillas de concurso a la barraca de tiro al blanco, del vendedor de globos de colores al organillero con su mono danzarín.

Mi madre era igual de devota que mi abuela. Su padre, Antonio Calderón, era fotógrafo, y de él aprendió la obsesión por los detalles, que ella aplicaba al cuidado de la casa. Todo tenía que ser perfecto, cada objeto tenía que estar en su sitio. Cada vez que volvía de comprar, o de jugar a la canasta, o de la iglesia, revisaba los cuadros de las paredes. «¡Rufina! —le gritaba a la sirvienta encargada de la limpieza—. Le dije que no quitara el polvo de los marcos. ¡Ahora están todos torcidos! ¡Cómo puedo vivir en esta casa si siempre está desordenada!» Luego pasaba el dedo por las paredes, las cornisas, los objetos del salón. «¡Aquí hay polvo!», protestaba. Y Rufina murmuraba: «Sí, señora», pero se notaba que estaba pensando en otras cosas, seguramente en su novio de Oaxaca.

Mi madre era maniática con la casa, pero con su aspecto todavía lo era más. Le encantaba la ropa. Para ir a la iglesia se ponía un vestido de jersey de cuello acolchado y lazos en el cuello y la cintura. Tenía ribetes en la parte delantera, y la falda le llegaba por debajo de las rodillas; era lo que llamaban un estilo «pobre de lujo». Después de la guerra, las demostraciones de riqueza estaban fuera de lugar, pero mi madre no iba a vestirse como una campesina. No, los vestidos de veracruzana no estaban hechos para ella, salvo en ocasiones especiales. Y sus complementos siempre eran perfectos. Guantes negros de piel, un sombrero de ala estrecha que proyectaba una marcada sombra sobre sus ojos, y elegantes zapatos de salón de tacón ancho con tirita. Incluso cuando se ponía el atuendo indígena para mostrar su solidaridad con el pueblo, mi madre insistía en la calidad. Costuras firmes. Corpiños forrados. Rosas perfectamente bordadas en el dobladillo y el cuello. Y por supuesto, joyas a juego. Frida heredó de ella la pasión por la ropa. En realidad, mami y Frida tenían más cosas en común de las que ellas habrían admitido.

Mi abuelo Antonio era un hombre de tez oscura y rasgos indios, perilla y labios carnosos. Llevaba un bigote con los extremos hacia abajo que le hacía parecerse a esas caricaturas de Zapata que se hicieron populares después de su muerte, cuando ya no estaba de moda idolatrarlo, cuando tanta gente olvidó lo que él había hecho por ellos. Mi abuelito Antonio nunca hablaba demasiado con nosotras. Tampoco lo hacía con sus hijas, según decía mi madre. Mami siempre decía que era silencioso como una sombra, silencioso como el ocaso. Pero mi abuelo se las ingenió para mantener a la familia. Tenía una casita vieja pero presentable. Eran lo que se llamaba «pobres pero decentes»; «decentes» quería decir que podías invitarlos a cenar siempre que no hubieras invitado a nadie más.

Mi madre no tuvo mucha educación pero era una mujer observadora y astuta. Imagino que no sabía nada de los surrealistas, de Freud, de la revolución rusa ni de todas esas tonterías de las que Frida y Diego se pasaban la vida hablando (les gustaba sentirse superiores), pero contaba el dinero como una máquina de sumar. Como ya le he dicho, a mi madre le gustaba que todo estuviera en su sitio. Por eso se libró de mis dos hermanastras, María Luisa y Margarita. Y no sólo porque temiera que le causaran molestias o le recordaran constantemente a la anterior esposa de mi padre, sino también porque tenían que estar en el sitio correcto. Durante años yo apenas supe de ellas. Me las imaginaba como las hermanastras de la Cenicienta. Yo era Cenicienta, por supuesto. ¡Ja! ¡Qué risa! Ella era la Cenicienta. Ella fue la que se casó con el príncipe. En fin, el caso es que al final todas nos hicimos amigas, hermanas de verdad; pero eso ocurrió mucho más tarde.

La siguiente tarea que se impuso mi madre fue hacer de mi padre un auténtico mexicano. Era tan alemán. Eso decía siempre mi madre: que era más alemán que una salchicha de Frankfurt. Cuando se casó por segunda vez, mi padre cambió su nombre de pila, Wilhelm, por Guillermo. No podía ir por ahí haciéndose llamar Wilhelm, ¿comprende? Según mi madre, papá se esforzaba por ser mexicano. Pero siempre fue un forastero. Infinidad de detalles en su vida le recordaban que era un inmigrante. Su marcado acento, con aquellas desagradables erres velares alemanas, le molestaba y le incomodaba, pero no lograba librarse de él. La comida mexicana, picante y muy condimentada, le sentaba mal. Pero lo que más lo exasperaba era su propia rigidez, que contrastaba con el desorden absoluto de la vida mexicana. Y por otra parte estaba la cuestión religiosa. Papá no era ningún fanático. De hecho, nunca practicó su fe. Pero el catolicismo no le atraía nada. Para él, el capricho de mi madre por las imágenes de Cristo en la cruz era morboso. Una cosa era ofrecer la otra mejilla o convertir el agua en vino, decía, pero esperar que la gente se arrodillara ante ti y te adorara mientras tú lo manchabas todo de sangre era demasiado. Papá detestaba la colección de crucifijos de mi madre, y no entendía por qué tenía que almacenar imágenes de Jesús sangrando por la herida del costado y por los agujeros de las manos. ¡Sangre! ¡Sangre! ¡Sangrre! ¡Sangrre! Decía que le producía náuseas. No podía ver aquellas imágenes antes de comer. Al final se hizo ateo, y entonces los iconos de mi madre todavía lo enfurecían más.

Su actitud en el trabajo y su concepto del tiempo también eran alemanes. Era obsesivamente puntual y meticuloso. Podías poner tu reloj en hora viéndolo marcharse a trabajar por la mañana. No hacía la siesta, ni siquiera iba a casa a la hora de comer, como hacía la mayoría de mexicanos en aquella época, y como muchos siguen haciéndolo hoy en día.

Con el tiempo, mi padre fue volviéndose cada vez más introvertido. Quizá pensara que se había equivocado viniendo a México, a este país hermoso pero caótico e ineficaz. Quizá le exigíamos demasiado. Quizá el esfuerzo que tenía que hacer para ser uno de nosotros era demasiado grande. El caso es que cada vez pasaba más tiempo a solas en su habitación, leyendo, tocando canciones inventadas con el piano, escuchando música o jugando al ajedrez con su único amigo, un anciano delgado del que nadie sabía gran cosa. Se llamaba Neftalí, y cuando levantaba las fichas de ajedrez le temblaban las manos; pero era un astuto estratega y tenía el don de la concentración, y era un buen compañero para mi padre, que parecía encontrarse a gusto con él, aunque casi nunca se dirigieran la palabra. Recuerdo que don Neftalí venía a menudo. Tenía el cutis cetrino y era casi calvo. El aliento le apestaba a una mezcla de tabaco y pescado podrido. Mi padre y don Neftalí pasaban horas sentados a la mesa decidiendo una jugada o esperando a que moviera el otro. Y ninguno de los dos abría la boca. Don Neftalí respetaba la necesidad de silencio de mi padre. Creo que por eso le gustaba aquel anciano.

Ninguna de nosotras parecíamos importarle demasiado a mi padre, excepto Frida. No era hostil con nosotras, sino distante o indiferente. Frida decía que era el típico romántico alemán amargado, al borde de la locura.

Pero incluso los románticos amargados tienen que ganarse la vida. Fue mi madre la que lo animó a dedicarse a la fotografía, supongo que porque ésa era la profesión de su padre. Mami siempre decía que de no haber sido por ella, mi padre nunca hubiera hecho nada por sí mismo. Fue mi abuelo Antonio Calderón quien le prestó su primera cámara. Con ella papá inició una carrera, fotografiando sobre todo paisajes, ruinas, edificios, interiores. Más adelante, a veces fotografiaba multitudes y mítines políticos. No lo hacía para los periódicos ni para el gobierno, sino porque los encontraba interesantes desde un punto de vista artístico. Era muy preciso y meticuloso, y en fotografía esas cualidades tienen su compensación. Componía sus fotografías con mucho esmero, teniendo en cuenta la perspectiva, el ángulo, la luz. Todas las cosas que más adelante hicieron de Frida una gran pintora eran las mismas cosas que hacían de mi padre un gran fotógrafo. Y como la precisión exigía los mejores materiales, papá empezó a importar de Alemania cámaras y objetivos. No es de extrañar que los científicos de Díaz se fijaran en él, pues aquellos individuos valoraban el talento y la tecnología europeos.

Se acercaba el centenario de la independencia de México, y los científicos, conscientes de que el gobierno no contaba con el apoyo del pueblo y de que se la estaban jugando, creyeron que si organizaban un gran jaleo con motivo de aquella efemérides mejoraría la reputación de Díaz y subiría la moral de las masas. El secretario del Tesoro decidió publicar una serie de libros de arte de lujo que ensalzaran el patrimonio mexicano, y empezó a buscar a alguien que fotografiara la arquitectura nativa y colonial. Papá era el hombre ideal para aquel trabajo.

Él estaba muy orgulloso de las fotografías que hizo para aquellos libros. Mami enmarcó copias de las mejores y las colgó en el salón. El volcán Popocatépetl al atardecer, su cumbre irregular envuelta en una bruma misteriosa. La catedral de Puebla, sus campanarios angulares alzándose como dos gigantes. Las soleadas calles coloniales de Taxco. Las casas de paredes estucadas. Los hermosos balcones. Las techumbres de tejas rojas. Las verjas de hierro forjado. La celebración del centenario era una de las pocas cosas por las que mi padre mostraba entusiasmo. Tuvo que viajar por todo el país. «Tuve que esperrrarrr dos horrras parrra hacerrrla, hasta que la luz fuerrra perrrfecta», decía orgulloso. Cada fotografía tenía su historia. Aprendí más sobre la historia y la geografía de México con aquellas fotografías que con mis libros de texto. Papá dedicó cuatro años a aquel proyecto, desde 1904 hasta 1908, utilizó las mejores cámaras importadas y preparó él mismo cerca de un millar de placas.

El gobierno le pagó bien. En cuanto recibió la primera comisión se hizo construir una casa en la esquina de las calles Allende y Londres, en un barrio elegante de Coyoacán muy bien comunicado, cerca de la plaza y el mercado. Allí crecimos Frida y yo. Más tarde se convirtió en la casa de Frida, de Frida y Diego. Ahora es un museo. El Museo Frida Kahlo. A nadie le interesa saber que yo también viví allí.

Como otras casas tradicionales, la nuestra no tenía pasillos. Cada habitación daba directamente a la contigua, y contaba también con una elegante puerta cristalera por la que se accedía a un amplio patio. Mi madre, que tenía un gusto impecable, amuebló el salón con elegantes muebles parisinos, pues aquél era el estilo que estaba de moda entre los mexicanos de clase media alta, que es lo que éramos nosotros. Le estoy hablando de antes de que nos volviéramos pobres. De antes de que los extranjeros estuvieran mal vistos. De antes de que papá lo perdiera prácticamente todo.

Junto al salón había un comedor convencional y una gran cocina. El dormitorio principal era contiguo al comedor, una distribución que ahora me resulta extraña, pero que entonces todos considerábamos normal, porque estábamos acostumbrados a ella. En las paredes exteriores había altas ventanas con postigos grises que daban a la calle. Los colores de la casa, azul añil para las paredes y rojo para las molduras, habrían podido sorprender a la alta burguesía de cualquier sombría ciudad del norte, pero en Coyoacán no eran poco corrientes. El pueblo estaba lleno de edificios pintados de vivos colores:

manzanas y manzanas de casas rosa junto a otras amarillo o violeta. Era como mirar por un calidoscopio; o como una paleta en la que un pintor hubiera experimentado todas las combinaciones imaginables. Quizá fue de allí de donde Frida sacó su sorprendente concepto del color. A mí también me han encantado siempre los colores luminosos. Y es porque crecí rodeada de color: rojo como el sol al atardecer, verde como las esmeraldas trituradas, azul como los ojos de un recién nacido. Unos sólidos cedros bordeaban las aceras adoquinadas. Los árboles proporcionaban sombra a las casas y suavizaban el aspecto de la calle.

A mi padre no le interesaba la política. Lo que le gustaba era sentarse y pensar. Meditaba sobre temas muy diferentes, pero la política de Díaz no era uno de ellos. Se ganaba bien la vida trabajando para el gobierno, y estaba satisfecho. «Ya sé que este rrrégimen es corrrrupto. Y ¿qué? Al menos no hace rrruido —decía—. El prrróximo serrrá corrrrupto y rrruidoso.»

Pero cuando estalló la Revolución, era imposible no tomar partido. O estabas con los rebeldes o estabas contra ellos. Sin embargo, papá no lograba decidirse. «Esto es un fastidio —le decía a mi madre—. ¿Porrr qué no nos dejan en paz?»

Cuando cayó Díaz, hubo algunos altercados en Coyoacán entre zapatistas y carrancistas. Como abuelito Antonio era un indio de Morelia, la tierra natal de Zapata, mi familia se decantó por los zapatistas. Mamá abrió la casa a los hombres de Zapata. Los dejaba trepar por las ventanas que daban a la calle Allende y entrar en nuestro salón. Inocencia, Concha y Rufina hicieron vendas con sábanas viejas, y mamá les limpiaba las heridas a los soldados con jabón y yodo. Mamá no era una mujer muy afectuosa. Estoy segura de que el olor a sangre, sudor y excrementos le producía náuseas, pero ella lo consideraba un deber patriótico: había que ayudar a los hombres que luchaban contra el tirano vendido a los franceses, los británicos, los norteamericanos y a todas las demás potencias que querían llevarse una buena tajada de nuestro país. No había mucha comida que compartir, salvo tortillas. Los mercados estaban cerrados. Era peligroso salir a la calle. Los soldados peleaban en plazas y callejones, y había francotiradores detrás de todas las verjas. Yo era muy pequeña. A veces no estoy segura de mis recuerdos de la Revolución. Quizá haya oído contar tantas historias que lo que creo recordar son, en realidad, escenas que otros me describieron. O escenas extraídas de libros o películas. Cuando yo era pequeña, y hasta la adolescencia, no se hablaba de otra cosa que de la guerra. Diego y Frida tenían espectaculares historias que contar, a pesar de que cuando estalló la guerra Frida era una niña, como yo. Pero por su forma de hablar cualquiera habría pensado que ella estuvo en primera línea del frente, con una pistola en cada mano. No sé si las imágenes de la Revolución que llevo en la cabeza son recuerdos o invenciones mías. A veces no estoy segura de las cosas. No como Frida. Frida siempre estaba segura de todo.

Sin embargo hay ciertas imágenes grabadas en mi mente. Ciertos recuerdos terribles de los que no logro deshacerme. Cosas que han de ser ciertas, porque las veo como si hubieran ocurrido ayer. Yo debía de ser muy pequeña cuando ocurrió esto: Delante de nuestra casa (Dios mío, fue espantoso) un chiquillo salió a la calle. Era un niño que vivía unas casas más abajo. A veces Frida jugaba fútbol con él. Tenía el cabello lacio y negro, con un flequillo que le tapaba los negros ojos, y una dulce sonrisa. A veces jugaba desnudo en el patio de su casa (no tendría más de cuatro o cinco años), y Frida le lanzaba chorritos de agua para que el pene se le levantara. Cuando eso ocurría, Frida reía a carcajadas. Pues bien, aquel chiquillo, que se llamaba José Luis, salió a la calle y... Oh, Dios mío... Lo recuerdo como si hubiese ocurrido ayer. Un francotirador le voló la cabeza. Yo lo vi. Lo vi por la ventana. Jesús, pobre chiquillo... pobre angelito. Se quedó tieso en medio de la calle durante casi un minuto antes de derrumbarse, todavía temblando, a menos de cinco metros de nuestra puerta. La sangre le salía a borbotones, y formó gruesos y pegajosos charcos a los que después se acercaron los perros callejeros. La madre estaba histérica. Pobre mujer. Doña Ramona, una persona encantadora... y José Luis era su único hijo. No pudo recogerlo inmediatamente. Los soldados disparaban a cualquier cosa que se moviera. Finalmente, doña Ramona no pudo aguantar más. Salió arrastrándose por los adoquines y recogió primero los trozos del cráneo, y después el tronco. Fue un milagro que no la mataran también a ella. Quizá eso habría sido mejor.

Hubo otro incidente. Un burro salió de su corral y recibió un balazo en un ojo. Quedó tendido, rebuznando y chillando, agonizante, hasta que un francotirador le disparó en la cabeza, más para hacerlo callar que para librarle de su agonía. Eso también lo vi desde la ventana de mi habitación, y en cierto modo, aunque sólo era un burro, su muerte me afectó casi tanto como la de José Luis. Pobre bestia. No paraba de rebuznar, y sus gritos te partían el alma. No era más que una víctima inocente. ¿Por qué tuvieron que matarlo? Yo era muy pequeña y no entendía la política de la Revolución. Yo sólo veía la sangre mezclándose con el polvo y los desechos y corriendo por los adoquines, filtrándose por las rendijas, filtrándose hasta la tierra, donde nutriría al enorme y frondoso cedro que había en el jardín de mi casa.

Supongo que de eso era de lo que se trataba. Tenía que morir gente para nutrir el alma y el espíritu de México. Tenía que morir gente para asegurarnos a nosotros el futuro. Pero el pobre José Luis y aquel pobre e inocente animal... A veces nada tiene sentido.

5

PREPA

La imagen del espejo era engañosa. Mostraba a una muchacha delgada pero de hermosa figura, con cabello negro, grueso y rizado, flequillo recto y gruesas cejas, tan alargadas hacia el puente de la nariz que casi se tocaban, dándole un aire sombrío y severo a su mirada. Frida frunció el entrecejo, formando con sus cejas una línea recta sobre los oscuros ojos. Parecía la clásica niña que estudiaría mucho, complacería a sus maestros, haría que sus padres estuvieran orgullosos; la clásica niña cuya conducta ejemplar provocaría comentarios como: «Oh, señora Kahlo, qué contenta debe de estar.» Frida sabía causar esa impresión. Sabía hacer que los adultos dijeran: «Qué damita tan perfecta. Lástima que su hermana pequeña no se parezca más a ella.»

Frida no llevaba uniforme (en su nueva escuela no lo exigían), pero su sencilla blusa blanca, su jersey entallado y su falda plisada azul marino se parecían mucho a los atuendos que llevan las colegialas de hoy en día. Ya sabe, esos ridículos jerséis y rebecas azul marino. Llevaba también unas gruesas medias negras, y unas botas de esas que impiden que se te mojen los pies, que no te producen ampollas y con las que resulta fácil caminar. La bota derecha estaba rellena de calcetines y trapos, para que no le bailara. En la cabeza llevaba un sombrero negro de paja con ala ancha y cintas blancas que rodeaban la copa y colgaban detrás. «¡La damita perfecta!»

Frida contemplaba su imagen en el espejo. Apretó los labios para adoptar un aire decidido. Se cruzó de brazos. Se irguió cuanto pudo (medía casi un metro sesenta) y miró fijamente a la otra Frida, la del espejo. Se quitó el sombrero y volvió a ponérselo, arreglando las cintas de modo que cayeran por el centro de la espalda. Cogió un espejo de mano y se miró la espalda. Se humedeció el flequillo con saliva y se pasó el dedo índice por la frente para asegurarse de que estuviera perfectamente recto. A continuación abrió el cajón de su ropa interior. De entre los calzones sacó una barra de carmín que escondía allí, y se puso un poco de color. Después tocó la punta del pintalabios con la yema del dedo y se aplicó un poco de color en las mejillas. Sólo una pizca, para que mami no lo notara. Volvió a mirarse, volviéndose hacia uno y otro lado para verse desde diferentes ángulos. No. No había conseguido el efecto deseado. Se quitó el carmín, sacó otro pintalabios y volvió a intentarlo con otro tono. Adoptó una pose majestuosa, como una bailarina de Degas. A Frida le encantaba posar. Se pasaba la vida mirándose en el espejo y posando. Por eso cuando empezó a pintar hizo tantos autorretratos. Le encantaba mirarse en el espejo. Estaba fascinada consigo misma.

No lo digo para criticarla. Ya sé lo que estará pensando, pero no le estoy haciendo ningún reproche a Frida. Lo único que quiero decir es que...

No creo que me viera. No se dio cuenta de que yo estaba allí.

—¡Pareces una mona! —dije burlona.

Frida se volvió como si le hubiera lanzado una goma elástica. ¡Ping! Me puse las manos bajo las axilas y me rasqué los costados.

—¡Mona! —gruñía—. ¡Mona! ¡Mona!

Frida me sacó la lengua y luego estalló en carcajadas.

—¿Qué pasa, Frida? ¿No me crees? Pues lo pareces, te lo aseguro.

Me lanzó un cepillo a la cabeza, pero yo me agaché a tiempo. Ella hizo una mueca, estirándose los labios con los dedos para componer una grotesca sonrisa de simio.

—¡Arrrggg! ¡Arrrggg! —gruñía mirándose en el espejo—. ¡Yo mona! ¡Yo mona!

Me senté en la cama para contemplar a mi hermana arreglándose para su primer día en la preparatoria.

—¡Lo que parezco es una cursi!

—Qué va, Frida —dije—. Estás muy linda.

—¡Cuca! Yo no quiero estar cuca. Los cachorros son cucos. ¡Prefiero parecer una mona! —Sacó pecho y empezó a pavonearse—. ¡Carmen Frida Kahlo, la chica más sexy de la Escuela Nacional preparatoria!

Me reí. No quería ponerla de mal humor en su primer día de clase. Luego, si las cosas no salían bien, ella podría decir que yo le había traído mala suerte. Pero a mí no me parecía buena idea que se hiciera la interesante en la prepa. Yo ya tenía catorce años y sabía que esas cosas podían resultar peligrosas.

—¡Ten cuidado, Frida! La prepa está llena de chicos. Si meneas demasiado el trasero te meterás en líos. Y será mejor que tengas cuidado con esa lengua tuya.

Frida volvió a posar ante el espejo. Se pasó la lengua por los carnosos y sensuales labios y luego los apretó. A continuación abrió la boca y sacó la lengua como si estuviera besando a un amante invisible.

—Amor mío —dijo jadeando—. ¡Amor mío! —Empezó a mover los labios como si estuviera en éxtasis—. ¡Oh! —gimió—. ¡Oh, amor mío, no pares! —Se miró en el espejo entrecerrando los ojos mientras se acariciaba el cuerpo—. ¡Ah! ¡Ahhh ahhh ahhh ahhh! —Se acercó al espejo y fingió lamerlo.

Yo me reí tanto que tuve que cruzar las piernas para no orinarme.

—¿Qué haces, Frida?

—¡Me miro la lengua, tonta! ¿No acabas de decir que será mejor que tenga cuidado con mi lengua? Pues no hago más que seguir tus consejos, como una... ya sabes, como una distinguida muchacha de trece años. —Adoptó una pose majestuosa y se corrigió—: Como corresponde a una distinguida muchacha de trece años. No hago más que demostrar lo obediente que soy.

Frida inclinó la cabeza, haciéndose la dócil. Sabía hacerse pasar por una chiquilla dulce y sumisa. Así era como siempre se salía con la suya. Y si no, adoptaba el papel de rebelde y batalladora. Dependiendo de a quién quisiera engatusar.

Frida se subió a la cama de un salto y cruzó las piernas. Se puso a dar botes.

—¡Frida es una niña buena! —cantaba con un sonsonete infantil—. ¡Frida es una niña buena!

—Tú no tienes trece años, mentirosa. Tienes quince.

—¡Tengo trece! ¡No me pongas años!

—¡Cómo eres, Frida! Sé cuántos años tienes. ¡Soy tu hermana, por el amor de Dios! Yo tengo catorce años y tú eres once meses mayor que yo.

—Por el amor de Dios no, querida hermanita: por el amor de papá. Él fue el que se tiró a mamá y luego saliste tú. ¿O creías que eras hija de la inmaculada concepción, como el niño Jesús? En fin, ¿qué importancia tiene que me quite un par de añitos? Perdí dos años de escuela cuando tuve la polio.

—¡Sólo perdiste uno!

—Bueno, ¿qué más da? Aun así, seré una de las alumnas más jóvenes de la preparatoria. Y aunque no sea la más joven, seré una de las pocas chicas.

—Tienes razón, Frida. Serás muy especial. —Eso era lo que ella quería oír: que iba a ser excepcional, extraordinaria.

La última enchilada de la cazuela. La última gota de agua del desierto. Ella era, verdaderamente, una especie de fenómeno, pero le gustaba que se lo recordaran constantemente.

—Es verdad, seré muy especial. ¡Ya pueden vigilar sus aburridos traseros!

Lo que pasaba era que Frida estaba nerviosa. Yo también lo estaba, aunque no fuera mi primer día en la prepa. Notaba un cosquilleo en el estómago. La Escuela Nacional preparatoria era una escuela enorme, y Frida iba a ser una de las pocas chicas que estudiaban allí. Además tendría que ir sola a la ciudad, en tranvía, todos los días. Ella estaba acostumbrada a pasear por Coyoacán conmigo, con Concha o con papá, pero esto era diferente. Ahora tendría que adentrarse en territorio desconocido, y sola. Sólo de pensarlo me daban escalofríos.

La Escuela Nacional preparatoria, la prepa, no era la mejor escuela de enseñanza secundaria del país, pero era un símbolo de... ¿cómo decirlo?, de ese talante de «demuéstrales de lo que eres capaz» que todo el mundo tenía después de la Revolución. Tiene que entender usted lo importante que era la prepa, lo que representaba, para comprender lo que significaba que Frida, nuestra Frida, mi hermana Frida, hubiera sido admitida en ella.

La prepa había sido un colegio jesuita, una especie de colegio secundario privado para niños ricos, donde se estudiaba latín, francés, teología y esas cosas. Cuando subió al poder el presidente Juárez, eliminó toda la tradición europea de las escuelas, y la prepa se convirtió en una importante escuela secundaria donde se impartían cursos equiparables a los de la universidad. La idea era preparar a los mejores jóvenes, a la crema de la sociedad, para que dirigieran el país. Pero todo se estropeó cuando Díaz subió al poder, porque los científicos convirtieron la prepa en un liceo de estilo europeo. Después de la Revolución, José Vasconcelos, el ministro de Educación, hizo de la prepa la mejor escuela secundaria del país. Se convirtió en un imán que atraía a los mejores maestros y a los jóvenes más prometedores de México. Los alumnos estaban muy orgullosos de estudiar en la prepa. ¡Su tarea era crear una nación nueva! ¡Y Frida iba a formar parte de aquel selecto grupo! ¡Podía convertirse en una nueva Isabel la Católica! ¡En una nueva Marie Curie! Todos sabíamos que poseía un gran talento. Nadie lo dudaba. Y la que menos, la propia Frida.

Hacía mucho tiempo que papá pensaba inscribirla en la prepa. Frida era inteligente, lo bastante para estudiar medicina. Siempre estaba recogiendo guijarros, hojas y cosas así. Yo, en cambio, era diferente. Los guijarros estaban sucios; yo prefería coger flores. Papá era una especie de pintor aficionado. A veces, durante nuestros paseos, hacía bocetos a lápiz o pintaba con acuarelas, mientras Frida husmeaba por la orilla del río. Recogía plantas o animalillos y se los llevaba a casa. Papá le había comprado un microscopio, y Frida se pasaba la vida mirando fragmentos de ala de mosca o pelusa de diente de león. Lo que no sé es si esas cosas la fascinaban de verdad o si sólo le gustaban los festejos que le hacía papá cada vez que ella le enseñaba una de las muestras que había preparado. «Una mente como la de Frrrida —decía mi padre— no debe malgastarrrse.»

Mami no estaba convencida. Según ella, desde que Frida tuvo la polio, papá la había educado como si fuera un chico. Y ahora quería enviarla a una escuela de chicos para que estudiara una profesión de hombres. La prepa acababa de abrir sus puertas a las muchachas, pero se habían inscrito muy pocas. Mi madre opinaba que las chicas decentes de buena familia no necesitaban la clase de educación que ofrecía la preparatoria. Supongo que ella creía que Frida ya era de armas tomar (nerviosa, hiperactiva y fanfarrona), y que si se rodeaba de muchachos (aunque fueran de muy buena familia) se volvería aún más bruta.

Papá casi nunca se imponía, pero esta vez lo hizo. Él había tenido que abandonar su carrera universitaria, y no tenía hijos varones que pudieran cumplir sus ambiciones frustradas.

Su situación económica era pésima y en casa escaseaba el dinero, pero mandar a Frida a trabajar estaba descartado. Iría a la prepa, y después a la universidad, donde estudiaría medicina.

Mami no creía que Frrrida aprobara los exámenes de ingreso, pero los aprobó, y papá se sintió justificado. «¡Ya te lo decía yo! —se jactaba—. Frrrida es tan inteligente como cualquierrr chico.» «Eso es, herrr Kahlo —bromeaba Frida—. Soy muy inteligente, y se lo vamos a demostrrrarrr.»

La preparatoria era un edificio majestuoso situado cerca del Zócalo (la plaza principal, llamada de la Constitución). Lo conoce, ¿verdad? La catedral, el Palacio Nacional, y todos los edificios del gobierno están por allí. La catedral de la Virgen era la estrella del barrio; sólidamente aposentada en uno de los lados del Zócalo, como una gorda y anciana matrona, andrajosa pero chillona, esperaba a que sus nietos fueran a presentarle sus respetos. Las avenidas se abren en abanico desde el Zócalo hacia los barrios más apartados de la ciudad, y otras calles, más pequeñas, se entrecruzan formando una especie de rudimentaria parrilla. Entonces, igual que ahora, había tienditas en todos los rincones: tiendas de comida, de ropa, restaurantes, librerías, tiendas de muebles, tintorerías, tortillerías, farmacias, aromáticas perfumerías y talleres mecánicos que apestaban a grasa.

A Frida le encantaba la libertad que suponía ir a la prepa. En aquella época las muchachas casi nunca salían sin ir acompañadas, pero Frida se paseaba por la ciudad como si fuera un chico. Hacía el trayecto sola en autobús y tranvía, y se sentaba junto a los campesinos con sus sarapes y a las matronas que iban a comprar al mercado. El tranvía era un medio de transporte muy democrático. A veces yo iba al centro con ella, pero a mí no me atraía aquel alboroto. La plaza y las calles estaban abarrotadas a todas horas. Veías a hombres con traje, corbata y maletín junto a campesinos con holgados pantalones blancos y ponchos. Los organilleros arrancaban sus organillos con la manivela. Había vendedores ambulantes que ofrecían juguetes, loros decorativos de papel maché, goma de mascar, postales, helados, suculentas carnitas y estatuillas de la Virgen. A veces un campesino montado a caballo pasaba por delante de un automóvil. A mí se me encogía el estómago cada vez que teníamos que cruzar una calle. Pero a Frida le fascinaba el ajetreo de la ciudad. Le encantaba acercarse a los vendedores de periódicos que deambulaban por la plaza. Imitaba su jerga y hasta su forma de andar. De ellos aprendió un montón de originales palabrotas, como si su lenguaje no fuera ya bastante espantoso.

Frida era una de las treinta y cinco muchachas que estudiaban en una escuela de casi dos mil alumnos. El primer día de clase escribió su nombre en la lista con la perfecta caligrafía que había aprendido en la escuela con la señorita Caballero: «Carmen Frieda Kahlo y Calderón.» En aquella época todavía escribía su nombre de pila en alemán.

—Estaba haciendo todo lo posible por causar buena impresión —me dijo—, pero en cuanto conocí a la monitora de las muchachas, comprendí que acabaría meándome en sus petunias. Es una vieja estirada que parece llevar un palo metido en el culo. Se llama Dolores Ángeles Castillo. Nos llevó a la galería del último piso, con vistas al patio mayor, y empezó a darnos órdenes, seguramente para que desde el principio nos hiciéramos a la idea de que allí mandaba ella, de que era una especie de madrina del grupo. Mira, era como si fuera a hacer que te acribillaran si no te cuadrabas cuando ella abría la boca. Un leve movimiento de la cabeza y ¡bang! ¡bang! ¡bang! ¡Muerta!

«Aquí es donde tienen que estar cuando no estén en clase —les dijo la señorita Castillo a las niñas—. Durante el recreo y durante sus horas libres.»

—¡La odio! —dijo Frida—. Miré alrededor en busca de alguna cara cómplice, alguien que estuviera dispuesta, como yo, a enfrentarse a aquel adefesio.

Pero sus compañeras de clase debían de estar demasiado intimidadas para atreverse a mirarse entre ellas. Había una muchacha de aspecto autoritario, de nariz muy larga, que a Frida le recordó a Estela. Era alta, enjuta y morena, e iba muy erguida, aferrando la cartera de los libros, como si la impresionara su propia estatura. Otra, muy menuda, con una blusa con volantes y falda amplia, le recordaba a Inés. Tenía el cutis blanco, el cabello castaño recogido en un moño, y una mirada fría y condescendiente.

Para Frida debió de ser una dolorosa ojeada al pasado. Había pasado mucho tiempo desde que sus compañeras de clase se burlaban de su pierna atrofiada y la acusaban de no ser mexicana, pero ahora volvía a oír aquellos cantos dentro de su cabeza: «¡Frida! ¡Frida! ¡Frida! ¡Frida!»

—A la de nariz larga de rata le lancé una mirada como diciendo «¡No juegues conmigo!» —prosiguió Frida—. Pero ella estaba absorta haciéndose la buena, y no lo notó.

«Aquí es donde quiero veros siempre que no estén en clase —concluyó la señorita Castillo—. ¿Entendido?» Evidentemente, no era una pregunta.

«Sí, señora», dijeron la niña con cara de rata y la que iba vestida como si fuera a hacer la primera comunión.

«Y un cuerno», murmuró Frida. ¡Ja! ¡Ésa era mi Frida! No había quién la hiciera callar.

«Perdone, ¿cómo ha dicho?», preguntó la señorita Castillo.

«No, nada», contestó Frida, sumisa.

—Pero yo ya había decidido no mezclarme con aquellas lameculos imbéciles —me explicó. Eran demasiado cursis, afectadas, esnobs y vulgares. Ya encontraría otras amistades, quizá entre los chicos. Y si no las encontraba, se las arreglaría ella sola.

En la preparatoria había mucha actividad. En un banco unos chicos repasaban los verbos franceses (*je parle, tu parles*...); otros intentaban descifrar la lengua quiché. En un patio con arcadas, veinte o treinta estudiantes levantaban los brazos y luego se tocaban los dedos de los pies mientras el profesor de gimnasia gritaba: «¡Arriba... dos... tres... cuatro! ¡Abajo... dos... tres... cuatro!» Por todas partes, apasionados alumnos oradores pregonaban sus causas, abordando a la gente que pasaba como si fueran vendedores ambulantes pregonando sus mercancías. «¡Apueste por mi reforma política! ¡Abandone la civilización occidental y abrace sus propios orígenes! ¡No! ¡Abrace la civilización occidental pero dígales a los gringos que no se acerquen a México! ¡No! ¡Intente llevar a cabo pequeñas reformas revolucionarias! ¡No! ¡La Revolución fue un fracaso! ¡La Revolución fue un triunfo! ¡La Revolución nunca tuvo lugar! ¡Viva el amor libre! ¡No! ¡Volvamos a la moral católica! ¡Viva la raza cósmica!» La raza cósmica era creación de Vasconcelos, que defendía la idea de que en Latinoamérica se mezclarían todas las razas del mundo para formar la quinta raza, o raza cósmica, que traería a los hombres paz y prosperidad. Los progresistas creían que Vasconcelos era un genio. Los conservadores creían que era un inútil.

La preparatoria estaba llena de apellidos ilustres, de adolescentes convencidos de que algún día también ellos serían famosos. Cada día Frida volvía a casa con alguna historia fabulosa sobre personajes que salían en los periódicos. Conocía a Salvador Azuela, cuyo padre había escrito la novela más importante de la Revolución mexicana. Era amiga de Salvador Novo y Carlos Pellicer, que llegaron a ser célebres poetas, y de Xavier Villaurrutia, que revolucionaría el teatro mexicano. Ya entonces, aquellos jóvenes eran conscientes de su importancia.

—¡Carlitos me ha dedicado una silva! —me decía Frida—. Mañana vamos a hacer una lectura de la nueva obra de teatro de Sal.

Siempre igual. Nunca me preguntaba cómo había pasado yo el día. Era tan petulante, tan egocéntrica. Todos eran así. Estaban siempre en una especie de... una especie de... delirio orgásmico. Era como si cada vez que tenían una idea el cielo tuviera que llenarse de petardos que hubieran prendido con el calor de su brillantez. Siempre estaban discutiendo unos con otros, intentando poner en evidencia a los demás. También se enfrentaban a sus maestros. Estaban muy ocupados inventando de nuevo el país. Experimentaban con nuevas formas literarias y nuevas ideas políticas. Organizaban protestas. Ponían bombas. Pintarrajeaban paredes. Gastaban bromas de mal gusto. Hay que tener en cuenta que México se encontraba en pleno renacimiento, y los estudiantes se entregaban al papel que representaban en aquella transformación. Estaban ebrios de orgullo.

Frida no tardó en hacerse un lugar entre aquella gente. Al principio, cuando llegaba a casa, me contaba todo lo ocurrido aquel día. Pero luego empezó a retrasarse porque había asistido a una reunión o porque había ido a los cafés con sus amigos. Ya no tenía tiempo para hablar conmigo. Ya no tenía tiempo para ninguno de nosotros.

Pero el que de verdad lo cambió todo fue Alejandro.

Según Frida, la primera vez que vio a Alejandro Gómez Arias él estaba hablando con otra chica, una joven hermosa, de cabello rubio, de cuerpo voluptuoso y labios carnosos y sensuales. Frida la había visto el primer día, cuando la señorita Castillo ordenó a las alumnas que se alejaran de los chicos durante el recreo, y la había encontrado insoportablemente cursi. «¡Es una escuincla! —me dijo—. ¡Una escuincla de la cabeza a los pies! Seguro que se rellena el sostén con algodón.»

El escuincle es un perro sin pelo mexicano, pero también significa «niño». Frida llamaba escuinclas a las chicas que consideraba remilgadas o estúpidas. De hecho, a mí siempre me llamaba escuincla.

Volviendo a Alejandro y su amiga... en ese momento, Frida los odió a ambos. Él parecía embelesado con aquella niñita tonta. Se inclinaba hacia ella, como si tuviera miel en lugar de saliva en la boca. «Parecía querer quitársela a lengüetazos

—me explicó Frida—. Me dio náuseas ver cómo ella lo sobaba.»

Frida no tenía ningunas ganas de quedarse mirándolos, pero sin saber por qué permaneció en el pasillo, fingiendo que esperaba a alguien, consultando su reloj, mirando a uno y otro lado del pasillo, y, de vez en cuando, a aquel muchacho y su adorable escuincla.

Alejandro era muy atractivo: de tez morena, ojos tiernos y sonrisa fácil. Tenía la nariz ancha, pero no demasiado; los labios eran gruesos, la barbilla firme. Llevaba el cabello negro peinado hacia atrás, dejando libre la alta frente. Sólo con mirarle la ropa te dabas cuenta de que tenía clase: la inmaculada camisa de etiqueta, perfectamente planchada, la moderna corbata a rayas y la chaqueta cruzada. Además, tenía el porte y los buenos modales de un joven de buena familia. Entonces debía de tener dieciocho años.

Sin embargo, lo primero que pensó Frida al verlo fue que era un esnob.

Alejandro estaba tan enfrascado en su conversación que no se dio cuenta de que Frida estaba allí. Eso debió de enfurecerla. Frida estaba acostumbrada a llamar la atención. Ella era la más joven, la más inteligente. Todo el mundo la conocía. Pero aquel chico ni siquiera había advertido su presencia. Sacó un cuaderno de una bolsa y anotó algo que la chica le estaba diciendo. Ella le apretó la mano, y luego se alejó por el pasillo. Se volvió y lo saludó con la mano, y él le devolvió el saludo.

De repente, Alejandro se dio la vuelta y vio a Frida.

—Noté un cosquilleo en los pies —me dijo mi hermana—. Como si tuviera los arcos de los pies llenos de catarinas. Di unos golpecitos en el suelo con el pie. ¡Tenía que sacarlas de allí! Pero entonces noté que me subían por el tobillo, por las rodillas y los muslos hasta llegar al coño. —Lo siento, pero así es como hablaba Frida.

Mi hermana, muerta de vergüenza, miró hacia otro lado.

Las catarinas trepaban por su espalda. Miró su reloj. Volvió a dar unos golpecitos en el suelo con el pie, esta vez para dar a entender que empezaba a impacientarse porque la persona a la que fingía esperar se estaba retrasando demasiado. Miró hacia el fondo del pasillo y suspiró; luego volvió a mirar su reloj.

—Ya sé que a aquella hora el pasillo debía de estar lleno de alumnos —me dijo—, pero a mí me daba la impresión de que estaba vacío y en silencio. Estaba convencida de que Alejandro no se iba a dejar engañar por mi representación, pero no sabía qué hacer. ¡Estaba atrapada! Debió de verme mirándolo por el rabillo del ojo. —Soltó una risita e hizo una pausa. A Frida le gustaba alargar sus historias. Le gustaba cautivar a la gente y mantener la tensión—. No pienso levantar la vista, me dije; pero lo hice, y allí estaba él, con una sonrisa radiante y unos ojos chispeantes.

Me gusta imaginármelo. Incluso ahora, después de tantos años, me gusta cerrar los ojos e imaginármelo. Alejandro... sus increíbles pómulos, sus musculosos brazos, su amplio torso, su elegante corbata y su especial aroma (una mezcla de almendras, canela y almizcle)... Y Frida, almidonada y abotonada, pero con aquellas coquetas caderas, aquella extraordinaria forma de moverse, aquella sonrisa provocadora. Es como la escena de una película.

—¿Qué hubo? —dijo él. Hablaba como si la conociera de toda la vida. Frida no podía apartar los ojos de los labios de él.

—Estoy esperando a una amiga, Adelina Zendejas —mintió—. Pero creo que no va a venir.

—Oye —dijo él—. Quiero hacerte una pregunta. ¿Qué opinas de las medusas?

—¿Qué?

—¡De las medusas!

—¿De qué demonios estás hablando?

—Estoy hablando de las medusas.

—¿Qué pasa con las medusas?

—¿Crees que tienen un alma inmortal? Es decir, ¿tienen las medusas posibilidades de salvación?

Frida lo miró como si estuviera loco. Luego se mordió el labio para no reír, o quizá para no llorar. ¿Se estaba burlando de ella? ¿La tomaba por una niña pequeña? ¿O por imbécil, sólo por el hecho de ser mujer? A la escuincla no la había tratado así. A ella la había escuchado atentamente, y hasta había tomado notas de lo que decía. A Frida no le gustaba que le tomaran el pelo.

—¡Vete al cuerno! —le espetó.

Frida se apartó de Alejandro y se mezcló con la corriente de alumnos. No reaccionó hasta haberse asegurado de que Alejandro ya no podía verla. Cuando llegó al aula, no podía parar de reír. Las catarinas seguían correteando por su cuerpo.

Volvió a verlo más tarde, aquel mismo día, en medio de un grupo de chicos. Frida reconoció a algunos: Miguel Lira, Alfonso Villa, Jesús Ríos y Valles. Estaban enfrascados en una animada conversación. Jesús, con gestos de complicidad, les estaba contando algo a sus amigos, que soltaban exclamaciones.

Frida iba caminando con su amiga Carmen Jaime, una de las pocas alumnas de la prepa a las que consideraba que valían la pena. Carmen era una muchacha rebelde e ingeniosa que llevaba ropa de hombre y una capa negra. Hablaba en una especie de jerga inventada que obligaba al interlocutor a descifrar sus pensamientos. En lugar de «pájaros» decía «flores con plumas». En lugar de «peces» decía «barcos con escamas». En lugar de «hace viento» decía «los dioses estornudan». Las flores eran «mariposas con pétalos», los animales eran «cuadrúpedos con abrigos multicolores», dormir era «entregarse a Morfeo», y morir era «nadar en el Leteo». Leía muchísimo, y conocía la literatura española al dedillo, desde *El Cid* hasta Unamuno. También sabía mucho de filosofía, desde la antigua Grecia hasta la filosofía moderna alemana y la oriental. A veces venía a casa y entonces Frida me echaba de la habitación. «Eres demasiado tonta para entender estas cosas —me decía—. Ve a jugar con tus muñecas.» En aquella época, Carmen estaba iniciando a Frida en su lenguaje cifrado.

—¿Quién es ese? —susurró Frida señalando al grupo de muchachos.

—¿Quién? ¿Te refieres al espíritu divino de Miguel Lira, cuya voz suena como ese instrumento, razón por la cual lo llaman el Lira? —Carmen siempre hablaba con naturalidad, nunca con tono exaltado. Decía aquellas cosas como si le estuviera dictando la lista de la compra a la criada.

—No; me refiero al que está a su lado.

—¿Alejandro? ¿No conoces a Alejandro?

—¿Quién es?

—¡La bujía!

—¿Qué?

—¡La fuente de energía! ¡El sol! ¡Apolo en su carro dorado! El líder de la manada.

—¿Qué manada?

—¿Cómo que qué manada? ¡La nuestra! ¡Los Cachuchas! ¡Ven conmigo, ramito juvenil! Te los presentaré.

A Frida le gustó la forma en que los chicos saludaron a Carmen. Nada de coqueteos. Nada de piropos. La trataron con una especie de brusca camaradería con la que dejaban claro que no pensaban cuidar su lenguaje por el hecho de que ella estuviera cerca.

—Frida —dijo Miguel—. Frida Calo. Ya la conozco. ¿Qué hubo, Frida?

—Calo, Caló. ¿Le estás enseñando tu *caló*, Carmen? —preguntó Alberto—. Si se lo estás enseñando, y si ella lo aprende bien, la llamaremos la Caló.

Frida no le encontró gracia al chiste de Miguel. Mi hermana y yo éramos un poco susceptibles respecto a nuestro apellido, por culpa de todos los comentarios desagradables que habíamos tenido que soportar de pequeñas.

—Se escribe con K y con una H intercalada —aclaró—. K-a-h-l-o. —Hubo una pausa tensa; Frida estaba a la espera de que alguien comentara que aquel apellido era extranjero.

Fue Alfonso:

—¿Qué apellido es ése? —preguntó—. No es mexicano.

—Es un apellido alemán, *señor Aldea* —dijo Frida con sorna.

¿Lo capta, doctor? Usted y yo siempre hablamos en español, pero no sé si capta los matices. Verá, Antonio se apellidaba Villa, y «villa» es un sinónimo de «aldea».

—Y el hecho de que tenga un apellido alemán no significa nada —añadió Frida—. Mi padre es alemán, pero yo soy mexicana. —Esperó para ver si alguien quería seguir discutiendo aquel punto, pero nadie dijo nada.

Frida se preguntó quién sería el que sacaría el tema de su pierna. Quienquiera que lo hiciera, ella ya había decidido mandarlo a paseo y decirle que no se metiera en lo que no le importaba. «Sí, tengo una pierna más corta que la otra —le diría—. Me han dicho que tú tienes el pito corto. ¿Quieres que las comparemos?» O: «¿Quieres que te pegue una patada donde más duele para demostrarte que a mi pierna no le pasa nada?» Rió en voz baja.

—¿Qué te pasó en la pierna? —preguntó Alejandro.

¡Carajo! ¿Por qué tenía que ser él, precisamente? Frida se planteó la posibilidad de no responder. Se contuvo y no soltó su réplica de sabihonda. Dejó de reír. Aquello ya no tenía gracia.

—Tuve la polio a los seis años —dijo por fin.

—Lo siento —dijo Alejandro.

—No sientas lástima por mí —repuso ella, enojada.

—No he dicho que sienta lástima, sino que siento que tuvieras la polio —aclaró él.

Supongo que en aquel momento Frida miró hacia otro lado. Supongo que le dieron ganas de llorar, pero que apretó las mandíbulas para que no le temblaran los labios.

—Oye... —dijo Alejandro. Me parece oír su voz, grave y seria. Me parece ver su rostro: solemne, concienzudo, reflexivo.

—¿Qué? —dijo Frida.

—¿Has pensado en lo que te pregunté antes?

—¿En qué?

—En las medusas.

Frida soltó un grito:

—¡Idiota!

Ambos rompieron a reír. Frida echó a correr detrás de Alejandro, persiguiéndolo por el patio y amenazándolo con un libro.

Mire, tiene que comprender que, a pesar de nuestras diferencias, Frida me lo contaba todo. Al menos al principio. Y cuando se casó y empezó a tener problemas con Diego, fue como si volviéramos a ser dos niñas. Nos pasábamos horas hablando. En realidad era ella la que hablaba. Ella era la que tenía cosas que contar. Yo era confidente. Y no sólo en esa época, sino toda la vida. Siempre que tenía algún problema, acudía a mí. Yo era su mejor amiga, siempre lo fui.

¿Cómo que qué hacía yo entretanto? Usted me ha pedido que le hable de Frida, no de mí. La que le interesa es Frida. No, doctor, no es lo que usted cree. No estoy celosa. Ni hablar. Lo que pasa es que yo era la que siempre tenía que hacerse cargo de todo, porque Frida estaba demasiado ocupada con su emocionante vida. Cuando mami enfermó, yo fui la que... Bueno, no importa.

Pero sí, tiene usted razón, yo también hice unas cuantas cosas interesantes. Frida no era la única Kahlo que se acostaba con el gran Diego Rivera.

Pues bien, yo todavía iba a la escuela de Coyoacán. A mí no pensaban enviarme a la prepa; eso estaba descartado. Mis padres no tenían dinero para que las dos estudiáramos allí, suponiendo que yo hubiera aprobado los exámenes de ingreso.

Frida se hizo amiga de los Cachuchas. Así era como se hacían llamar. Se trataba de una pandilla de alborotadores de la que formaban parte los mejores alumnos de la escuela. Alejandro Gómez Arias era el líder del grupo. Una cachucha es una especie de gorra; de ahí tomaron su nombre, de las gorritas rojas que llevaban en la escuela.

Entonces nadie habría dicho que algunos de aquellos jóvenes iban a ser importantes intelectuales, pero Alejandro se convirtió en un famoso abogado y periodista; José Gómez Robledo en uno de los principales catedráticos de psiquiatría de México; Manuel González Ramírez en abogado y escritor; y Lira, bueno, ya lo sabe, en poeta; Carmen Jaime, la única chica del grupo hasta la llegada de Frida, acabó siendo especialista en literatura española del siglo XVII. Y por supuesto, Frida Kahlo. Todo el mundo sabe a qué se dedicó ella.

Los Cachuchas eran una pesadilla para Vicente Lombardo Toledano, el director de la preparatoria. Pobre don Vicente. Frida solía imitarlo ante uno de esos espejitos que hacen que te parezcas a Pinocho. Croaba como una rana: «¡Malditos niños mimados! ¡Condenados mocosos! ¡Me gustaría echarlos a todos!» Y era verdad. Quería deshacerse de ellos. Además de ser irrespetuosos y arrogantes, sembraban el caos. Una vez metieron un burro en los pasillos de la escuela, y en otra ocasión tiraron una traca de petardos en el patio principal. Recuerdo aquella vez que lanzaron una botella desde la ventana del tercer piso y cayó justo delante de Elías Galdós, el profesor de latín. La botella estalló como una bomba, a sólo tres palmos de los pies del profesor. Centelleantes fragmentos de cristal salieron despedidos por los aires, como un géiser. Yo no estaba allí, por supuesto; me limito a repetir lo que me contó Frida. *Centelleantes fragmentos de cristal. Como un géiser. ¿Lo ve?* No soy idiota. Todavía me acuerdo. La botella no le dio en la cabeza a Galdós de puro milagro. Podría haber quedado ciego. Frida me contaba esas historias por la noche, sentada en la cama y riendo a carcajadas, hasta tal punto que a veces tenía que ir corriendo a buscar el orinal. Me refiero a cuando Frida todavía tenía tiempo para hablar conmigo, claro. Antes de que sus nuevas amistades la ocuparan tanto que casi se olvidara de su hermana.

Era como si aquellas gamberradas demostraran la superioridad del grupo respecto a la chusma (es decir, el resto del alumnado). Yo simulaba que las encontraba divertidísimas, pero lo cierto es que la actitud de los Cachuchas resultaba muy desagradable. Se comportaban como si no les importara que un anciano pudiera haber muerto de un infarto. Con tal de pasárselo bien... ¿me explico? Con tal de provocar un alboroto y hacer que todo el mundo se fijara en ellos.

Una noche le dije a Frida: «Te crees que eres el último trozo de papel higiénico del retrete, pero podrías haber matado a ese pobre hombre. ¿Cómo te habrías sentido entonces? Si hubieras tenido que asistir a su funeral y ver cómo bajaban su ataúd a la tumba. Si hubieras tenido que pensar en los gusanos reptando por su boca y comiéndose su lengua, su cerebro y sus vísceras.» Cuando era joven, a Frida la aterrorizaba la muerte, al tiempo que la fascinaba. La idea de la corrupción de la carne la cautivaba. La corrupción de la carne. Era un tema del que los sacerdotes hablaban mucho, y a Frida le encantaba. Me refiero a cuando todavía era católica, claro. Cuando todavía iba a la iglesia le encantaba oír a los curas hablando de la corrupción de la carne. Me pareció oportuno sacar aquel tema para ponerle los pelos de punta.

Pasado un tiempo, Frida empezó a arrepentirse de las bromas que le había gastado al pobre Galdós; fue a la catedral y le encendió una vela a la Virgen. Yo la acompañé. Frida le explicó a Nuestra Señora lo mucho que lo lamentaba, que se sentía como un zurullo en la alcantarilla, y de pronto se fue por las ramas y se puso a decir que Galdós se la había buscado porque era un maldito esnob, uno de esos intelectuales que se creen que sus excrementos no huelen mal porque siempre le ponen el palito a la t y el puntito a la i y porque saben deletrear palabras como Oberammergau y Massachusetts, pero que cuando van a misa se sientan en el último banco y se masturban, y luego se echó a reír como una histérica. Reía tan fuerte que varias personas giraron la cabeza y la miraron. Así que nos levantamos y nos marchamos de allí. Y ésa fue toda su penitencia.

Cuando en las asambleas de alumnos hablaba alguien a quien los Cachuchas encontraban aburrido, le lanzaban bolas de papel. Los profesores conservadores que daban clase sobre lo que aquellos chicos consideraban temas pasados de moda eran sus objetivos principales. Pero ¿cómo se convirtieron en las autoridades que decidían qué era interesante para el resto de los estudiantes y qué no lo era? Eso es lo que me gustaría saber. ¿Cómo se erigieron en árbitros de los buenos discursos?

Eran todos de izquierdas, por supuesto. Todos lo éramos, incluso yo. Aunque, si quiere que le diga la verdad, yo no entendía mucho de política. En realidad, me limitaba a repetir lo que decía Frida. El caso es que todos nos dejábamos llevar por la retórica revolucionaria del nuevo gobierno y... bueno, no. No es cierto que yo no entendiera de política. La Revolución nos enseñaba a estar orgullosos de ser quienes éramos, orgullosos de nuestro patrimonio, orgullosos de... pero eso ya se lo he contado, ¿verdad? Con todo, lo que unía a los Cachuchas no era la ideología, sino más bien la afición de sus miembros a las travesuras.

A Frida le encantaba ser compañera de los Cachuchas. Le encantaba ser amiga de los chicos. Y estaba enamorada de Alejandro. O quizá no. ¿Era realmente el amor?

Pasado un tiempo, Frida nunca volvía directamente a casa una vez terminadas las clases. En las frescas tardes de otoño, ella y sus amigos iban caminando hasta la Biblioteca Iberoamericana, que estaba cerca de la escuela. La biblioteca era uno de los lugares más frecuentados por los Cachuchas. A todos les encantaba leer, y allí había estanterías llenas de libros en español, inglés, francés, alemán. La biblioteca los atraía como un imán y les ofrecía algo más que aquellas conferencias tan predecibles y aquellos experimentos tan repetitivos. Al poco tiempo de iniciarse el curso, ellos ya pasaban más tiempo en la biblioteca que en la prepa. Yo nunca iba allí. ¿Por qué iba a hacerlo? En aquella época casi nunca iba a la ciudad. Me quedaba en casa y ayudaba a mami a hacerles el dobladillo a los vestidos o a limpiar la plata. Íbamos tan mal de dinero que tuvimos que despedir a algunos criados, de modo que ahora había más trabajo para mí. En cuanto a Frida, ella no tenía que preocuparse por esas cosas.

En la biblioteca, los Cachuchas leían y dibujaban, discutían y chismoseaban. «Hoy hemos hablado de Hegel», me decía Frida, como si yo supiera quién demonios era Hegel. A veces se inspiraban en las obras de aquellos escritores europeos (Hugo, Wells, Dos... Dostoievsky, o aquel que escribió sobre un submarino antes de que los inventaran... Ah, sí, ¡Verne!) y describían fantásticos viajes imaginarios a lugares lejanos. Escalaban la Gran Muralla china, recorrían el Volga o visitaban las criptas de Notre-Dame.

Frida se pasaba la vida leyendo. Llevaba años leyendo los libros de papá, y sabía mucho de filosofía alemana. Yo nunca leía esas cosas. Tampoco me sugirió nadie que lo intentara. Nadie me insinuó nunca que yo pudiera ser lo bastante inteligente para entender a Hegel. Pero Frida y sus amigos leían de todo. Frida conoció a los escritores rusos, Pushkin y Tolstoi; no paraba de hablar de ellos. Los leía traducidos, por supuesto. Frida era muy inteligente, pero no lo suficiente como para aprender ruso. *Él* sí sabía ruso. Es que los rusos utilizan otro alfabeto. Pues bien, cada estudiante tenía su rincón. A los viejos bibliotecarios les encantaba ver a gente joven devorando libros. Y, naturalmente, les daban carta blanca, más o menos.

El edificio era muy bonito. Frida me lo enseñó un par de veces. Había sido una iglesia, y tenía una elegante y alta nave, digamos que humanizada por un laberinto de estanterías. Las paredes estaban decoradas con murales de Roberto Montenegro y Nero, el fundador del Museo de Arte Popular. Vistosas banderas de todas las naciones de Latinoamérica alegraban la sala central. Era muy bonito.

Recuerdo una escena que Frida me describió. Los Cachuchas se habían reunido en un rincón y estaban sentados en las sillas, las mesas y el suelo. Carmen, sentada sobre su capa negra, recitaba un poema de Góngora, el poeta español del Siglo de Oro. Era uno de esos poemas que todos habíamos tenido que memorizar en la escuela:

> Mientras por competir con tu cabello,
> oro bruñido al sol relumbra en vano,
> mientras con menosprecio en medio el llano
> mira tu blanca frente el lilio bello;
> mientras a cada labio, por cogello,
> más ojos que al clavel temprano;
> y mientras triunfa con desdén lozano
> del luciente cristal tu gentil cuello;
> goza cuello, cabello, labio y frente,
> antes que lo que fue en tu edad dorada
> oro, lilio, clavel, cristal luciente,
> no sólo en plata o viola troncada
> se vuelva, mas tú y ello juntamente
> en tierra, en humo, en polvo, en sombra, en nada.

Empezaron a discutir sobre el poema. Miguel opinaba que en realidad el poeta no decía nada nuevo. Miguel siempre decía cosas así. Luego dijo algo como «Juega con imágenes». «Pero yo no me atrevería a afirmar —replicó Jesús— que no representa ninguna posición filosófica.» Y Miguel le interrumpió: «A Góngora no le interesa adoptar una postura filosófica. Lo que buscaba era renovar la poesía española dándole un nuevo ímpetu a la retórica amorosa convencional.» O quizá no fuera Miguel. Se lo estoy contando tal como lo imagino. ¿Le gusta cómo imito sus voces? Les oí discutir muchas veces, cuando los amigos de Frida venían a nuestra casa, lo cual no ocurría a menudo, porque vivíamos muy lejos. Y también oí a Frida recrear sus conversaciones. Ella lo hacía mucho mejor que yo; repetía los diálogos, reproduciendo los gestos de cada uno. Unos eran grandilocuentes, otros mesurados, otros vehementes.

Según la versión de Frida, ella estaba sentada en el suelo, absorta en la discusión. Alejandro estaba apoyado contra una librería, detrás de Frida. Y de pronto, sin previo aviso, se inclinó y le acarició suavemente el brazo.

Cuando mi hermana me lo contó, yo estaba sentada en el patio, a oscuras. Sentí que un estremecimiento me recorría el brazo, y de pronto tuve la sensación de que tenía los calzones llenos de hormigas. Me dio mucha vergüenza. Quería frotarme para sacar de allí a las hormigas. Estoy segura de que me ruboricé. No me atrevía a mirar a Frida, porque pensaba que ella se daría cuenta de lo que estaba pasando, aunque no pudiera ver mi cara en la oscuridad.

Entonces Alejandro le acarició el cabello. Frida se apartó, asustada. Alejandro se acercó un poco más y la pellizcó suavemente. Esta vez Frida se dio la vuelta. Él le guiñó un ojo y sonrió; luego le hizo señas de que le siguiera.

Alejandro se marchó primero. Frida esperó unos diez minutos, se levantó con toda tranquilidad y se marchó también, dejando sus libros sobre la mesa.

A Frida le encantaba hablarme de sus... experiencias. Yo sólo era once meses menor que ella, pero a esa edad, once meses es mucho tiempo. Yo nunca había hecho nada con un chico, y cuando Frida me contaba cómo la miraba Alejandro, cómo la tocaba, yo me regodeaba con los detalles. Me excitaba como si me estuviera ocurriendo a mí. Y después, después... me iba a un rincón del patio, me escondía entre los arbustos y... Estoy segura de que Frida sabía cómo me afectaban aquellas historias, y le gustaba adornarlas para inquietarme.

Alejandro la esperaba en el pasillo.

«Ven conmigo —dijo. La llevó a una habitación que utilizaban como almacén—. Mira —susurró—. Te he comprado esto en la calle.»

Se metió la mano en el bolsillo y sacó un colgante de papel maché, un pequeño tucán de colores con una cadena.

«Pensé que te gustaría. —Se lo ató al cuello—. Se lo compré a Lucho, ese viejo que siempre está delante de la catedral. Era el más bonito que tenía.»

—Notaba su aliento en mi mejilla —me explicó Frida—. Era como caramelo.

Las catarinas (las mismas que había notado el primer día que lo vio en el pasillo de la prepa) empezaban a trepar de nuevo por sus piernas, sólo que esta vez correteaban por los codos hacia las axilas, y entonces... yo también las noté.

Frida se puso de puntillas y rodeó a Alejandro con los brazos.

«Fridita, mi pequeña colegiala...»

«No soy tan pequeña, Alex.»

—¿Cómo puedo describir su voz? —me dijo—. Cálida y reluciente como los rayos del sol. Dulce y deliciosa como el caramelo. —Cerré los ojos. Me parecía oír la voz de Alejandro. Pensé que iba a desmayarme—. Temblaba de pies a cabeza, aunque tenía calor —susurró Frida—. Nuestros labios estaban muy cerca.

«¡Sigue!», le animó Frida.

Alejandro le dio un beso suave, casi cortés.

«No —susurró ella—. ¡Bésame así!»

Se apretó contra él e introdujo la lengua en su boca. Alejandro la abrazó y le dio un largo y profundo beso. Pero Frida quería más.

Frida era así. Siempre quería más.

—¡Cuéntame lo que hizo después! —supliqué.

—¿Qué me darás si te lo cuento?

—¡Te daré mi marioneta con cara de payaso!

—No quiero tu ridícula marioneta —repuso Frida riendo—. Las marionetas son para niñas pequeñas. No me interesa.

Me estaba torturando.

—Pues no sé... ¿Qué quieres?

Papá me había comprado aquella marioneta en la calle. Tenía un hermoso cuello de encaje rojo y una cara pintada de vivos colores. Para mí era un tesoro, pero yo estaba dispuesta a regalársela a cambio del resto de la historia, a pesar de que a papá le habría dolido mucho enterarse de que yo me había deshecho de ella. Papá era... ¿cómo puedo decirlo?... muy sensible. Y, aunque yo no era su favorita, él me había comprado aquel regalo, un lujo que en realidad no podía permitirse.

—¡Tu guardapelo de oro!

—¡No, Frida! ¡El guardapelo no!

—¡Sí, el guardapelo! Voy a poner un mechón de pelo de Alejandro dentro.

—Pero... ¡Frida! —gimoteé—. No puedo dártelo. Es un regalo de mi primera comunión. Hace años que lo tengo. Mami me mataría.

Pero Frida sabía cómo conseguir lo que quería.

Creo que Alejandro debía de estar desconcertado. Era un diablillo, pero de buena familia. El típico muchacho al que le gustaba armar jaleo en la escuela pero que jamás se propasaría con una chica.

«Espera, Frida. Tranquila —dijo Alejandro. Chascó la lengua—. No te precipites.»

Pero Frida tenía prisa.

«Sí —dijo—. ¡Precipitémonos! ¡Precipitémonos!»

Alejandro volvió a besarla. Ella cerró los ojos y vio telarañas de vivos colores contra una oscuridad fosforescente, un entramado reluciente de finos hilos turquesa, rojo y rosa. Sentía un hormigueo por todo el cuerpo.

Así fue como me lo describió. «Telarañas de vivos colores.

Un entramado reluciente de finos hilos.» O quizá no. Quizá me lo inventé yo más tarde.

Frida agarró a Alejandro por el pelo y lo sujetó con fuerza. «Bésame —suplicó—. ¡Pero esta vez bésame de verdad!» Le mordisqueó los labios y luego abrió la boca. Lo mordía y lo lamía como si quisiera devorarlo, engullirlo, tragárselo entero y quedárselo dentro para siempre. Colgada de su cuello, lo obligaba a abrazarla mientras ella se retorcía contra él.

Dios mío, todavía siento su pasión, después de tantos años.

«¡Qué voracidad, Frida!» Alejandro debía de sentirse como encerrado en un espacio reducido con una bomba a punto de estallar.

«¡Soy una tigresa hambrienta! —gruñó ella—. ¡Te voy a comer!»

«Frida, por favor...», dijo Alejandro con voz glutinosa. Al menos eso me dijo Frida. Le excitaba pensar que era ella la que le hacía hablar con aquella voz entrecortada y ronca.

«Alex, cariño —murmuró—. ¡Te adoro!»

Frida deslizó las manos por debajo de la chaqueta de Alejandro y le acarició la espalda. Su camisa estaba húmeda y olía ligeramente a limón y marisco. Frida hundió la cabeza en el cuello de él para aspirar su aroma; luego tiró del nudo de su corbata y empezó a desabrocharle el cuello de la camisa. Le lamió el pecho, y notó un sabor dulce y salado.

Alejandro respiraba entrecortadamente.

—Era como si estuviera alucinando —me explicó Frida. Las ideas zigzagueaban por su luminosa telaraña. Unas ideas que eran visibles, casi tangibles. Unas ideas que latían al ritmo de las forzadas inhalaciones de Alex. Unas ideas que tenían color, forma y movimiento. La más extraña, hermosa e impresionante iba hacia el centro de la telaraña: yo le he hecho esto. Yo le he hecho perder el aliento. Puedo hacer que pierda la compostura, el control, el sentido común. Me ama. Alejandro me ama.

Eso pensaba Frida. Lo sé.

«¡Siento cómo me deseas!», le susurró al oído.

Bajó una mano hasta la cintura de Alejandro y la deslizó por sus nalgas, siguiendo su curva. Acarició la hendidura que las separaba. Palpó sus firmes y tensos muslos. Lo acarició suavemente hasta que a Alejandro casi se le saltaron las lágrimas. Él debía de estar paralizado. Ella debió de notar su erección.

«¡Tócame!», dijo Frida, y empezó a sacarse la blusa de la falda.

«¡No, Frida! ¡No puedo! ¡No eres más que una niña!»

«No soy tan pequeña como crees, Alex. No tengo trece años como les dije, sino quince. Los engañé.»

«¡No, Frida! ¡Eres una criatura!»

«¡Los engañé, Alex!» Frida había mentido a todo el mundo respecto a su edad, y ahora lo estaba pagando.

«¡No! ¡Me mientes ahora!»

«¡No, Alex! ¡Te estoy diciendo la verdad! ¡Tengo quince!»

«¿Por qué iba a creerte?»

«Porque tú eres tú, y a ti nunca te mentiría, Alex. Cuando dije que tenía trece años estaban todos. ¡Era diferente! —Le cogió una mano y la puso bajo su blusa—. ¡Tócame! —le suplicó—. Tócame, Alex. ¡Quiero que me toques los pechos! Pasa los dedos por debajo de mi sostén.»

Pero él volvía a tener las manos en la cintura de Frida.

«¿Por qué mentiste respecto a tu edad?», le preguntó.

«Porque cuando tuve la polio perdí dos años de mi vida. Y esos dos años no los cuento.»

Frida debía de estar muerta de rabia. Ella quería que su amigo la acariciara, y él, en cambio, se ponía a investigar.

«¡Eso no tiene sentido!», insistió Alex.

«¿Qué más da?»

Frida intentó colocar las manos de él sobre sus pechos, pero el hechizo se había roto.

Alex se apartó de ella.

«Aquí no puedo», susurró.

«¡Claro que puedes!» Frida se echó hacia delante, embistiendo contra el pecho de él como una cabritilla. Le levantó la camisa y le acarició una tetilla con los labios; luego la agarró con los dientes y la mordisqueó.

«¡Oh, Alex! —gimió—. Déjame chuparte, mi amor. ¡Déjame, por favor!»

—Yo temblaba como una hoja —me dijo Frida.

Pero no es verdad. Me mentía. El hechizo se había roto, y todo había terminado. Bueno, puede que para ella no, pero para él sí.

«¡No, Frida! ¡No! —insistía Alex—. Aquí no. No podemos hacerlo aquí.»

Frida se apartó de él. No tuvo más remedio. Era evidente que Alejandro no estaba dispuesto a continuar.

—Tuve que sujetarme a un armario para no caerme —me dijo aquella noche en el patio, en voz baja, como si en lugar de admitir su derrota me estuviera confesando un secreto delicioso—. Estaba mareada, y notaba el cuerpo pesado y líquido. Tenía la sensación de que me iba a derretir y que me iba a filtrar por el suelo. Oh, Cristi —gimió—. Aunque no lo hicimos, fue maravilloso. ¡Porque fue un principio! ¡Supe que Alex y yo formábamos una pareja! —En realidad, lo que Frida pensó fue que todas las chicas de la escuela se morirían de envidia.

Frida le tendió la mano y él le besó los dedos, uno a uno. Luego le besó la palma y la muñeca.

«Te quiero, Alex», dijo ella.

Él sonrió con la misma sonrisa deslumbrante que la había encandilado el primer día.

Aquello debería haber sido el final de la historia. En aquel instante, globos de colores deberían haber ascendido hacia el cielo y sonado música de violines. Pero Frida nunca estaba satisfecha.

«Alex...», dijo en voz baja.

«¿Qué?»

«¿Te acuerdas de aquella chica con la que estabas hablando el día que nos conocimos?»

«¿Qué chica?»

«¡Ya lo sabes! Aquella rubia.»

«No me acuerdo.»

«¡Claro que te acuerdas! Creo que se llama Raquel.»

«No sé de quién me hablas.»

«Sí, lo sabes. En la escuela sólo hay treinta y cinco chicas. Seguro que sabes a quién me refiero.»

«No sé, Fridita. ¿Qué pasa con ella?»

«¿De qué estaban hablando?»

«Te juro que no me acuerdo. No tengo ni idea. Pero...»

«Pero ¿qué?»

«Pero sí recuerdo algo sobre... un problema filosófico... no, un problema teológico... un tema de suma importancia...»

«Ah, ¿sí? ¿Un tema de suma importancia?»

«Algo sobre... a ver, ¿de qué se trataba? Sí, era algo sobre las medusas.»

Frida lo abrazó.

«¡Qué bromista eres!», dijo, y le oprimió el estómago con un dedo.

Ya lo ve, al menos esta historia tuvo un final feliz.

«Vamos —dijo él empujándola hacia la puerta—. Tenemos que volver con los demás.»

«De acuerdo.»

«Ve tú primero. Yo esperaré diez minutos y luego saldré.»

«No. Vamos juntos.»

«Si salimos juntos todos lo sabrán.»

«Y ¿qué?»

«No querrás que los demás piensen que...»

Eso era exactamente lo que quería Frida. Lo que más le gustaba era impresionar a la gente. Le encantaba ver cómo la gente abría mucho los ojos y la miraba con incredulidad. Eso la hacía sentirse superior.

—Yo no podía creer que Alex todavía tuviera aquellas ideas

burguesas —me dijo mi hermana—. Los indios, la gente común y corriente, no se avergüenzan de esas cosas. El amor, el sexo, tener hijos... para ellos es normal. ¿Por qué no iba a ser normal para nosotros? ¿En qué crees que consistía la Revolución? ¡Se trataba de desprenderse de aquel barniz de refinamiento europeo!

—Por favor —le dije yo—. No conviertas esto en un sermón político.

Frida se enfadó. Se levantó y... y entró en la casa. Al día... siguiente, cuando... cuando volvió a casa, llevaba... el guardapelo, mi guardapelo de oro... el que me regalaron por mi primera comunión... con un mechón de pelo de Alejandro. Lo siento. No sé... no sé por qué me he puesto a llorar... Es que de pronto me he sentido... Yo casi nunca lloro. En fin... Aquí está. El guardapelo. ¿Lo ve? Ahora lo llevo yo. Lo cogí cuando Frida murió. No me lo quito nunca. Me lo regalaron hace muchos años, cuando yo era muy pequeña. No me lo quito para nada. Me recuerda... me recuerda a Frida.

6

TRAVESURAS

Nuestra hermana Maty era peor que una gata en celo, y mamá no podía hacer nada para retenerla en casa. Wilberto Luzárraga, el prometido que mis padres habían elegido para ella, tenía un excelente historial revolucionario, pero llevaba trajes Príncipe de Gales y se ataba los cordones de los zapatos con unos lazos perfectamente simétricos, de modo que mi hermana no lo encontraba adecuado. Maty se encaprichó de un don nadie llamado Paco que según mi madre jamás sería capaz de pagar las facturas, pero que tenía unos seductores ojos castaños y un bigote como el de Zapata, pese a que en realidad no era más que un chiquillo. Maty siempre amenazaba con escaparse con él, y Frida la incitaba a hacerlo. «¡Me voy a morir! ¡No puedo vivir sin Paco!», se lamentaba Maty. «¡Pues vete con él! ¡Escápate!», la animaba Frida.

—Maty se acuesta con Paco —me confesó Frida un día.

—¿Cómo lo sabes?

—Me lo dijo ella.

Me quedé perpleja, como si acabara de ver a Pancho Villa entrando desnudo en una iglesia, y Frida se echó a reír.

—¡Qué inocente eres, Cristi! ¿Qué crees que hacen las

chicas con unas tetas como las de Maty con sus novios? ¿Crees que pelan cacahuetes o que bordan fundas de almohadón? ¡Lo que hacen es chingar, boba! —Entonces Frida sólo tenía siete años.

A Maty le gustaban mucho los chicos, eso es verdad. Después de la guerra, cuando ya se podía pasear sin peligro por las calles, mis hermanas y yo íbamos con mi madre a los tianguis (los mercados indios) los viernes por la mañana. La gente estaba encantada de poder salir de sus casas. Los viernes por la mañana salían a comprar verduras y legumbres en aquel extenso conglomerado de tenderetes. Allí vendían de todo: cerámica de vivos colores, ornamentos de papel maché, cestos, blusas bordadas, sarapes, mantas, almidón para los sarpullidos y carbón para los dolores de estómago. A mamá le encantaba ir al mercado. Iba ella en lugar de enviar a las criadas, aunque solía llevarse a Inocencia para que la ayudara a llevar los paquetes. Se arreglaba y se paseaba ufana por el tiangui (era una coqueta, pese a la devoción que le profesaba a la Virgen), y regateaba hasta conseguir el precio que ella quería.

Maty habría podido ser tan astuta como mamá a la hora de regatear, pero era incapaz de concentrarse en lo que estaba haciendo. Perdía rápidamente el interés. Empezaba a regatear con el vendedor de pollos, por ejemplo. «¿A ese bicho escuálido lo llama pollo? ¡Pobre animal! ¡Si parece que murió de tisis! Donde don Tito puedo conseguir uno el doble de gordo por la mitad de precio.» Pero entonces se fijaba en algún joven atractivo, uno que hubiera ido a comprar mantas, o quizá sillas de montar o pienso para caballos, y se olvidaba por completo de los pollos. Adriana, mi otra hermana, sólo servía para ayudar a Inocencia a llevar paquetes, y Frida y yo, las hermanas pequeñas, nos dedicábamos a corretear entre los puestos y a meternos en líos.

Los mercados eran semilleros de propaganda zapatista. Los viernes podías comprar, por un centavo, corridos revolucionarios editados por el ilustrador José Guadalupe Posada. Contemplábamos a las estiradas matronas representadas como esqueletos sonrientes, con enormes sombreros floreados, y reíamos a carcajadas. Después, ya en casa, nos escondíamos en el armario de mami y cantábamos a voz en grito:

> Si Adelita se fuera con otro
> La seguiría por tierra y por mar,
> Si por mar en un buque de guerra
> Si por tierra en un tren militar.

Maty no cantaba. No le interesaban ni la política ni los corridos. A ella sólo le interesaban los hombres. Y después de que aquel pillo, Paco, se cruzara en su camino, de lo único que hablaba era de escaparse con él. «Quiero realizarme en el amor», decía. Y ponía los ojos en blanco, como Claudette Colbert.

Frida y Maty planearon la huida. A mí no me incluyeron en el proyecto, porque me consideraban una cría. Quizá temieran que pudiera decírselo a papá, y la verdad es que seguramente se lo habría dicho, porque la idea de que Maty se escapara de casa y se fuera a vivir con alguien que no era de la familia me asustaba. No importaba quién fuera el chico. No importaba que fuera pobre. No se trataba de eso. Yo era demasiado pequeña para que me preocuparan el pasado o el bolsillo de Paco. Lo que me asustaba era la idea de que Maty se marchara. Creía que no volvería a verla jamás, y no andaba muy equivocada. Pasó mucho tiempo hasta que volví a verla, porque cuando se escapó con Paco le daba tanta vergüenza dejarse ver en Coyoacán que ambos se escondieron en Veracruz. Pasaron muchos años hasta que mi hermana volvió a casa.

La noche que se marchó, Maty se metió en la cama a la hora habitual, pero no se durmió. Frida y ella habían hecho un fardo con ropa y dinero y lo habían escondido tan bien que ni siquiera Rufina lo encontró. Rufina limpiaba los suelos de nuestras habitaciones con cepillos de dientes para recoger cualquier prueba comprometedora que pudiéramos haber dejado por ahí. A Rufina no se le escapaba nada. Libros obscenos. Cartas de amor. Ceniza de cigarrillo. Lo encontraba todo, y luego iba a contárselo a mami. Pero ni siquiera Rufina encontró el fardo de Maty, y ni siquiera ahora imagino dónde lo escondieron. Quizá bajo la ropa sucia de Frida, o quizá en una funda de almohada. Frida era un auténtico Houdini cuando se trataba de hacer desaparecer cosas.

Pues claro que había visto a Houdini. No en persona, sino en los documentales de actualidades. Es usted igual que Frida. Cree que no me entero de nada.

Pues bien, cuando todos se habían acostado y la casa estaba tan silenciosa que se podía oír un pedo de mosca, Maty entró de puntillas en nuestra habitación. Se quitó el camisón, y debajo llevaba una larga falda negra, una camisa blanca y un chal.

—¿Por qué va Maty vestida? —susurré.

—Cállate, boba —me espetó Frida—. Esto lo hace por amor.

Como ya le he dicho, Frida sólo tenía siete años, y Maty quince. Ayudando a Maty a escapar, Frida se sentía mayor, importante. Para ella, aquello era una incursión en el mundo de aventuras amorosas de los adultos. Según Frida, era algo para lo que yo todavía no estaba preparada, porque era una mocosa. Frida siempre me llamaba mocosa, aunque ella sólo era once meses mayor que yo.

Me froté los ojos y pensé que Frida iba a decirme que aquello tenía algo que ver con la princesa Frida Zoraída. Desde hacía un tiempo yo sospechaba que la princesa no existía, pero Frida era capaz de todo. Frida estaba ruborizada de emoción. No paraba de dar brincos, como si caminara sobre brasas. Le hablaba al oído a Maty, tapándose la boca con una mano para no hacer demasiado ruido. Maty, por su parte, se mostraba muy reservada, y cuando Frida sacó un montón de monedas de un calcetín y se las dio, se emocionó. Frida sacó también algunas cosas de debajo del cojín de una butaca: su adorado pañuelo bordado, una cruz de oro, una navaja y su piedra favorita, una de las que había recogido en sus paseos con papá. Le entregó aquellos objetos a Maty y luego fue a la ventana y la abrió con cuidado, para que no hiciera ruido. A veces aquella ventana chirriaba como una cerda pariendo, pero quién sabe, quizá Frida la había engrasado. Maty se subió al alféizar. Con la temblorosa luz de la lámpara de aceite, las piernas de Maty parecían de marfil, y me estremecí al imaginarme las bastas y ásperas manos de Paco sobre el cuerpo de mi hermana. Aparté los ojos de los muslos de Maty; tenía ganas de llorar. O quizá no, quizá no pensé en esas cosas hasta que fui mayor y recordé el episodio. En fin, el caso es que antes de que me diera cuenta Maty había saltado por la ventana.

Me sentí abatida, como si se me hubiera muerto un ser querido. ¿Cómo dice? ¿Que le sorprende?

Tiene usted razón, hasta ahora no le había hablado mucho de Maty. Después de todo, a usted la que le interesa es Frida. Pero cuando era pequeña, Maty y yo estábamos muy unidas. Maty era mi hermana mayor, mi amiga y mi guía. Ella era la que me consolaba cuando me sentía desgraciada. Sin embargo, yo era muy pequeña cuando Maty se marchó de casa, y durante la mayor parte del periodo que le he estado describiendo, ella ya no vivía con nosotros. Frida, en cambio, siempre estuvo allí, en el centro de todo. Durante toda mi vida Frida siempre fue el centro de todo.

Volviendo a lo que le estaba contando: todo empezaba a desmoronarse. Yo pensé que si Maty podía marcharse, también podían hacerlo mamá, Adriana o Frida, y que entonces me quedaría sola. Frida corría de un lado a otro de la habitación, riendo y agitando los brazos. Para ella, todo aquello no era más que otra travesura.

Paco salió de la oscuridad como un espectro. Llevaba una

linterna que emitía una débil luz; la luz le deformaba la cara, dándole un aire diabólico. Maty le dio la mano, y ambos desaparecieron en la noche.

Así acabó aquella aventura. No volvimos a saber de Maty hasta pasado mucho tiempo, aunque gracias a Dios no la perdimos para siempre.

¿Cómo que qué quiero decir? Pues que Frida siempre estaba haciendo de las suyas. Si ayudó a Maty a escaparse de casa no fue por defender el amor. Aquello no tenía nada que ver con el romanticismo; no había música de violines a la luz de la luna. Lo que pasa es que a Frida le gustaba llevar las cosas al límite, comprobar hasta dónde podía llegar. Siempre había sido así, desde muy niña, y seguía siéndolo años más tarde, en la prepa.

Sí, ahora se lo cuento. Espere un momento. No puedo contárselo todo de golpe. Veamos... la escuela... Déjeme descansar un poco.

Como ya le he dicho, la prepa era una escuela muy especial, y siempre estaba llena de apellidos célebres. Verá, en la prepa los famosos no tenían nada de extraordinario. El profesorado incluía a algunos de los personajes más famosos de México, y peces gordos como José Vasconcelos iban allí periódicamente. Hasta el presidente de la República aparecía de vez en cuando. Por lo general, a los alumnos les tenían sin cuidado las visitas de aquellas lumbreras, pero cuando Lombardo Toledano anunció la visita del actor Echegaray, los estudiantes se pusieron furiosos. Echegaray no era actor de cine, sino de teatro; se decía que era el mejor actor de los escenarios españoles.

Tenga usted en cuenta que en aquella época apenas había obras de teatro mexicanas originales. La mayoría de las funciones del Palacio de Bellas Artes, e incluso las de los teatros locales, eran españolas. Se representaban obras clásicas, como *El caballero de Olmedo* de Lope de Vega, y cosas así. De vez en cuando alguien montaba un musical regional, pero incluso cuando las obras eran mexicanas, los actores casi siempre eran españoles. Pronunciaban las ces y las zetas a la castellana y declamaban como oradores, aunque estuvieran interpretando a campesinos o bufones.

Papá había llevado a Frida al teatro, a ver actuar a Echegaray. Yo no los acompañé. Ellos no me invitaron, pero si quiere que le diga la verdad, no me importó. Ya había ido al teatro en otras ocasiones, y detestaba aquellas anticuadas obras españolas. Si se hubiera tratado de un musical lleno de corridos habría sido diferente.

Frida pensaba que Echegaray era un imbécil, lo cual era una lástima, porque mi padre se había gastado mucho dinero en las entradas. Pobre papá. Después de la representación, Frida abucheó al actor. Me lo contó ella misma, orgullosa como una duquesa montada en un coche de ocho caballos.

Carmen, que también había visto aquella función, llamaba a Echegaray «cuadrúpedo rebuznante». «¿Por qué Lombardo Toledano no invita a algún poeta o dramaturgo mexicano en lugar de invitar a ese colonialista?», se lamentaba.

Los Cachuchas se reunieron e idearon un plan para mostrarle a Lombardo Toledano lo que opinaban de su invitado. El día de la función de Echegaray, mientras los estudiantes entraban en el auditorio, Ángel Moreno metió tres cerdos enormes de la granja de su tío en un aula vacía.

—¡Eran preciosos! —me dijo Frida. Ante la mirada de asombro de sus amigos, Frida sacó un surtido de retales, objetos de bisutería, cintas, hilos y flores de papel de su mochila y empezó a tejer intrincadas guirnaldas para decorar los animales.

»Todos opinan que combinaba muy bien los colores —me dijo, muy orgullosa—. Todos excepto Lorenzo. ¿Sabes qué dijo el muy imbécil? ¡Que debería hacerme diseñadora de moda!

Evidentemente, Frida pensaba que el diseño de moda era indigno de ella, aunque años después diseñó muchos de sus vestidos. No me extraña que alguien pensara que Frida podía ser una buena diseñadora. Vestía de un modo muy particular: las joyas, los colores, los lazos que se ponía en el pelo. Todo tenía que encajar. Frida era muy hábil, he de reconocerlo. No sólo era buena en matemáticas, ciencias y filosofía, sino que sabía emperifollarse para camuflar sus defectos. Verá, Frida no era realmente guapa, ya se lo he dicho antes, pero tenía un aspecto muy particular. Tardaba horas en vestirse y arreglarse el cabello. Para ella era muy importante desviar la mirada de la gente de aquella pierna fea y deforme.

Frida creó los modelos para cerdos más elegantes que ninguno de sus amigos hubiese visto jamás. Una de las cerdas, sin dejarse impresionar por su nueva imagen, se puso a mordisquear unos trozos de papel crepé que había en el suelo.

«¡No la dejes comer! —gritó Alberto—. ¡Se cagará por todo el suelo del auditorio!»

Frida soltó una carcajada.

«Mucho mejor —dijo—. ¡Una mierda se merece otra mierda!»

A la hora acordada, los dos Cachuchas que montaban guardia junto a la puerta del aula hicieron señas a Frida y Alejandro para que soltaran los animales y los condujeron por el pasillo hacia el auditorio.

Echegaray recitaba unos fabulosos monólogos extraídos de obras de teatro españolas. Cuando estaba llegando al punto culminante del soliloquio de Segismundo, al final del segundo acto de *La vida es sueño* («¿Qué es la vida? Un frenesí...»), Alejandro metió los cerdos, uno a uno, en la sala.

Los animales, molestos con sus «conjuntos» y asustados por aquel entorno desconocido, se pusieron a chillar y corrieron por los pasillos como fugitivos de un manicomio. Estalló el caos. Algunos alumnos intentaron atrapar los cerdos. Otros se subieron a las sillas. Todos chillaban y reían. El estruendo era ensordecedor. El actor español de gran renombre se puso morado como una berenjena y empezó a farfullar. Lombardo Toledano intentó tranquilizarlo.

—¡Tenía un ataque de furia hiperbólico! —me dijo Frida. Así fue como lo describió: un ataque de furia hiperbólico.

Lombardo Toledano sentía antipatía por todos los Cachuchas, pero Frida era la que peor le caía. Al menos eso decía mi hermana. Frida prefería que la odiaran a que no se fijaran en ella, de modo que es posible que exagerara. Pero quizá tuviera razón, porque Lombardo presentó una queja ante José Vasconcelos aquel mismo día. Me lo imagino retorciéndose las manos y quejándose al secretario de Educación: «En estas condiciones no puedo dirigir una escuela. Esa muchacha no tiene ningún respeto a la autoridad.»

Pero Frida, más descarada que una prostituta una noche de verano, fue a ver a Vasconcelos.

«¿Qué espera que hagamos? —le dijo. Me parece verla allí plantada, con su blusita y su falda plisada, con un lazo en el pelo, y unos ojos enormes y encantadores—. Se supone que estamos reclamando México para los mexicanos, y Lombardo Toledano va y nos trae a ese viejo chocho y decrépito de España.»

No tengo ni idea de lo que Vasconcelos le dijo a Lombardo de aquella conversación, pero acto seguido el director de la Escuela Nacional preparatoria solicitó una entrevista con papá. «Le prrometo que a parrtirr de ahorra mi hija irrá a clase y se comporrtarrá», le prometió mi padre.

Mi madre estaba que ardía. «Ya te advertí que era un error enviarla a una escuela de chicos —le dijo a mi padre, furiosa—. No está aprendiendo nada. ¡Lo único que hace es perder el tiempo! ¡Acabará peor que su hermana!»

Había pasado mucho tiempo, pero la huida de Maty seguía siendo una espina clavada en el corazón de mi padre. Mami sacó a colación aquel tema porque sabía que con eso lo impulsaría a actuar.

«¡Esto tiene que terrminarr!», le gritó papá a Frida, y esta vez ella no se burló de su acento, porque sabía que papá estaba muy disgustado, y no quería provocarle un ataque.

El comportamiento de Frida mejoró, al menos por una temporada.

Hasta que un día, en la clase de psicología, dibujó una caricatura del profesor en la que éste aparecía como un elefante dormido, y la hizo circular por el aula. La clase estalló en carcajadas.

En la clase de francés, pegó las páginas del libro del profesor para que no pudiera abrirlo.

Y una mañana, ella y los otros Cachuchas metieron varias mulas en un pasillo.

Una de las peores bromas fue la del petardo.

El profesor de filosofía, Antonio Caso, era un hombre muy respetado en los círculos intelectuales, pero los Cachuchas lo consideraban un esnob de derechas.

—¡Nos endilga unas peroratas insoportables sobre Platón y Aristóteles! —protestaba Frida—. Pero ¿cuándo piensa hablarnos de algo verdaderamente relevante? ¡No se atreve a mencionar ni a Marx ni a Engels!

—¿A quién?

—A Marx y a Engels, Cristi. Qué burra eres.

Sí, claro. Cristi, la tonta del bote. ¿Cómo iba yo a saber quiénes eran Marx o Engels? Yo no estudiaba en la prepa. De eso me enteré más tarde, porque Frida se pasaba la vida hablando de ellos. *Él* también me enseñó mucho, y aprendí bastante de todos los comunistas con los que Frida trataba después de casarse; pero en aquella época no lo sabía.

En fin, Caso pronunciaba sus conferencias en el Generalito, una gran sala que antiguamente había sido una capilla. Los Cachuchas querían darle un susto, pero sin hacerle daño. Uno de ellos, no recuerdo quién, propuso atar unos petardos a una mula y soltarla en la sala de conferencias; pero otro le recordó que eso ya lo habían hecho en otra ocasión con un perro.

«De todos modos, la idea de los petardos me gusta», dijo Carmen.

El plan consistía en poner un petardo pequeño fuera, en la ventana que había por encima del atril. Le pondrían una mecha larga, que tardara aproximadamente veinte minutos en quemarse, y uno de ellos se encargaría de encenderla. Los demás irían a clase, excepto Alejandro, Miguel y Manuel, que saldrían de la escuela para no levantar sospechas. El encargado de encender la mecha tendría tiempo de escapar, y todos tendrían su coartada.

Se jugaron a la suerte quién encendería la mecha del petardo, y le tocó a Pepe (José Gómez Robledo).

«¡Mierda! —protestó—. ¿Por qué siempre me tocan a mí los trabajos más sucios?»

El día designado, Alejandro, Miguel y Manuel se aseguraron de que Lombardo Toledano los veía salir de la preparatoria antes de la conferencia de Caso. Alejandro, por ser el líder de los Cachuchas, siempre era blanco de todas las sospechas cuando había algún alboroto, y por tanto era importante que Lombardo lo viera salir de la escuela antes de que empezara todo. Frida, Carmen y unos chicos fueron a la sala de conferencias y se sentaron al fondo, tomando apuntes para disimular. Gómez Robledo encendió la mecha, entró en la sala de conferencias y se sentó junto a Frida.

Se inició la espera.

Frida no paraba de mirar su reloj.

Pepe se mordía el labio.

Carmen contemplaba la ventana y tiraba del cuello de su holgada chaqueta marrón.

Y de pronto, ¡bum! La ventana explotó, lanzando una lluvia de cristales y grava por la sala.

Los alumnos gritaban, aullaban y gemían. Frida y Carmen intentaron aparentar desconcierto, pero entonces sus miradas se cruzaron y no pudieron contener la risa. Pepe tenía la cabeza agachada y no apartaba los ojos de sus notas.

Todos miraron a Caso. ¿Qué haría? ¿Saldría corriendo de la sala? ¿Se pondría hecho una fiera? ¿Señalaría con el dedo a algún alumno?

Hubo un largo silencio. Los estudiantes contenían la respiración, sin saber qué hacer. Algunos recorrían la sala con la mirada para ver si alguno de sus compañeros tenía expresión de culpabilidad.

Caso no se movió de donde estaba; se sacudió los cristales de la chaqueta y se quedó contemplando aquel mar de caras. Tenía varios cortes pequeños en una mejilla, pero ninguna herida importante. Esperó a que los alumnos se calmaran.

Y entonces dijo: «Damas y caballeros, como iba diciendo, la poética aristotélica ha sido malinterpretada por varias generaciones de dramaturgos modernos. La esencia de las tres unidades no es...»

Deje que le diga algo sobre Frida. Yo la quería muchísimo. Era inteligente y graciosa, y lo compartía todo conmigo. Éramos íntimas amigas. Yo le reservaba un rincón especial en mi corazón a Maty, es verdad, pero Maty se marchó de casa cuando yo sólo tenía seis años, y era mucho mayor que yo. Frida, en cambio, tenía la misma edad que yo. Sólo nos llevábamos once meses, de modo que éramos como hermanas gemelas. ¿Por qué cree que puedo contarle todas estas historias? Porque Frida me lo contaba todo. A veces estaba demasiado ocupada con sus amigos y se olvidaba de mí, es cierto; pero después me compensaba por ello. Y entonces me lo contaba absolutamente todo. Con lujo de detalles. Y quizá con algunas exageraciones, pero ¿qué importancia tiene eso? En realidad Frida no sabía que exageraba. Le costaba distinguir la realidad de la ficción, pero ¿a quién no le cuesta? ¿Quién ve las cosas como son realmente? Sólo Dios. Frida siempre vivía dos veces sus travesuras: cuando las hacía y cuando me las contaba. O quizá más de dos veces, porque algunas de esas historias me las contaba una y otra vez. Y con cada relato, la broma se iba haciendo cada vez más graciosa y extravagante, y Frida cada vez era más estrella.

Nadie conocía a Frida mejor que yo. Ni Maty, ni mami... ¡ni siquiera *él*!

Frida tenía una especie de... enfermedad. O quizá sería mejor llamarlo una obsesión. Siempre tenía que ser el centro de atención. Todo el mundo tenía que mirarla a ella. Quería ser diferente, y *era* diferente. Por una parte, todas nosotras, mis hermanas y yo, éramos diferentes, porque teníamos sangre judía, y en México, si llevas una gota de sangre judía, eres diferente, aunque seas católico practicante. Y además, ella era... Frida me mataría si me oyera decirlo, pero... era una lisiada. Sin embargo, esas dos cosas que verdaderamente la diferenciaban de los demás, el hecho de ser judía y lisiada, ella intentaba disimularlas. Intentaba convencer a todo el mundo de que era más mexicana que la Virgen de Guadalupe, y de que físicamente estaba más en forma que Alfredo Codona.

¿No conoce a Alfredo Codona? Me refiero al trapecista mexicano, el primer hombre que ejecutó un triple salto mortal perfecto. ¿No lo ha visto en los documentales de actualidades? ¡Ja! ¡Y se supone que soy yo la que no se entera de lo que pasa en el mundo!

Le estaba hablando de Frida, de que las cosas que verdaderamente la hacían diferente eran las cosas que ella intentaba ocultar. A veces pienso que en realidad Frida no se gustaba mucho, y que por eso fingía que no le importaba si les gustaba o no a los demás. Pero esa actitud indiferente no era más que una máscara.

No sé si eso tendrá sentido.

No, no pretendo hacer su trabajo. Sólo intento ofrecerle mis impresiones. Creía que eso era lo que usted quería que hiciera. Pero si no le interesa, márchese. De todos modos, ya he hablado bastante por hoy.

7

ANFIBIO

L e diré una cosa: Diego era el hombre más feo que yo había visto jamás. Terriblemente feo. Una montaña de sebo que había que meter con calzador en aquellos sucios pantalones que llevaba. Vasconcelos había contratado a varios artistas famosos para que pintaran murales en la Prepa, y a Rivera le habían encargado uno. Como puede imaginarse, sentado en el andamio con su rollizo trasero colgando por el borde, Rivera era un blanco perfecto para los Cachuchas.

Pepe Robledo propuso quemar las virutas de madera que el pintor había dejado desperdigadas por el suelo cuando construyó su plataforma, pero Alejando era partidario de repetir el truco del petardo. «La pintura salpicará y manchará toda su *Alegoría de la poesía erótica*», explicó. Los Cachuchas les habían hecho tantas malas pasadas a otros pintores que éstos iban armados a trabajar.

Acercarse a Rivera no resultaba fácil. El anfiteatro Bolívar era zona prohibida para los alumnos mientras él estaba trabajando, y las puertas permanecían cerradas con llave. Una invasión a gran escala estaba descartada.

Para Frida, aquella prohibición hacía que el reto fuera aún

más atractivo. Además, Frida sentía curiosidad por aquel pintor gigantesco, feo y con cara de rana. Parecía un individuo afable y nada esnob. Rivera solía pararse en el pasillo para hablar con sus admiradores o para guiñarles el ojo a las chicas guapas. Frida creía que si no dejaba que los estudiantes lo vieran pintar, debía de ser porque temía que lo distrajeran; pero los chicos tenían otras ideas.

Rivera medía bastante más de un metro ochenta y pesaba ciento treinta y cinco kilos. Con su pantalón andrajoso y su enorme sombrero Stetson, era todo un espectáculo. Llevaba los zapatos mugrientos y manchados de pintura y yeso. Para demostrar su afán revolucionario (o quizá sólo para protegerse de los Cachuchas) llevaba una cartuchera y una pistola. Tenía el cabello fino, y siempre iba despeinado. Su rostro era grande y redondeado, con gruesas mejillas y una papada descomunal. Los ojos eran verdaderamente anfibios; ya sabe lo que quiero decir, de rana. Sobresalían de su cara y parecían moverse independientemente; estaban tan separados que se movían en todas direcciones captando un panorama completo. La boca era enorme, y daba la impresión de que en cualquier momento de ella saldría una delgada lengua que atraparía una mosca. Su piel tenía un tono verdoso, excepto en el pecho y la barriga, donde era lechosa, como la de la panza de una rana. Siempre llevaba la camisa desabrochada hasta el ombligo, y su barriga parecía una cuba tumbada de lado; en el pecho veías el fino vello que le cubría todo el cuerpo. Después de una jornada de trabajo en el caluroso auditorio, el sudor chorreaba por sus mejillas, su cuello y sus axilas, dándole una apariencia de criatura acuática recién salida de un estanque. Tenía los pechos blancos e hinchados, como los de una muchacha, el cuello grueso, y apenas tenía hombros. Unas piernas que parecían patas de anfibio sostenían su inmenso torso, y las manos eran regordetas y sorprendentemente pequeñas, con cinco dedos delgadísimos (no cuatro, como las ranas) que se extendían en todas direcciones. Frida siempre decía que era increíble que unas manos tan raras y tan feas pudieran crear pinturas tan espléndidas. Yo no diría que Diego era torpe, pese a su tamaño. No, no lo era. Papá, que era delgado y bien proporcionado, era mucho más torpe que Diego. No, Diego era muy ágil para lo gordo que estaba. Era capaz de permanecer casi inmóvil durante largos períodos, y a veces, cuando trabajaba en el detalle de una pintura, su cuerpo se quedaba inerte durante una eternidad. De repente, Diego cambiaba de postura, dando un largo paso hacia uno u otro lado. Era como si saltara dos o tres metros de una vez, como una rana toro. Como ya le he dicho, a Frida le cayó bien desde el principio, pese a que como miembro de los Cachuchas estaba obligada a gastarle las bromas más pesadas. Pero no, no se trataba de eso. Frida le gastaba bromas porque Diego le gustaba y quería que él se fijara en ella. Diego era tan amable y tan modesto que Frida no podía evitar admirarlo, y yo lo admiraba también cuando mi hermana me hablaba de él.

Aunque era una pose, desde luego. Diego Rivera no tenía nada de modesto. Era un engreído y un egoísta.

Tenga en cuenta que en aquella época Diego tenía treinta y seis años y, aunque no era tan famoso como lo fue después, ya era una estrella. La fama le llegó con los murales que pintó en el Palacio Nacional y con las pinturas para las que posé yo. Ya se lo he dicho antes, yo era su modelo favorita, no Frida. Diego siempre decía que yo tenía una mirada más dulce, más... suave. Frida era más dura. Yo, en cambio, era más femenina.

Circulaban muchos rumores sobre Diego. Frida me dijo, por ejemplo, que tenía antepasados chinos.

Estábamos mirando una fotografía suya que aparecía en *La República*. Yo no le encontraba el menor rasgo oriental, pero Frida decía que era igual que un Buda barrigudo. Carmen lo llamaba «el de la fisonomía porcina». Carmen era una auténtica lata, siempre estaban intentando impresionar a los demás con sus extravagantes expresiones.

En la prepa había quien decía que Rivera tenía sangre judía, pero Frida no participaba en esas discusiones. Aquél seguía siendo un tema delicado. Otros decían que tenía algo de portugués, algo de español y algo de indio. La verdad es que nadie sabía exactamente cuáles eran sus orígenes.

—Me han dicho que es ruso —dijo Pepe—. Le oyeron hablar en ruso con un profesor.

—No, no es ruso —le corrigió Alejandro—. Lo que pasa es que la amante que tenía en París era rusa.

—¡Dos de sus amantes lo eran! —terció Alberto.

—Dos de sus muchas amantes —añadió Adelina Zandejas—, según el primo del padrino de mi tío, que conoce a Lupe Marín, su amante actual.

—¿Te refieres a la modelo? —preguntó Alberto—. ¿La que posa para él?

—*Una* de las que posa para él. Hay muchas: Lupe, Nahui Olín...

—¿Crees que posa desnuda? —preguntó Pepe. Pese a que todos se consideraban sofisticados revolucionarios que se burlaban de las actitudes burguesas, habrían sido capaces de ir andando desde aquí hasta Oaxaca para echarle un vistazo a unos buenos muslos.

—¡Claro que posa desnuda! ¿No has visto los bocetos? —respondió Alejandro, que estaba enterado de todo—. Ése es el verdadero motivo por el que no nos dejan entrar en el auditorio.

Tengo que reconocer que Frida hacía que todo aquello sonara intrigante. A mí no me interesaba ir a la prepa para estudiar medicina, pero habría dado cualquier cosa por conocer a algunos personajes que iban por la escuela (estrellas de cine como Mimí Derba y Joaquín Coss, por ejemplo; ya sabe, estuvieron en *El automóvil gris*). Yo nunca hacía nada emocionante. Bueno, los chicos del barrio siempre me miraban. Tenía mis admiradores, muchachos robustos con bigote y botas gastadas y machetes con los que mataban serpientes. Pero nunca había conocido a un pintor ni a una estrella de cine.

—Yo jamás posaría desnuda para nadie —le dije a Frida, muy ufana.

—Pues yo sí. ¡Dios mío, Cristi, eres una escuincla! ¿No ves que con ropa o sin ella eres la misma persona? —Yo sabía que sólo pretendía impresionarme, pero de todos modos me molestó—. A mí no me importaría hacer de modelo para Diego Rivera, mira lo que te digo.

—Eso es repugnante, Frida.

—¿Qué pasa? Voy a ser médico, y los médicos se pasan la vida viendo cuerpos desnudos, igual que los pintores. Uno no puede tener todos esos prejuicios burgueses que tienen mami y tú y ser artista o médico.

—Pero eres católica, ¿no? —Tanto mi madre como mi abuela habían hecho todo lo posible por inculcarnos los ideales de modestia y pureza. Y el sentido del decoro. «El decoro, hija», insistía mi madre cada vez que me sorprendía con los pies encima de un mueble o con el dedo metido en la nariz. «¡El decoro!»

Pero Frida ni se inmutó cuando mencioné nuestra fe.

—Sí —respondió—. Pero Dios fue el que hizo los penes y las tetas, ¿no?

—Además —añadí, jugándome la última carta—, me han dicho que es comunista.

—Y ¿qué? ¡Puede que yo también me haga comunista!

—Pero ¿no acabas de decir que eres católica, Frida? Los comunistas no creen en Dios.

—Pues seré una comunista diferente.

Desde el principio, Frida siempre asoció a Diego con dos cosas: el sexo y el comunismo, dos temas prohibidos en la pacata sociedad mexicana pese a la retórica izquierdista de la Revolución. Durante la guerra habíamos sido zapatistas, pero nunca comunistas. Ser zapatista no era lo mismo que ser comunista. El comunismo era un ogro extranjero que odiaba a Jesucristo, nuestro Salvador, y ningún católico que se preciara podía ser comunista. Podías pensar como un comunista, podías hablar como un comunista, podías alabar a los obreros y campesinos y vilipendiar a los cerdos imperialistas, pero no podías ser comunista. Al menos eso creía yo, porque eso era lo que me había dicho mi abuela.

Como ya le he dicho, circulaban toda clase de historias sobre Diego: que cuando era pequeño su padre lo había sorprendido abriendo una rata en canal para ver de dónde salían los ratoncitos; que había perdido la virginidad a los nueve años; que había tenido una aventura con una mulata (la esposa de un ingeniero de los Ferrocarriles Mexicanos); que se pasaba la vida chingando, como un semental, y que se tiraba a todas las mujeres que se le ponían delante (actrices, prostitutas, amas de casa, modelos, pintoras, secretarias, turistas); y que tenía un pene tan enorme que le había destrozado el útero a una de sus amantes. Y, por supuesto también se decía que era un héroe revolucionario, no porque hubiera luchado en el campo de batalla, sino porque combatía la injusticia con el pincel. Libertad, igualdad, fraternidad, verdad, y tortillas en todas las barrigas. Rivera defendía todo aquello, y para demostrarlo estaba afiliado al partido comunista. Eso era lo que decían. Ya lo ve, sexo y comunismo. Los dos tabús. ¿Cómo podía Frida resistirse a un hombre como él? Un hombre que representaba todo lo que estaba vedado de las conversaciones educadas. Como cabía esperar, Frida se enamoró de él. Pero no inmediatamente. Al principio sólo había fascinación.

¿Si yo también estaba fascinada? No sé qué decirle. Yo no conocía a Diego, nunca lo había visto en persona. Fingía que no me interesaba, pero Frida no paraba de contarme anécdotas. Cada día, cuando llegaba a casa, traía alguna historia. Supongo que mi hermana plantó una semilla en mí, por decirlo de algún modo. Frida lo describía como un ser tan exótico y al mismo tiempo tan ridículo y adorable, con sus ojos saltones y su enorme papada, que no pude evitar sentirme atraída por él.

Frida estaba decidida a conocer a Diego Rivera.

Lo planeó con mucho cuidado. Diego estaba pintando aquel fresco en el anfiteatro Bolívar. Frida esperó a que el edificio quedara prácticamente vacío. Diego solía empezar a trabajar a las cuatro de la mañana, con la primera luz del día, y seguía casi sin parar hasta el atardecer, aprovechando la luz hasta el último momento antes de que se secara el yeso. Ni siquiera iba a casa para comer. Lupe le llevaba la comida en una cesta de colores decorada con flores y cubierta con un pequeño mantel de algodón con motivos folclóricos bordados. Frida la veía entrar y salir, e intentaba calarla. A veces también iban a verlo otras mujeres que le llevaban comida y regalos. Si a ellas les permitían entrar, ¿por qué no a ella?, se preguntaba Frida.

«¡Tienes que ayudarme, mana!», le dijo a su amiga Agustina Reyna, conocida como la Reina.

Aquella tarde, Frida y Agustina esperaron juntas a que todos los alumnos se hubieran marchado a casa. A que los profesores se hubieran marchado a casa. A que se hubiera marchado hasta el director. A que no hubiera conserjes. Y entonces empezaron a golpear la puerta del auditorio con los hombros.

«Uno, dos, tres, ¡PUM! Uno, dos, tres, ¡PUM!» No era una forma muy sutil de entrar.

La puerta empezó a ceder. Oyeron a Rivera que refunfuñaba: «¿Qué pasa ahí fuera?»

«¡Uno, dos, tres, PUM! ¡Uno, dos, tres, PUM!»

Finalmente la puerta se abrió.

Imagínese a Diego, estupefacto, mirando hacia abajo desde su andamio. ¿Qué fue lo que vio? A una delicada niña vestida con una falda azul, una blusa blanca y un jersey con dibujos; una niña de facciones finas y cabello oscuro. Debió de pensar que era una chiquilla, pero el cuerpo de Frida estaba bien desarrollado, y tenía unos pechos grandes y firmes.

—¿Qué le dijiste? —le pregunté a mi hermana, sin poder disimular mi fascinación. ¡Mi propia hermana, cara a cara con el gran Diego Rivera! La verdad es que no estoy segura de si entonces yo entendía quién era él; pero al menos sabía que era una persona muy importante.

—Le pregunté si podía mirar cómo trabajaba, sencillamente. «¿Puedo mirar cómo trabaja?» No le dije nada más. —Frida me repitió la frase tal como la había pronunciado ante él, con tono firme y seguro. Supongo que a Diego le hizo gracia.

—¿Qué te contestó?

—Dijo que sería un honor.

Frida se sentó en un banco, sin apartar los ojos del pincel de Rivera. Aquella noche no había nadie con él en el andamio, pero Lupe Marín estaba abajo tejiendo, sentada en una silla.

—Era impresionante —me explicó Frida—. Movía la mano con tanta seguridad, y tan deprisa. Era como si la pared cobrara vida a medida que él iba aplicando los colores: rojo, verde, violeta, dorado...

El tema de aquel mural era la Creación, con una referencia específica a la raza mexicana. La obra estaba llena de dramáticas figuras alegóricas: el Hombre, la Mujer, el Conocimiento, la Poesía Erótica, la Tradición, la Tragedia, la Música, la Caridad. Algunas de aquellas figuras medían más de tres metros, y representaban a todos los mexicanos: blancos, indios y mestizos. Las líneas de las figuras armonizaban perfectamente con la curva del techo, e incluso integraban el órgano, que estaba empotrado en la pared. Frida estaba hipnotizada.

Lupe Marín la miraba con ceño. Había posado para tres alegorías: la Mujer, la Justicia y la Canción. La que más cautivaba a Frida era la Mujer, representada por una mujer desnuda y sentada. Parecía una campesina o una obrera, una mujer que quizá hubiera tenido cuatro o cinco hijos, porque tenía unos pechos enormes y el vientre redondeado; una mujer que sabía cómo sobrevivir, que no aguantaba tonterías, que hacía lo que había que hacer. Tenía las piernas ligeramente separadas; la mandíbula era fuerte y la nariz un tanto torcida. Tenía una boca muy dentuda, y unos brazos y muslos fuertes que parecían acostumbrados al trabajo físico. Frida la encontraba espantosamente fea e increíblemente femenina al mismo tiempo. «No se parecía en nada a Lupe —me dijo—. Lupe es alta, una mujer hermosa con la piel color aceituna y unos impresionantes ojos verdes. Tiene el cabello negro, como si se lo hubiera peinado una tormenta, y unos labios como una suculenta ciruela, tan madura que está a punto de estallar y derramar su jugo.» La Mujer de Diego era tosca, primitiva. A Frida le parecía increíble que Rivera la hubiera dibujado tan fea, o que Lupe hubiera accedido a posar para un retrato que la deformaba de aquella manera. Por otra parte, Frida estaba fascinada por la habilidad del pintor para transformar un objeto en una idea. Aquella pintura no reproducía el cuerpo de Lupe, porque no era ésa su intención; la figura era una representación de la mujer, y lo que pretendía era captar una especie de... a ver, ¿cómo lo habría dicho Frida? Una especie de energía reproductora vital. La Mujer de Diego era corpulenta porque formaba parte de la fuerza vital de la naturaleza. Ahora lo entiendo porque yo también posé para esa clase de pinturas.

—La mente me iba a toda velocidad —prosiguió Frida. Se olvidó de la hora que era. Se olvidó de dónde estaba. Tenía la impresión de que estaba contemplando una verdadera «creación». Diego causaba ese efecto en la gente.

Pero Lupe se estaba impacientando. «Oye, niña —dijo al cabo de un rato—, ¿no te vas a tu casa? ¿No te esperan tus padres? Deben de estar preocupados.»

Y ¿sabe qué hizo Frida? Miró fijamente a Lupe. Como ya le he dicho, Lupe Marín era una mujer francamente imponente, la amante perfecta para un gran artista. Pero eso no bastaba para que Frida se dejara amilanar.

«No», se limitó a contestar. Y siguió contemplando a Rivera.

La mano de Diego se movía con la ligereza de un ala de mariposa, y sin embargo las líneas que pintaba eran firmes e incisivas. Parecía mentira que un hombre tan gigantesco, con aquella cara de sapo, pudiera tener un trazo tan fino y delicado. Dominaba la técnica a la perfección, y sin embargo aquéllas no eran las formas mecánicas de un simple dibujante, sino las formas robustas y vibrantes de un pintor apasionado.

Lupe tenía muy mal genio. Yo la vi muchas veces fuera de sí. Más tarde llegué a conocerla muy bien. Supongo que Lupe cada vez estaba más enojada. Aquella mocosa llevaba casi dos horas en el auditorio. Lupe esperó quince minutos más, y entonces volvió a insistir. En su opinión, aquella niña había abusado de su invitación.

—¡Ya va siendo hora de que te vayas a casa! —le gritó a Frida. Era evidente que quería que se marchara inmediatamente.

Frida simuló no haberla oído.

—He dicho —repitió Lupe— que ya va siendo hora de que te vayas. ¡Vete! —Se levantó y tiró la labor en la silla.

Frida no dijo nada. Lupe se plantó delante de ella, intimidante. Pero Frida no cedió.

—Mira —dijo Lupe agarrándola por el brazo—, quiero que te vayas de aquí.

Diego se volvió para mirarlas con una sonrisa en los labios. Le encantaba que las mujeres se pelearan por él, y le divertían mucho los ataques de celos de Lupe. Además, estaba impresionado por la tenacidad de Frida.

—Déjala en paz, Lupita —dijo suavemente—. No me molesta.

—¡Pues a mí sí! —exclamó Lupe.

Lupe se sentó y cogió su labor. Separó tres hilos y luego dejó la labor en el suelo. Se levantó y empezó a pasearse, furiosa.

—Carajo, Diego —gritó—. ¡Quiero que se marche! ¡Échala de aquí!

Diego siguió pintando y Frida siguió mirándolo.

Lupe se sentó y se cruzó de brazos, enfurruñada.

—¡Mierda! No sé cómo te aguanto.

—¡Porque me quieres!

—¡Cerdo! ¡Tu ego es más grande que tu barriga!

—¡Por eso me quieres tanto! —replicó Diego sin dejar de pintar. Tenía una capacidad de concentración extraordinaria.

Finalmente Frida se levantó.

—Gracias —dijo—. Le agradezco mucho que me haya dejado ver cómo trabaja.

Luego miró a Lupe y, sonriendo, dijo:

—¡Adiós!

Lupe siguió tejiendo sin decir nada. Pero Frida no estaba dispuesta a que la ignoraran de aquel modo. Se había quedado en el auditorio el tiempo que había querido, y pensaba restregárselo a Lupe por las narices.

—Adiós, señorita Marín —dijo, y le tendió una mano.

Era un pulso entre ambas.

Lupe echó un vistazo al mural.

—Mira, has estropeado aquella parte de allí —le dijo a Diego—. Junto a mi pie, donde empieza la figura masculina.

Diego no se molestó en examinar aquella parte del mural, ni en contestar a Lupe.

Frida seguía allí de pie, con el brazo extendido.

Finalmente Lupe levantó la cabeza.

—Encantada de conocerla, señorita Marín —dijo Frida, sin bajar la mano ni apartar la mirada.

—Adiós —dijo Lupe. Y sonrió, a pesar de que no era ésa su intención.

Frida se colgó la cartera del hombro y salió del auditorio. Caminaba con paso firme, con porte digno y elegante.

Esta historia se convirtió en una leyenda familiar. Frida me la contó aquella noche, cuando volvió de la prepa. Pero no me la contó una sola vez, sino un montón, porque en ella salía vencedora. Ella interpretaba a David, y Lupe a Goliat. Años después, Lupe me la contó también. Y Diego.

—¡Esa chica es un caso! —le dijo Lupe a Diego cuando Frida se hubo marchado—. Pocas muchachas de su edad se atreverían a entrar aquí sin haber sido invitadas, y a plantarle cara a una mujer como yo. ¡Muy pocas!

Diego chascó la lengua y siguió trabajando.

A Lupe le caía bien Frida, a pesar de todo. Y eso es lo más extraño de las mujeres de Diego: empezaban siendo rivales pero acababan siendo amigas. Se amaban y se odiaban unas a otras. Igual que... igual que Frida y yo.

¿Qué puedo decirle sobre Diego Rivera? No resulta fácil saber cómo era en realidad; no me resulta fácil ni siquiera a mí, que lo conocía tan bien. La gente contaba muchas cosas de él. El escándalo lo perseguía. Y por si eso fuera poco, era un mentiroso. Eso era algo que Frida y él tenían en común.

Me he pasado la vida rodeada de famosos. Diego, Frida y muchos más. Políticos, estrellas de cine... Sí, al final conocí a varias estrellas de cine. Pintores, fotógrafos. Gente como Trotsky, Vasconcelos, Cantinflas, Dolores del Río, Siqueiros, Edward Weston (el fotógrafo que le hizo tantas fotografías espléndidas a Lupe). Muchísimos famosos. Yo era la única que destacaba por no destacar en nada. Pero iba a sus fiestas, a sus mítines e inauguraciones, porque era la hermana de Frida.

Así que quiere que le hable de Diego. Pues bien, Diego nació el 8 de diciembre de 1886. Siempre hacíamos una fiesta el día de su cumpleaños, y también celebrábamos el día de su santo, porque a Diego le encantaban las fiestas. Si no te acordabas de felicitarlo en esas fechas, se ponía hecho un basilisco. Diego había tenido un hermano gemelo que murió a edad muy temprana. Su padre, que también se llamaba Diego, era un hombre muy corpulento, un maestro. Según la versión oficial, era hijo de un español y una mexicana con antepasados judíos portugueses. Su madre, María del Pilar Barrientos, era hija de un español y una mestiza, de modo que supongo que era verdad que Diego era una mezcla de muchas cosas (español, judío, portugués, indio). Lo que puedo asegurarle es que no tenía antepasados chinos. Cada vez que un periodista lo entrevistaba, Diego se inventaba una historia diferente sobre sus orígenes. A veces decía que tenía antepasados holandeses, o que su bisabuela era asiática, o que su abuelo era africano. Era igual que Frida. Era capaz de decir cualquier cosa con tal de llamar la atención.

Según él mismo, era un niño prodigioso. Su tía Vicenta decía que hablaba por los codos desde que nació, y que hacía dibujos maravillosos desde que pudo sujetar un lápiz. Dibujaba en todas partes, incluso en la biblia de la familia, un presagio, quizá, de que algún día se convertiría en comecuras. Supongo que su padre se dio cuenta de que lo mejor que podía hacer era rendirse, porque cubrió las paredes de la habitación de Diego de pizarra y le dijo a su hijo que dibujara cuanto quisiera. El artista en ciernes llenó aquellas paredes de imágenes de todo lo que veía en su pueblo, Guanajuato, o en su imaginación: trenes, soldados de plomo, flores, pájaros, un perro orinando, un monstruo con patines, una pirámide, una serpiente con alas y plumas.

Un día, su tía Vicenta lo llevó a la iglesia y le dijo que le rezara a la Virgen, y Diego comentó que aquella estatua era de madera y no tenía orejas. La tía Vicenta se lo contó al padre del niño, y don Diego empezó a llevarse a Diego a sus reuniones con los jacobinos del pueblo. Supongo que eso contribuyó a que Diego se hiciera radical.

Diego tenía cinco años cuando nació su hermana María. Diego, como es natural, sentía curiosidad por saber de dónde venían los niños. El sexo siempre fue uno de sus principales intereses. Empezó a hacer experimentos. Es verdad que abrió una rata preñada. Se procuró unos cuantos libros de anatomía y añadió dibujos de cuerpos humanos a su repertorio. Le encantaba dibujar accidentes de trafico y desastres ferroviarios, con cadáveres mutilados por el suelo. También hacía soldados recortables y montaban ambiciosas campañas militares con terribles matanzas.

Después todo se vuelve borroso. Según la leyenda, a los nueve años se acostó con una maestra norteamericana de dieciocho años; luego tuvo una aventura con la esposa de un ingeniero del ferrocarril. ¡A los nueve años! Las mujeres lo encontraban irresistible, pese a su fealdad. Incluso las mujeres hermosas. Y si no piense en Frida, o en mí.

El padre de Diego pensó que, con su afición al sexo y a la sangre y su talento para la estrategia, su hijo tenía madera de general. Lo inscribió en una escuela militar, pero a Dieguito le dio una pataleta e insistió en que quería estudiar arte. Poco después había ganado una beca para estudiar en la Academia de Bellas Artes de San Carlos. Sin embargo, Diego siempre decía que había aprendido mucho más de Posada, el grabador, que de sus maestros. En aquella época Posada era un héroe. Hasta las sirvientas y los campesinos conocían su obra. Tenía una pequeña tienda cerca de la escuela, donde colgaba sus grabados. Todos los días, Diego pegaba su gruesa nariz al cristal de la tienda para verlo trabajar. Un día Posada lo invitó a entrar y se hicieron amigos. Diego siempre decía que Posada era una de las influencias más importantes de su vida, porque Posada creaba arte para el pueblo, y eso era lo mismo que él quería hacer.

En aquellos tiempos, antes de la Revolución, los estudiantes siempre estaban protestando por una cosa u otra, y Diego siempre tenía que estar en medio del jaleo. Se vio envuelto en unos disturbios y lo expulsaron. Pero en lugar de ser una desgracia, eso resultó una suerte.

Diego recogió sus pinceles y pinturas y dejó las aulas, las normas y las teorías. Pasó cuatro años viajando por todo el país, pintando lo que veía, lo espectacular y lo mundano, que a veces eran una misma cosa. Indios con rostros inexpresivos, volcanes morados contra cielos ámbar, paisajes serenos. También pintó un retrato de su madre.

«Dios mío —exclamó ella al verlo—. ¿Quién es esa mujer tan gorda y vulgar con el cuerpo deforme? ¡Cómo se nota que no me quieres!» Esa historia se convirtió en toda una leyenda en la familia.

El resto de los cuadros de Diego no sólo gustaban a la señora Rivera, sino también al público. La reputación de Rivera iba creciendo. Sin embargo, ¿hasta dónde podría llegar si seguía haciendo lo que hacía? Europa era el centro del universo. Allí era donde se gestaba todo: la política, el arte, la ciencia, el sexo. Diego se divertía mucho en México, jaraneando en bares y burdeles, pero sabía que en realidad quería algo más. Los mejores profesores estaban en el extranjero; Europa era como una estrella lejana que lo atraía. Don Diego no podía financiarle un viaje a su hijo, que cada vez estaba más aburrido y triste. Cada vez pintaba menos. Siempre había sido un hipocondríaco, y en esa época estaba convencido de que se estaba quedando ciego. Don Diego comprendió que tenía que encontrar la forma de motivar a su hijo. El talento, como las flores, se marchita si no recibe los nutrientes adecuados.

El padre de Diego era inspector del Ministerio de Sanidad. Cuando estalló un brote de fiebre amarilla en el sudeste del país, don Diego comprendió que aquélla era su gran oportunidad. Viajó a Veracruz para hacer un informe de la situación médica y se llevó a su hijo con él, pero dejó al muchacho en Jalapa, la capital del estado, donde no corría peligro. Aquel nuevo entorno estimuló a Diego como el peyote. Los colores se volvieron radiantes, las formas se volvieron definidas y fascinantes. Diego volvía a ver el mundo (tonos, diseños, contrastes, formas), y empezó a llenar lienzos, esta vez con vegetación semitropical y delicadas casas coloniales. Don Diego estaba encantado, porque su plan estaba funcionando. A continuación, le enseñó la obra de su hijo a Teodoro Dehesa, el gobernador del estado. Como el padre esperaba, al gobernador le gustaron mucho los cuadros de Rivera, y utilizó su influencia para conseguirle una beca para estudiar en el extranjero. El sueño de Diego se había cumplido, y también el de su padre. Habían matado dos pájaros de un tiro, porque ambos tenían el mismo sueño.

Poco antes de que Diego partiera hacia España (debió de ser hacia 1907) hubo una gran manifestación en las fábricas de tejidos. La caballería cargó contra los obreros, y los soldados dispararon contra hombres, mujeres y niños, dejando montones de cadáveres esparcidos por el suelo. Diego lo vio todo, y aquello fue algo que jamás olvidaría. Aquel desgraciado episodio le ayudó a convertirse en un verdadero revolucionario que utilizaba el arte para educar al pueblo y contarle su historia. Años más tarde, cuando pintó los murales del Palacio Nacional, Diego incorporó aquella escena. Está en la pared de la izquierda, seguro que la ha visto. Una hilera de campesinos enfrente de los soldados, que los apuntan con sus armas. Te pone la piel de gallina.

Diego dejaba un país en caos, pero iba hacia un caos todavía mayor. Yo no sé mucho sobre España, pero por lo que me contó Diego sé que recientemente había perdido sus últimas colonias en una guerra contra Estados Unidos, y que aquello produjo un desastre nacional. Los republicanos querían deshacerse de la monarquía. El socialismo y el anarquismo ganaban adeptos, y continuamente había huelgas por todo el país. Los monárquicos asesinaban, los socialistas distribuían panfletos, los revolucionarios ponían bombas y quemaban fábricas, y los republicanos redactaban una constitución tras otra. La situación en España no era mejor que en México.

En España Diego no aprendió mucho sobre arte, pero sí sobre política. Escuchaba, observaba, y acabó contagiándose de la retórica revolucionaria. Pasaba horas en las tertulias de los cafés. Diego no leía mucho, pero empezó a hojear panfletos anarquistas. Compró un ejemplar de *El capital* de Marx y leyó unas páginas.

Las ideas que la gente estaba intercambiando no eran nuevas para él. Diego ya las había oído en las protestas estudiantiles de la Ciudad de México y en la huelga de los obreros textiles. «Pero durante aquellos primeros meses en Madrid —me dijo en una ocasión—, todo parecía encajar, por fin.» Su imaginación se estaba desbocando. Diego viajó por Europa, pasando por Bélgica, Holanda, Inglaterra, y empapándose de la cultura popular. Estudió también a los grandes maestros. Ahora no recuerdo sus nombres... Brueghel, Hogarth... No me acuerdo. Conoció a otros pintores, a escritores, a activistas. Y se acostó con muchas mujeres. No tenía ningún reparo para hablar de ello. Cuando Frida lo conoció, a ella tampoco le importó oírle hablar de sus conquistas. Frida estaba orgullosa del éxito de Diego como amante. Más tarde, sin embargo, las aventuras de Diego la hicieron muy desgraciada. Sobre todo...

Yo siempre supe que Diego pertenecía a otras mujeres. Nunca fue solamente mío, aunque a veces me decía que yo era su favorita. Yo no le exigía nada, como hacía Frida. Yo no era temperamental. Yo era... ¿cómo podría decirlo? Un refugio...

Diego causaba conmoción por donde fuera. La gente se volvía por la calle para mirarlo. Frida lo llamaba una «hipérbole andante». ¿Qué le parece, doctor? Una hipérbole andante. Frida sabía palabras así. Y tenía razón: Diego era una exageración. Todo en él era excesivo. La panza le sobresalía por el cinturón. Llevaba ropa extravagante. Iba extremadamente sucio, porque nunca se bañaba ni se peinaba. En Bruselas conoció a María Gutiérrez Blanchard, una pintora que tenía sangre francesa y española. Diego era un personaje realmente extraño, pero cuando paseaba por la calle con ella, que era enana y jorobada, a los transeúntes se les salían los ojos de las órbitas.

Diego contaba infinidad de historias sobre su estancia en Bélgica. Sabía contar cuentos, y nunca dejaba que la verdad estropeara una buena historia. Según él, una noche hubo un incendio en Bruselas, así que cogió algunos cuadros y salió corriendo a la calle, ¡sólo que más tarde se dio cuenta de que no se había puesto los pantalones! Quizá fuera verdad, quién sabe. Diego se sentía muy cómodo sin pantalones. María le presentó a la pintora rusa Angelina Beloff, una refugiada política, y Angelina pronto sustituyó a su amiga como compañera de cama de Diego. Pero ninguna de aquellas dos relaciones le impedía acostarse con cualquier otra mujer de la que se encaprichara. Mujeres atractivas, feas, gordas, delgadas... Desde las prostitutas callejeras hasta las vendedoras de flores de las esquinas pasando por las damas elegantes de los salones. ¿Que cómo lo sé? Diego se pasaba la vida hablando de ello.

Diego acabó donde acababan todos los aspirantes a pintores: en París. Compartía un apartamento con María y Angelina. Eso era lo que más le gustaba: que las mujeres lo compartieran. Como los tres valoraban más el arte que la limpieza, nadie se molestaba en fregar el suelo ni en lavar los platos. El hedor era tan insoportable que los vecinos llamaron a la policía.

En aquellos tiempos, todos los pintores famosos estaban en París: Cézanne, Rousseau, Picasso, Klee. Diego veía cuadros que no se parecían en nada a lo que él había visto hasta entonces. «¡Estaba maravillado!», me confesó. O quizá no me lo dijo a mí. Quizá estaba hablando con Frida y yo lo oí. Se pasaba el día deambulando por las calles y visitando galerías de arte. Se emocionó tanto que le dio fiebre. Al menos eso decía él.

Empezó a pintar. Se hizo amigo de Picasso, y su estilo empezó a desarrollarse y cambiar. Al cabo de poco tiempo ya había adquirido una fama considerable en París, y la gente hablaba de él también aquí, en México. Cuando Díaz empezó a planear una exposición de arte para celebrar el trigésimo aniversario de su régimen, invitó a Diego a participar en las celebraciones.

El día de la inauguración, Madero emprendió su revuelta. Zapata dirigía el levantamiento campesino en el sur, y Villa en el norte. Diego se olvidó de la exposición. Estaba hechizado por los acontecimientos. Todas aquellas conversaciones en que había participado en los cafés de Europa, todas aquellas ideas abstractas, tomaban de pronto cuerpo en su propio país. ¡Las palabras convertidas en acción! Diego admiraba a Zapata, al que consideraba un verdadero héroe revolucionario. El hombre del caballo blanco que aparecería en tantos cuadros suyos.

Diego estaba tan emocionado, que lo lógico habría sido que se quedara aquí hasta el final de la guerra. Pero no lo hizo, sino que regresó a París.

En México la revolución estaba transformando el país, pero en Francia el cubismo estaba transformando el arte. Diego debía de encontrarse en un dilema. O quizá no. Él era un artista, no un guerrero. No era ni valiente ni disciplinado, salvo cuando se trataba de pintar. Odiaba las reglamentaciones y era incapaz de obedecer órdenes de nadie. Le encantaba la idea de la revolución, pero combatir era tarea de otros. Cuando estalló la Primera Guerra Mundial, hizo un intento desganado de alistarse en el ejército francés, porque eso era lo que hacían todos sus amigos. Pero en realidad, él no quería alistarse en el ejército. No le atraían las largas marchas por el barro. Afortunadamente para él, los oficiales de reclutamiento creyeron que un hombre tan corpulento era un blanco demasiado fácil, y no lo aceptaron. No, Diego no tenía madera de soldado. Un soldado debe estar dispuesto a hacer sacrificios. A Diego no le gustaba hacer sacrificios. Lo que le gustaba era que los demás se sacrificaran por él. Era egocéntrico e indulgente consigo mismo. No lo estoy criticando, de verdad. Un artista tiene que ser así. Diego estaba demasiado cautivado por el cubismo como para perder el tiempo limpiando mosquetes. Sabe lo que es el cubismo, ¿verdad? El cubismo consiste en reducir las cosas a sus formas geométricas: rectángulos, círculos. Verá, después de vivir toda una vida junto a gente como Frida y Diego, aprendí mucho, porque ellos entendían mucho de arte, y no hablaban de otra cosa. Algo tuve que captar, ¿no cree? No soy tan tonta como decía Frida.

Diego pintó muchos cuadros cubistas, pero al cabo de un tiempo se cansó de la vanguardia parisina. En su opinión, el cubismo se había convertido en una escuela más con sus teorías y sus normas. Él quería crear un arte más auténtico, más suyo. La nostalgia de México empezó a impregnar sus cuadros. ¡Zapata montado en un caballo blanco! Muchos amigos de Diego se habían ido a la guerra, y él se sentía solo. Los que se habían quedado en París eran casi todos extranjeros, y se estaban muriendo de hambre. Las bombas explotaban por todas partes, y a nadie le interesaba comprar obras de arte. Así pues, ¿qué sentido tenía quedarse allí?

«¡Bombas! ¡Bombas! —gritaba Diego agitando los brazos—. ¡Bombas! ¡Bombas por todas partes! ¡Pum! ¡Paf!» Pese a que estaba describiendo una tragedia, Frida y yo reíamos a carcajadas.

Diego se había gastado todo el dinero de la beca. Todos estaban en el mismo barco: Diego, Picasso, Juan Gris, Modigliani, Lipschitz. Quiero decir que todos estaban arruinados. «Cuando alguno de nosotros vendía un cuadro —me explicó—, comíamos todos. Pero a veces nadie vendía nada durante semanas, incluso meses. Según Diego, llegó a pasar cinco días sin comer. ¿Se imagina?

Diego tenía amigos y mujeres, pero seguía siendo un forastero entre forasteros, y estaba demasiado dedicado a su trabajo como para ser uno más del grupo. Pintaba desde el amanecer hasta el anochecer, sin descanso, hasta que lo vencía el agotamiento. Su comportamiento empezó a hacerse extraño. Decía que estaba poseído por espíritus. Estaba convencido de que tenía problemas de hígado y riñón, y hacía extraños regímenes. Un día creyó que le habían crecido tanto los ojos que ya no le cabían en las cuencas. En otra ocasión se obsesionó con que el latido de su corazón era irregular, sus evacuaciones intestinales demasiado negras, y que tenía la piel llena de manchas. A veces tenía la impresión de que su enorme cuerpo crecía y crecía y estaba punto de hacer estallar su ropa. Se quejaba de que la atmósfera de la habitación se estaba volviendo sofocante. Corría hacia una ventana para tener espacio para expandirse, porque le parecía que su torso se inflaba como una inmensa gota y se extendía por todo París.

Todo el mundo sabe que Diego era un gran pintor. Lo que no saben es que estaba loco. Era imposible vivir con él, y sin embargo las mujeres se peleaban por estar a su lado. María, Angelina, Marievna. Lupe, Frida.

Supongo que las mujeres se sienten atraídas por los genios. A lo mejor es que Diego era como un niño enorme, y las mujeres no podían evitar cuidarlo. A lo mejor se trata sencillamente de que era muy sexy, pese a sus defectos, y cuando estaba de buen humor te hacía sentir hermosa e importante. Al final, Diego echó a María y decidió vivir sólo con Angelina, que se convirtió en su concubina. Pero cuando Angelina se quedó embarazada, Diego se puso furioso. No quería ataduras ni distracciones.

«¡Tiraré al niño por la ventana!», gritó.

Echó a Angelina del apartamento y buscó consuelo en los brazos de otra refugiada política, Marievna Vorobiev-Stebeleska, la hija de una actriz judía y un polaco que trabajaba para el gobierno ruso. Marievna, que estaba al corriente del embarazo de Angelina, inició su relación con Diego haciéndole dos regalos: un par de gatos siameses y un condón. Con la ayuda de sus dos amantes rusas y sus amigos rusos, Diego aprendió a hablar bastante bien el ruso, y por eso algunos Cachuchas creían que era ruso. Esa habilidad le sirvió para discutir sobre política en los cafés de París y, más tarde, para insultar a los peces gordos soviéticos que se las daban de grandes entendidos en arte.

Angelina tuvo el hijo de Diego. Cuando nació Dieguito, Diego hasta aprendió a cambiar pañales. Pero aquel invierno fue muy severo, y las condiciones de vida muy precarias, y el niño murió cuando tenía dos años. Diego lloró, a pesar de todo. Marievna acabó quedándose también embarazada, y tuvo una niña, Marika. Diego negaba ser el padre de la niña, pero yo la he visto en fotografías, y es igual que él. Él debía de pensar lo mismo, porque durante años le envió dinero.

La vida en París era muy dura, y Diego empezaba a echar de menos su país. Los cubistas lo ponían nervioso, y se peleó con Picasso. La Revolución rusa prometía un nuevo orden mundial, y Diego empezó a pensar en su responsabilidad como pintor en México, donde se había instaurado el nuevo régimen revolucionario. Finalmente decidió volver a su país, prometiendo a Angelina y Marievna que mandaría dinero para que pudieran ir a México. No lo hizo.

Diego llegó en el momento más oportuno. Regresó a México en 1921, cuando Vasconcelos promocionaba la idea de que el arte debía emplearse para educar al pueblo. Estaba planeando un ambicioso programa de construcción (escuelas, bibliotecas), y quería adornar los edificios públicos con murales que enseñaran a los mexicanos su propia historia, sus propios valores. El pueblo mexicano, el paisaje mexicano, el rico folclore mexicano... ésas eran precisamente las cosas que estimulaban la creatividad de Diego. Vasconcelos lo invitó a participar en su programa de murales, y a Diego, que había visto mucho arte público en Italia, la idea le pareció perfecta. Por eso estaba pintando su alegoría en el anfiteatro Bolívar de la prepa cuando mi hermana entró.

¿Si me cuesta hablar de Diego? Qué pregunta tan extraña. No, no me cuesta. Pasé muchos años a su lado. Es posible que lo conociera mejor que nadie, mejor incluso que Frida. ¿Si me duele? Bueno, un poco, quizá. Al fin y al cabo, cuando amas a alguien... Sí, yo amaba a Diego. Era un hombre extravagante, pero era tan... tan vibrante, como una máquina acelerada. Era violento con todo: la comida, el amor, la música, la política, el arte. Sobre todo con el arte. Acometía sus murales con la ferocidad de un lince. Sí, era muy cuidadoso, muy meticuloso. Pero no me refiero a la técnica, sino a la pasión. Su pasión lo convertía en una persona excitante, y también desmoralizante, porque aquella pasión podía aplastarte. Podía pasarte por encima y dejarte tan achatada como una tortilla. Pero lo que más me gustaba de Diego era que me trataba... como a una persona de verdad. Me hablaba de sus experiencias en París, del hijo que se le murió, de Picasso, del barrio latino.

Diego hablaba constantemente de sí mismo. Era completamente egocéntrico. Por eso puedo contarle tantas cosas de él. Algunas de esas historias no eran ciertas, desde luego; muchas eran exageraciones (mejor dicho, hipérboles), pero él me hablaba como si disfrutara haciéndolo, como si no me considerara una estúpida. Verá, yo puedo contarle lo que él me decía, aunque no puedo garantizarle que sea cierto. Frida también era muy egocéntrica. Por eso se peleaban tanto, por eso se ponían tan nerviosos. Ambos querían ser constantemente el centro de atención. Si quiere que le diga la verdad, creo que ambos me necesitaban, porque yo no les exigía nada. No me pasaba el día farfullando. Yo no tenía necesidad de ser una estrella. Ya de pequeña comprendí que nunca sería la estrella, y nunca intenté competir con mi hermana. Por eso tanto Diego como Frida se aferraban a mí. Para ellos yo era como un oasis.

Diego me contaba cosas fascinantes. Mire cómo me escucha usted ahora, pendiente de cada una de mis palabras. No sólo lo hace porque es su trabajo, sino porque le fascina el gran Diego Rivera.

Frida se parecía mucho a Diego. Era una muchacha increíble. Por mucho que te hiciera enfadar, no podías evitar quererla. Yo la quería más que a nadie en el mundo, excepto mis hijos, por supuesto. Por eso ahora, después de tantos años, cuando la gente dice que... que yo la destruí... No lo soporto. Lo siento, no sé por qué de pronto a veces me derrumbo. Es que es tan injusto... Yo la quería tanto... Estábamos muy unidas. Mire, un día, cuando Frida todavía estudiaba en la prepa, entré en la habitación y solté un grito.

—¡Frida! ¡Tu pelo! ¿Qué has hecho con tu pelo?

Frida, que llevaba un traje de hombre completo, con chaleco y corbata, contemplaba su nueva imagen en el espejo. Tenía las uñas y los labios pintados de un rojo intenso. Era la nueva moda de los vanguardistas: ropa de hombre y mucho maquillaje. A Frida le encantó mi reacción. También le gustaba que los pantalones le cubrieran la pierna atrofiada.

—¡Contéstame, Frida! —le grité—. ¿Qué has hecho con tu pelo?

—Me lo corté, boba. Todo el mundo se lo corta. ¡Tú deberías hacerlo también!

—¿Yo? ¡Jamás!

—Acabarás cortándotelo —dijo con petulancia—. Siempre acabas haciendo todo lo que yo hago. —En ese momento, ninguna de las dos podía saber que aquellas palabras eran proféticas—. En fin —prosiguió—, a los Cachuchas les encanta. Sobre todo a Alex. Eso es lo que más me atrae de él, que no es de esos hombres anticuados que esperan que las mujeres lleven un montón de rulos y se desmayen al ver un pene.

—¡Frida! —Debía de notarse que estaba horrorizada. Frida se subió a la cama y empezó a masajearme la espalda.

—No seas tan mojigata, Cristina. No soporto la mojigatería burguesa. A veces pareces mami. —Pero hablaba con cariño, sin burla.

—No me parezco a mami —protesté—. Además, a mami no le importo ni lo más mínimo. Todavía está llorando por Maty.

Frida y papá se habían enterado de que vivía en el barrio de los Doctores con su amante, y desde entonces, mi madre estaba insoportable. Quería ver a Maty, pero cuando venía a visitarnos, no la dejaba entrar en la casa. Y cuando Maty dejó de intentar venir a vernos, mi madre se puso furiosa.

—Cree que es culpa mía, ¿verdad? —dijo Frida—. Cree que yo he destrozado la familia ayudando a Maty a escaparse de casa.

No contesté.

—No soporto vivir en esta casa. Prefiero estar en la escuela con los Cachuchas —añadió mi hermana.

—Lo único que vas a conseguir juntándote con esos Cachuchas es que te echen de la preparatoria.

—No seas ridícula, Cristi. Trabajamos juntos y somos prudentes. Además, somos mucho más inteligentes que los profesores.

Frida estaba convencida de eso. Creía que ella y sus amigos eran invulnerables porque eran más listos que nadie.

—Papá te matará si se entera de la cantidad de clases que te has saltado. —A veces me sentía tentada de contárselo a mi padre. Teníamos muchos problemas de dinero, y Frida se dedicaba a perder el tiempo en la escuela. Yo tenía que trabajar. Trabajaba para un impresor, componiendo las páginas. ¿Por qué no trabajaba también Frida?

—¿Para qué voy a asistir a unas clases dictadas por profesores estúpidos y aburridos? —dijo mi hermana.

—¿Profesores estúpidos y aburridos? Tenía entendido que la prepa era una escuela fabulosa. Me parece que mami tiene razón. Lo único que haces allí es perder el tiempo.

Recuerdo que miré al techo e hice una mueca. Frida se bajó de la cama y fue al otro extremo de la habitación. Sacó algo de su mochila. ¡Un cigarrillo! ¡No podía creerlo! Un cigarrillo liado y listo para encender. Tras asegurarse de que la estaba mirando, lo encendió, dio una honda calada y sacó el humo por la nariz.

—¡Estás fumando! —exclamé anonadada.

—Pues claro —dijo ella con una sonrisita de suficiencia—. Todos fumamos.

—¡Mami te matará!

Frida adoptó una pose de vampiresa ante el espejo y dio otra calada. Frunció los labios con sensualidad y lanzó varios aros de humo contra el cristal.

—¿Quién te ha enseñado a hacer eso? ¿Alex?

—Puede ser...

—¿Estás enamorada de él?

—Puede ser... —Cogió una almohada y me la lanzó—. Supongo que sí.

—¿Qué hacen?

—¿Qué quieres decir?

—¡Ya sabes qué quiero decir!

—¡No hacemos nada, idiota! Vamos a la biblioteca juntos. Leemos libros juntos. Hablamos. Gastamos bromas a los profesores.

—¿Se han besado?

—¡Pues claro!

—¿Lo has dejado tocarte?

Frida me miró como si yo fuera una especie de monstruo prehistórico.

—¿Qué tiene eso de malo? —dijo sacudiendo la cabeza, como si aquella pregunta no mereciera siquiera una respuesta; de todos modos, por compasión hacia un ser inferior, aceptó responder—: Me encanta que me toque.

—¿Le has dejado tocarte... ya sabes, ahí abajo? —Yo apenas podía hablar, porque apenas podía respirar. Me preguntaba si ella lo habría notado.

Frida hizo un movimiento lascivo con la lengua.

—Te encantaría saberlo, ¿verdad, mocosa? —Me lanzó un aro de humo y añadió—. Pero ya que lo has preguntado, contestaré: sí, lo quiero.

Era verdad. Alex era el caballero andante, el feroz revolucionario, el rebelde. Era el idealista y el ideal. Zapata, Rodolfo Valentino y Don Quijote en una misma persona. Frida lo adoraba con una pasión infantil que la hacía soñar con utopías, islas encantadas y largas noches brumosas iluminadas por la luna.

Por eso me sorprendió tanto lo que me dijo a continuación. Mi hermana estaba sentada en la cama, lanzando aros de humo hacia la ventana.

—Cuéntame tu sueño más secreto —dijo bajando la voz—. El más secreto de todos. Lo que más deseas.

Creí que me tomaba el pelo. Sospechaba que, dijera lo que dijera, ella se reiría de mí. Pero de todos modos, le dije la verdad.

—Me gustaría ser actriz de cine, como Emma Padilla.

—Emma Padilla era mi ídolo.

Frida no se rió sino que preguntó:

—¿Sabes cuál es mi ambición? —Me miró a los ojos. Y entonces, sin esperar a que yo contestara, dijo—: ¡Mi ambición es tener un hijo de Diego Rivera!

Me quedé sin habla. Ella me miraba fijamente, esperando mi reacción.

—¿Estás loca? —logré decir al fin. No me cabía en la cabeza que mi hermana quisiera acostarse con aquel individuo gordo y grasiento. Yo nunca lo había visto en persona, pero sí en fotografías.

—¡Pero si es un viejo! —exclamé—. ¡Tiene treinta y seis años! ¡Y es repugnante! —Fue lo único que se me ocurrió decir. ¡Treinta y seis años! Para mí eso era ser un anciano. Tras una pausa, añadí—: ¡Te aplastaría!

Frida se encogió de hombros.

Sacudí la cabeza y dije:

—¿Y Alejandro?

—Eso no quiere decir que no lo ame.

—¡No puedes quererlos a los dos! ¡No puedes amar a dos personas a la vez!

—¿Por qué no? ¡Los hombres lo hacen!

No di crédito a mis oídos.

—Pero si Diego Rivera ni siquiera sabe que existes —dije—. ¿Has hablado con él? ¿Has hablado con él de verdad, cara a cara, desde aquel día que te colaste en el auditorio?

La respuesta era no, pero a Frida eso no le preocupaba. No sé qué pensaba. ¿Estaba enamorada de Diego? ¿Quería impresionarme con su descaro? No lo sé.

Dio otra calada al cigarrillo.

—¿Me enseñas a hacer eso, Frida? —Tenía que cambiar de tema. Las cosas que Frida me estaba diciendo me daban vértigo.

—No lo sé, escuincla, eres demasiado pequeña. —Pero lió otro cigarrillo y me lo dio.

—¿Qué tengo que hacer? —pregunté.

—¡Póntelo en la boca, idiota!

Me enseñó cómo se encendía, y yo inhalé como le había visto hacer a ella. El tabaco negro barato desprendía un olor horrible y me quemaba la garganta. Intenté no toser, pero sólo conseguí empeorar las cosas. Me dolía el pecho. Me ardían los ojos, que se me llenaron de lágrimas, y me goteaba la nariz.

Frida tuvo un ataque de risa. Se sentó en la cama y me abrazó.

—Pobrecita —dijo conteniendo las carcajadas—. Pobrecita. —Me besó en la mejilla.

Yo también me reí.

—No te separes de mí —dijo dándome unas palmaditas en el hombro—. Te lo enseñaré todo.

—Sí —dije; apagué el cigarrillo y apoyé la cabeza en su regazo—. Eso me temo.

8

IMPASSE

Frida no tardó en encontrar la manera de colarse en el auditorio sin necesidad de llamar a la puerta, y las travesuras que siguieron inspiraron fábulas y leyendas. Lo que me gustaría saber es por qué contaban esta historia una y otra vez. Por qué a aquellas tres personas (Lupe, Diego y mi hermana), tres personas que habían hecho cosas fascinantes en la vida, les complacía tanto reunirse y contarse historias sobre la época de colegiala de una de ellas. Sobre todo, cuando aquella niña le robó el amante a aquella mujer. ¿Usted lo entiende? Frida contaba la historia, Diego la ampliaba, luego lo hacía Lupe, y por último Frida de nuevo. ¿Por qué?

Un día desapareció la comida de Diego, que se puso furioso. Lupe insistía en que la había dejado junto al andamio, pero no estaba allí, y Diego montó un drama, como si se enfrentara a una catástrofe de proporciones trágicas. Él era así. Convertía cualquier pequeño inconveniente en una calamidad. Cualquier inconveniente desde su punto de vista, por supuesto. Porque si él te causaba molestias a ti sentándose en tu sofá y destrozándolo, o si se le olvidaba ir a la cena que tú llevabas tres meses organizando, eso no era más que un descuido perdonable, un error insignificante.

—Aquí hay otra cesta con comida —dijo Lupe—. Debe de haberlo traído alguna de tus admiradoras. —Señaló una pequeña cesta que había en un rincón.

—Hoy no ha venido nadie —repuso él—. Ni Teresa, ni Leonarda, ni Flavia. —Diego tenía un verdadero harén que iba a verlo trabajar, y ¿qué podías llevarle a un gordo como él al que querías impresionar? Comida, por supuesto. Sus admiradoras siempre le llevaban comida—. ¡Esas mujeres me quieren! —gimoteó—. ¡No como tú! Tú dices quererme, pero me estás matando de hambre.

Lupe se encogió de hombros. Diego era un hombre de grandes apetitos. Cuando tenía hambre, tenía que comer. Cuando estaba cansado, tenía que dormir. Cuando estaba caliente, no le interesaba hablar de ello, ni reflexionar sobre si era apropiado o no, ni siquiera pensar si era posible o no. No. Cuando él quería hacer algo, tenía que hacerlo.

Lupe le alcanzó la cesta.

—Toma —dijo—. Debe de haberla dejado una de esas zorras con las que te vas cuando yo no estoy.

Diego metió la mano en la cesta y sacó una suculenta rodaja de sandía, pero sus sensibles dedos de artista detectaron inmediatamente que la textura y el peso no eran los correctos.

—¿Qué es esto?

—Una rodaja de sandía, ¿no? —contestó Lupe.

—No es una rodaja de sandía —gruñó él.

No lo era. Era de papel maché.

—Tienes razón —dijo Lupe—. Qué cosa tan rara.

Investigaron la cesta y encontraron una bandeja tapada llena de enchiladas hechas con tortillas de verdad rellenas de piedras y trapos, flotando en una salsa fangosa; un termo con un líquido pegajoso; pastelitos de papel maché; un plátano podrido.

Frida, que los miraba desde su escondite en la galería del

anfiteatro, no pudo contener la risa. Diego, cautivado y humillado, agarró la cesta y la lanzó hacia el lugar de donde procedían las carcajadas, con tanta fuerza que la cesta se destrozó al chocar contra la pared. Salieron volando piedras y barro. Luego Diego se sentó en el suelo, se tapó la cara con las manos y se puso a sollozar como un huérfano. Lupe volvió a encogerse de hombros y se alejó, indignada.

Diego se levantó y miró a la galería.

—¿Quién está ahí? —gritó.

Frida no contestó.

—¿Quién está ahí? —insistió él. Y entonces, de improviso, echó la cabeza hacia atrás y soltó una risotada. Siguió riendo hasta que le temblaba todo el cuerpo. Lupe también reía, y Frida, adoptando una falsa expresión de mansedumbre, se levantó y se dejó ver.

—¡Tú! —gritó Diego—. ¡Otra vez tú!

No sé exactamente qué ocurrió a continuación, pero supongo que Frida devolvió la comida que Lupe había preparado y que se sentaron a comer juntos.

Mire, ya sé que está muy feo decirlo, bueno, quizá no esté feo pero resulta un tanto pretencioso: a veces creo que Frida era la tonta. No me refiero al coeficiente intelectual, pero Frida era muy infantil. Se emocionaba mucho cuando hablaba de la prepa, incluso cuando ya era una mujer madura. Era como si se aferrara a su infancia, como si viviera en el pasado. Quizá lo hiciera para huir del dolor. No soporto imaginarme a Frida sufriendo. Sobre todo porque a veces yo era la causa de su sufrimiento.

Frida siguió gastándole bromas a Diego durante un tiempo. Una vez se pasó horas frotando los escalones de la entrada del auditorio con una pastilla de jabón. Su propósito era que Diego se resbalara y se cayera de culo, como esos tipos que se resbalaban con una piel de plátano en el teatro de variedades. No me pregunte si no temía que Diego se partiera la crisma. ¿Es así como tratas al hombre con quien quieres tener un hijo? El caso es que Diego no se resbaló. Subió los escalones lentamente, como una rana que avanza y espera, avanza y espera. Pero al día siguiente, el elegante Antonio Caso los bajó con toda tranquilidad, y... ¡se cayó de culo!

Aquello duró varios meses. Un día Frida llenó el sombrero de Diego de barro. Otro día intentó mezclar sus pinturas y le puso una iguana muerta en el bolsillo. Cosas de chiquillos. Tonterías. Hasta que un día todo cambió.

El 23 de noviembre de 1923 hubo una rebelión contra el presidente Obregón. Fue un asunto complicado. Obregón intentaba llevar a cabo la reforma agraria que querían los revolucionarios, pero los terratenientes se defendían con uñas y dientes. Los norteamericanos tampoco le dejaban vivir, porque temían perder sus explotaciones petrolíferas. Poco antes de Navidad, la revuelta se había extendido por toda la ciudad. Obregón sacó el ejército a la calle y murieron siete mil personas. Vasconcelos dimitió, aunque más tarde aceptó volver a su antiguo puesto. Los estudiantes de todo el país se manifestaban en apoyo al ministro de Educación, y los Cachuchas participaban en las protestas, gritando, lanzando botellas, desfilando, pintando graffiti. Todos excepto Frida. Ella se quedó en casa.

—Hay mucho caos —dijo mami—. No quiero que vayas.

Frida protestó diciendo que sus amigos estaban arriesgando la vida, pero mi madre no cedió.

Mi hermana se enfurruñó, pero por una vez obedeció a mi madre. Estaba deseando reunirse con sus compañeros. Se sentía sola e inútil, y también culpable, porque nosotros estábamos tan tranquilos en Coyoacán mientras sus amigos recibían porrazos en la calle. Además, a Frida le gustaba estar en medio del jaleo. Iba de una habitación a otra, buscando algo que hacer. A veces leía, libros sobre arte oriental, sobre impresionismo, sobre totems indios. Para ser una persona que se consideraba una revolucionaria, no estaba muy al día. Nunca leía el periódico. A veces ayudaba a mi madre en las tareas domésticas. Sólo conservábamos unos pocos sirvientes, y siempre había encargos que hacer, ropa que repasar, comidas que preparar, plantas que cuidar. Mami era un ama de casa perfecta, y a todas sus hijas nos enseñó a serlo también. Incluso a la rebelde y alocada Frida. A mi hermana, que se fijaba mucho en los detalles y tenía un toque de artista, le encantaba llenar la casa de objetos, colores, formas. Era capaz de convertir una habitación en una obra de arte con unas cuantas flores, un tapete colocado en el sitio adecuado, una pieza de cerámica o un adorno de papel maché. Le encantaba la artesanía mexicana y sabía cómo combinar un tradicional confidente francés con una silla de madera pintada con colores llamativos, de modo que pareciera que estuvieran hechas para estar juntas. Decoró nuestra habitación, eligiendo cuidadosamente el lugar correcto para cada cuadro, jarro y adornito, y me regañaba si yo cambiaba algo de sitio. Pero la decoración no la llenaba, ni tampoco las interminables obligaciones sociales de su familia mexicana de clase media: visitas a los vecinos, excursiones, recepciones, fiestas, primeras comuniones, bodas y bautizos. Frida iba a esas celebraciones, pero se aburría. Su mente estaba en otra parte.

Mi hermana no pensaba en Diego Rivera. Qué va. Pensaba en Alex. Ya ni siquiera recordaba haber dicho que quería tener un hijo de Diego.

Frida escribía a Alex casi a diario. Pasaba horas y horas componiendo poemas, decorando páginas con dibujos. Nunca me enseñaba esas cartas. A veces ni siquiera me dirigía la palabra, salvo para decir que yo era una escuincla que ni siquiera sabía distinguir a Marx de Santa Claus. Era como si me culpara de todo lo que estaba pasando. Me decía que la dejara en paz, me acusaba de intentar leer sus cartas, robarle los cigarrillos, estropearle la ropa. Y luego, en contadas ocasiones, me abrazaba y me llamaba «muñequita preciosa». Me contaba historias sobre los Cachuchas, sobre las travesuras que habían hecho. Me decía que me quería y que siempre estaría a mi lado para ayudarme, pasara lo que pasara.

Solíamos ir juntas a la iglesia. «Quiero rezar por Alex y por todos los Cachuchas», me decía. Frida se confesaba, y volvía a casa llorando porque había olvidado mencionar algún pecado importante y aun así había comulgado. Y luego, otros días, decía que ya no creía en la confesión. «¿Por qué tengo que confesarle mis pecados a un tipo que lleva faldas? —decía—. ¿Por qué tengo que hablarle de mi relación con Alex, si él nunca ha estado con ninguna mujer y, por lo tanto, no tiene ni idea de nada?»

Llegó enero, y Frida seguía sin matricularse para el semestre siguiente. No quedaba mucho tiempo, pero mami decía que no podía inscribirse en la escuela hasta que la situación en la ciudad se normalizara. Los Cachuchas raramente iban a visitar a Frida, pero mi hermana se enteró de que Alex había empezado a salir con Agustina Reyna. «¡La Reina! ¡Cómo se atreve!», se lamentaba Frida, sollozando en mi regazo.

Pasó enero y la crisis seguía sin resolverse. Frida no volvió a la prepa aquel semestre, y cada vez estaba más triste. ¿Qué podía hacer yo? Intentaba consolarla, pero si quiere que le diga la verdad, Frida no era una compañía muy agradable. Además, yo también tenía mis amigos.

Un buen día, Frida tomó una decisión.

—No me importa lo que diga mami —anunció—. Me voy a la ciudad. Tengo que ver a Alex.

9

REVELACIONES

A veces tengo la sensación de que he vivido toda mi vida a través de Frida. Ella era la que tenía aventuras, ella la que experimentaba emociones magníficas. Yo vivía una vida de segunda mano, igual que me ponía la ropa vieja de Frida. Mi primera experiencia amorosa fue la de Frida y Alex. Yo tenía caprichos pasajeros, y había chicos que me guiñaban el ojo y me echaban piropos, pero los deliciosos sufrimientos secretos, los volcanes que derramaban lava en mi pecho, la sensación de disolverme en sus brazos, eso no lo sentí con nadie, sino que lo conocí a través de Frida y Alex. Mi primer beso fue el primer beso que Alex le dio a Frida. Frida siempre había estado antes que yo en todas partes. El primer amor de mi vida había sido suyo antes que mío. Hay hermanas que, aunque estén muy unidas, llevan vidas independientes y cada una va hacia su propio destino. Pero ése no es mi caso. La verdad es que sin Frida no hay Cristi.

Respecto al amor, yo lo sabía todo y no sabía nada. Me refiero a cuando tenía unos quince años. Conocía la mecánica de lo que pasaba entre un hombre y una mujer, por supuesto. A pesar de que mi abuela opinaba que los perros deberían llevar pañales para que no se les vieran los genitales, con una hermana como Frida, ¿cómo no iba a saber yo qué era lo que había que meter y dónde? Pero lo que sentías cuando estabas con un chico, todo eso, lo experimenté a través de Frida.

El día que mi hermana fue a ver a Alex a la ciudad hubo muchos malos agüeros. La atmósfera estaba cargada, amenazadora. Unos penachos de algodón tiznado cubrían el cielo. El viento sacudía un árbol, cuyas ramas se agitaban violentamente. Una caja de madera revoloteaba describiendo círculos, hasta chocar contra la fachada de una iglesia. ¿Que cómo lo sé? Porque me lo contó ella, por supuesto. Un montón de veces. O quizá he reconstruido aquella escena en mi mente tantas veces que es como si lo hubiera visto con mis propios ojos.

Alex estaba sentado en el borde de la cama. Frida estaba acurrucada a su lado, con la cabeza apoyada en su pecho. Una madre llamó a su hijo: «¡Entra, Pancho! ¡Va a empezar!» Un vendedor ambulante llamó a su ayudante: «¡Corre, mete las cosas en el carro! ¡Acaba de caerme una gota!» Alex le cogió la barbilla a Frida y le levantó la cabeza.

«No te preocupes, princesa, es sólo lluvia.» Es como si yo hubiera estado allí, como si hubiera sido a mí a la que... He vivido tantas veces ese momento, en mi mente, en mis sueños. No sé cómo era realmente aquella habitación de hotel. Y sin embargo puedo verla: sencilla, con muebles rústicos, una jofaina, una lámpara de aceite. El olor a moho. El aire húmedo y caliente.

Alex la besa con dulzura, primero en la frente, luego en las cejas, en los ojos. Como en una película. Frida nota los dedos de Alex deslizándose por su brazo. El pulgar describe un círculo alrededor del codo, y ella se estremece de placer.

—Alex —susurra—. ¡Alex, protégeme de la tormenta!

—Como Emma Padilla en... ¿cómo se llama esa película?

—¿Qué puedo hacer para protegerte de la tormenta? —pregunta él—. ¡No puedo impedir que llueva!

—¡Alex!

—Aquí estás a salvo. No te inquietes por la tormenta.

—Te quiero, Alex. ¡Dime que me quieres!

Él le acaricia suavemente la mejilla con los labios, y luego la besa en la boca. Ella lo abraza, aprieta su boca contra la de él, desliza la lengua entre sus dientes. Alex desliza la mano bajo su blusa y le acaricia la espalda. Cosas que nunca enseñan en las películas, o al menos antes no las enseñaban. Pero cuando cierro los ojos lo veo todo. Frida siente el calor de él corriendo por sus venas. Se desabrocha la blusa y se la quita.

Qué sensiblero, ¿verdad? Ya sé lo que piensa. A Cristina Kahlo le gustan las escenas de amor sentimentaloides. Supongo que si hoy en día alguien me hablara del polvo que echó en un hotel barato no tendría la misma sensación, pero tenga en cuenta que cuando Frida me contó esa historia yo tenía quince años. A esa edad las muchachas son muy impresionables cuando se trata del amor, sostenes y esas cosas. Y ésas son las imágenes que me han acompañado todos estos años.

—Alex —dijo ella, suplicante—. ¡Dime que me quieres!

Las primeras gotas de lluvia repiqueteaban en la ventana. Los penachos de algodón se habían oscurecido.

Frida se colocó de modo que sus pechos quedaran a la altura de los labios de Alex. Oscilando suavemente de un lado a otro, le acarició la boca con los pezones.

—Bésame —insistió—. Bésame, Alex.

Estaba embriagada, y sin embargo empezó a notar una punzada bajo el esternón.

—Así, Alex. Me encanta. ¡Pero dime que me quieres!

Frida le desabrochó la camisa y se la quitó. Le besó la espalda, los hombros, el húmedo vello del pecho.

—¡Dime que me quieres!

—Mi pequeña Frida. Mi pequeña colegiala.

—¡No me llames pequeña Frida! ¡No me llames colegiala! Te quiero, Frida. Dilo, Alex. Dilo. —¿Qué sentía Frida en ese momento? El miedo mezclándose con el dolor, haciendo

171

que la punzada bajo el esternón se expandiera y le impidiera respirar.

—¿Qué pasa, Alex?

—Nada, Frida. Nada, princesita.

Frida no tuvo más remedio que preguntárselo. No quería hacerlo, pero no pudo evitarlo. La incertidumbre la estaba matando.

—Alex, ¿es verdad que te has acostado con la Reina?

—Fridita —murmuró él—. Me prometiste que no volveríamos a hablar de eso.

A veces los hombres son tan crueles, tan traidores.

—¡No estoy enfadada! ¡De verdad, no lo estoy! —dijo Frida.

—Por favor, Frida —insistió él—. Sólo fue un accidente, no significó nada. No quiero volver a hablar de Agustina Reyna.

—De acuerdo. Es una chica encantadora, y si la amas... bueno, si tú la amas, yo también la amo.

Se quedaron largo rato allí tumbados. Luego Frida volvió a empezar:

—Alex...

—¿Mmmm?

—¿Crees que algún día iremos a San Francisco? Ahora que voy a trabajar, puedo ahorrar dinero.

Frida quería trabajar al salir de clase, y durante las vacaciones, cuando volviera a la prepa. Pero no lo iba a hacer para ahorrar dinero e ir a San Francisco, sino para ayudar a papá a poner la comida en la mesa, porque su negocio estaba en la ruina. De momento, Frida ayudaba a mi padre en su estudio, pero eso no contaba, porque no ganaba ningún dinero. Había conseguido un empleo decente en una farmacia, pero la despidieron por cometer errores de contabilidad. Al final de la jornada siempre le faltaba dinero. Se suponía que se le daban muy bien las matemáticas, pero por algún motivo no conseguía cuadrar las cuentas. Sin embargo, ella quería trabajar, porque se sentía culpable. Al fin y al cabo, ¿por qué andábamos tan mal de dinero? La salud de Frida, sus gastos médicos, sus estudios...

Alex no le contestó. Le cogió la mano y se la besó: primero la palma, luego el dorso y finalmente la muñeca.

—¿Sabes qué es lo que más me gusta de trabajar en el estudio de mi padre? —dijo ella—. Que lo tengo más fácil para escaparme e ir a verte.

Alex sonrió y le acarició los pechos. Frida tenía unos pechos hermosos, suaves y firmes. No me extraña que le gustara pintarse desnuda. Le encantaba ponerse delante del espejo y contemplar su cuerpo. Tenía unos pechos espectaculares para su edad.

Había algo que no iba bien. Alex seguía correctamente los pasos, pero al mismo tiempo cada vez estaba más distante. Frida se apoyó contra él, y Alex quedó tumbado en la cama. Frida se retorcía encima de él. Alex tenía una erección y estaba a punto, pero lejos de allí.

La tormenta empezaba a tomar proporciones bíblicas. Unos gruesos goterones golpeaban los cristales de la ventana.

—Odio tener que ir a un hotel —se quejó Alex—. No estoy nada cómodo en este cuchitril.

—A mi casa no podemos ir. Está demasiado lejos, y además mi madre no sale casi nunca. Ni siquiera quiere que seamos novios. Imagínate lo que diría si se enterara de que hacemos el amor.

Alex se rió.

—A tu casa tampoco podemos ir —añadió Frida—. Aunque no estén tus padres, están los criados. ¿Es eso, Alex? ¿Es eso lo que te pasa?

—No me pasa nada —susurró él, atrayéndola hacia él.

Un relámpago iluminó el cielo, y unos segundos más tarde, un trueno resonó por las calles. La lluvia golpeaba el suelo con violencia, y el viento amenazaba con arrancar los árboles.

Frida se quitó la falda y la dejó caer al suelo. Luego se desabrochó los feos zapatos y se quitó las medias. Dobló cuidadosamente la ropa y la dejó en una silla. Escondió los zapatos debajo de la falda y la blusa, para que no se vieran. Alex se estaba desabrochando los pantalones.

Frida hacía el amor con verdadera maestría, como si fuera una experta cortesana en lugar de una colegiala. Estaba muy orgullosa de su refinamiento, y alardeaba de él constantemente.

Alex cerró los ojos, gimoteando.

—Déjame a mí —susurró Frida—. Sé lo que te gusta. La pequeña Frida sabe lo que te gusta.

Se movían con la precisión de dos consumados bailarines, subiendo y bajando, elevándose, brincando, respirando al ritmo de la lluvia. Así fue como lo describió Frida.

Cuando acabaron, se quedaron abrazados, escuchando la lluvia contra el cristal. El viento había amainado. Ya no se oían truenos. Las gotas de lluvia ya no parecían dagas, sino esferas. Alex cerró los ojos. Tras asegurarse de que se había quedado dormido, Frida se dio la vuelta y miró por la ventana, contemplando el denso cielo gris.

Se sentía terriblemente sola.

—Cuando era pequeña —me dijo—, y me sentía como me sentí entonces, junto a Alex, podía conjurar a Frida Zoraída.

Una lágrima resbaló por su mejilla; ella se la secó para que Alex no la viera. ¿Qué importa que me vea llorar?, se reprochó. Además, está dormido. Pero volvió a tocarse las mejillas para comprobar que estaban secas.

10

INFRACCIONES

Habían pasado tres años desde que Frida se colara en el anfiteatro Bolívar para ver trabajar a Diego. Hacía mucho tiempo que Diego ya no trabajaba allí, y Frida ya no era aquella niñita que había embestido contra la puerta y se había enfrentado a Lupe Marín. Seguía siendo intrépida y amante de las diversiones, insolente y malhablada, pero ahora era una mujer. Tenía la mirada franca y audaz de quien conoce las normas y ha decidido desobedecerlas.

La alegoría de Diego había provocado una fuerte controversia. Los comediantes hacían chistes sobre ella. En los periódicos, los dibujantes hacían caricaturas. Pedro Henríquez Ureña, el famoso intelectual dominicano, la ponía por las nubes. Antonio Caso, pese a sus tendencias conservadoras, calificaba a Diego de genio. Alex lo encontraba repulsivo, pero quizá fuera sólo por celos. Otro estudiante decía que la Mujer de Rivera, para la cual había posado Lupe, era la mujer más fea que jamás había visto. Las damas de la alta sociedad decían que había que cubrir aquellas pinturas con cal, y los estudiantes conservadores las destrozaron.

Frida adoraba en aquella obra la maestría con que Diego

combinaba todo lo aprendido en Europa con una energía genuinamente mexicana. Aunque la había pintarrajeado, ella seguía viéndola en su forma más pura y magnífica.

Con todo, Frida no tenía mucho tiempo para pensar en los murales de Diego. Ahora tenía que concentrarse en buscar un empleo, porque nuestra situación económica era crítica: corríamos el peligro de perder la casa. Yo había dejado mi empleo en la imprenta y había entrado a trabajar en una tienda de confecciones. Frida trabajó un tiempo en una fábrica, de lo cual estaba muy orgullosa, porque se había hecho comunista y le gustaba estar rodeada de obreros. Pero pronto se cansó de aquello. Siguió un curso de taquigrafía y mecanografía en una escuela de secretariado, con la idea de trabajar en una oficina, pero aquello tampoco resultó. En aquella época, casi todos los secretarios eran hombres, y cuando ibas a solicitar un trabajo, si había un hombre que aspiraba al mismo puesto, seguramente lo conseguía él, no tú, pese a que las viejas normas, en teoría, estaban en desuso. Pese a que, en teoría, la Revolución había eliminado los viejos tabús.

Frida estaba insoportable. Se sentía frustrada porque no podía ir a la universidad con sus amigos y porque no encontraba el empleo idóneo. Como de costumbre, se desahogaba conmigo. ¿Cómo podía ser que yo, la estúpida, la inútil, la regordeta, tuviera un empleo y un novio, y que ella no tuviera nada? Lo que más rabia le daba era lo del novio, porque Alex se había vuelto prácticamente invisible. Eusebio Vega, un chico del barrio con muslos robustos y anchos hombros, venía a visitarme los domingos desde hacía un tiempo. Frida opinaba que era como un buey, y decía que era ideal para mí porque era incapaz de ver una película entera sin dormirse, pero creo que estaba celosa porque su mundo se estaba desmoronando.

«No tengo nada que perder», dijo cuando se enteró de que había una vacante en la biblioteca del Ministerio de Educación.

Se marchó a la ciudad al amanecer. Hacía una mañana espléndida, y los gritos de los vendedores ambulantes debieron de traerle recuerdos de aquellas maravillosas mañanas que había pasado con Alex.

«En el mostrador de la biblioteca había montañas de papeles», me contó Frida. Un empleado increíblemente lento buscó los formularios, y mientras Frida los rellenaba por triplicado, echó un sueñito. ¡La burocracia mexicana! Ni siquiera la Revolución había podido acabar con ella. Una mariposa perezosa se posó en el alféizar de la ventana, batiendo las alas lánguidamente.

¿Cómo que me lo estoy inventando? ¿Se refiere a lo de la mariposa? Bueno, y ¿qué? Así es como yo me imagino la escena. Lo hago lo mejor que puedo. Mire, yo no estaba allí. Tengo que contarle la historia tal como Frida me la contó a mí. ¿Qué hay de malo en que la adorne un poco? Lo único que intento es... A ver, ¿quiere que se lo cuente, o no? Muy bien. Entonces no me interrumpa, por favor.

Frida leyó la lista de preguntas irrelevantes, y luego las contestó una por una. Y entonces... entonces... ¿Ve lo que pasa cuando me interrumpe? Ya no sé por dónde iba. Bueno, cuando terminó, le entregó los formularios al empleado. Al hombre aquel le fastidiaba mucho que lo hubieran molestado, pero cogió unos sellos de su escritorio y los estampó en los papeles.

—Ya la llamaremos —dijo señalando la puerta.

Pero Frida no se rendía tan fácilmente.

—Un momento —dijo—. Yo necesito ese trabajo ahora, no el año que viene. ¿Cuándo me llamarán?

—Escuche, señorita —repuso el empleado—, eso tiene que decidirlo el bibliotecario jefe, y ahora no se encuentra aquí.

—¿Dónde está? —preguntó Frida, irritada.

—Todavía no ha llegado.

—¿A qué hora vendrá?

—¿Cómo quiere que lo sepa? No soy más que un empleado.

El típico funcionario mexicano. Un engranaje más del inmenso sistema burocrático. Su trabajo se limitaba a entregar formularios y recogerlos, ¿entiende? Nada más. Y Frida esperaba que aquel individuo le ofreciera trabajo inmediatamente. Frida, la inteligente. Podía hablar durante horas de Freud, Marx y Darwin, y sin embargo no entendía que un simple empleado sólo podía hacer su trabajo, es decir, entregar formularios.

—No pienso esperar a que me llamen —dijo—. Volveré más tarde.

—Como quiera, pero dudo mucho que sirva de algo. Vuelva hacia la una, si quiere.

A la una en punto estaba de nuevo ante el mostrador. «Estaba roncando», me dijo Frida.

—¿Dónde está el director? ¿Ha visto ya mi solicitud? —preguntó. El empleado levantó la cabeza y, haciendo un gran esfuerzo, abrió los ojos.

Una joven, seguramente una estudiante o una oficinista, entró en el despacho sin decir nada, agarró un montón de papeles y se dirigió hacia la puerta.

—Tu sonrisa brilla más que el amanecer —dijo el empleado lánguidamente.

La joven rió y respondió:

—Siga durmiendo, abuelo.

—¡Los ángeles del cielo lloran porque el ángel más hermoso ha bajado a la tierra a visitar la biblioteca! —contestó él.

La muchacha rió, resignada, y sacudió la cabeza. Luego salió por la puerta.

«¡Imagínate! —me dijo Frida—. Yo esperando una respuesta en una situación que prácticamente es de vida o muerte. Al fin y al cabo, corremos el peligro de perder la casa. Y ese zopenco me ignora por completo y se dedica a coquetear con una mocosa.»

Frida carraspeó para recordarle al empleado que seguía allí.

—¿Cómo dice? Ah, sí, el director. Pues sí, ya vino, pero no tuvo tiempo de estudiar las solicitudes.

—Déjeme hablar con él —insistió Frida.

—Usted no puede hablar con él, señorita. ¡Es el bibliotecario jefe!

«Las palabrotas acudían a mi boca —me explicó Frida—, pero por una vez me contuve. Sabía que si me enemistaba con aquel inútil jamás conseguiría el empleo. De modo que le pregunté educadamente si al menos podía ver al director. Me contestó que no. ¿Por qué no?, le pregunté. Porque se salió a comer, me contestó. ¡Estuve a punto de agarrar a aquel tipo por las pelotas! ¿A comer?, dije. ¡Pero si sólo es la una! ¡La biblioteca no cierra hasta las dos! Mire, dijo el empleado, vuelva esta tarde. Yo mismo le daré su solicitud al director.»

Creo que aquel hombre sólo intentaba ser cortés, pese a que Frida se estaba poniendo muy impertinente.

Volvió a la biblioteca a las cuatro, pero el bibliotecario jefe todavía no había regresado; ella volvió a intentarlo a las siete, pero él ya se había marchado.

—Mañana seguro que lo encuentra —dijo el empleado.

—¡Carajo! —exclamó Frida—. Ya sé lo que pasará mañana. Cuando yo venga, ese desgraciado todavía no habrá llegado. Y si vuelvo más tarde, habrá salido a comer. ¡Así podemos pasarnos semanas! —Mi hermana era muy astuta. Se estaba desquitando con el empleado.

No recuerdo bien qué ocurrió a continuación, porque Frida no me lo contó justo después de que pasara, como había hecho con la primera parte de la historia. Esta parte la oí más tarde; Frida me la contó, pero también se la oí contar a Alex Gómez Arias, y después a Diego, a Tina Modotti (una joven que acabó haciéndose amiga de Frida) y a muchos más, ninguno de los cuales presenció la escena. Supongo que cada uno había oído una versión diferente, de Frida y de los demás, y que luego habían adornado la historia según sus opiniones particulares. Ya le digo que Frida también me la contó, pero más tarde, no el día que sucedió. Cuando me la contó a mí, seguro que ya la había reinventado mentalmente cientos de veces. De todos modos, ¿qué es la verdad?

Creo que lo que pasó a continuación fue que una atractiva mujer salió de un despacho y preguntó a Frida si podía ayudarla en algo.

Frida describió a aquella mujer con todo detalle. Iba elegantemente vestida y llevaba las manos muy cuidadas; al parecer, había oído la conversación con el empleado y se había hecho una composición de lugar. Llevaba un vestido largo y holgado, azul marino, que no le marcaba ni el pecho ni las caderas. El cuello era muy sencillo, pero adornado con un largo collar que le llegaba casi hasta la cintura. Llevaba el cabello corto y con permanente. Las medias eran de color carne, y no negras, como las que se llevaban entonces. No se parecía en nada a la clásica bibliotecaria.

—¿Tiene usted algún problema? —preguntó.

—¡Ya lo creo! —gruñó Frida. Pero inmediatamente bajó la voz—. Mire —dijo—, lo siento, pero llevo todo el día intentando presentar una solicitud, y...

—Venga conmigo —dijo la mujer.

Se llamaba Leticia Santiago. Llevaba cinco años trabajando en la biblioteca y sabía lo frustrante que podía llegar a ser la burocracia, pero también sabía cómo ahorrarse los papeleos. Condujo a Frida a un pequeño despacho situado en la parte trasera del edificio. En las paredes había fotografías de diversos cuadros: dos desnudos tahitianos de Gauguin, un acróbata de Picasso, y la Mujer de Diego Rivera. Frida estaba encantada.

—¡Oh! —exclamó—. ¿Le gusta Rivera?

—Sí —respondió Leticia—. Me gusta mucho. ¿Y a ti? —Esbozó una sonrisa y le acarició los rulos a mi hermana. Hacía tiempo que a Frida había vuelto a crecerle el cabello, y ahora tenía una larga cabellera que a veces llevaba suelta y a veces recogida.

—Sí.

«Me pareció que Leticia me miraba de un modo un poco extraño —me explicó Frida—. Su tono era muy amable, pero sus ojos eran negros como el carbón, y su mirada me intimidaba. Yo no sabía qué hacer.»

—Mira —dijo Leticia—, yo me encargaré de tu solicitud personalmente. No te preocupes. Mañana a las diez lo tendré todo arreglado.

Aquello sonaba perfecto. ¿Por qué poner en duda un golpe de suerte como aquél? Sin embargo, Frida vaciló.

—¿Ocurre algo?

Frida no quería molestar a aquella mujer. Pensó rápidamente y dijo:

—Perdone que se lo pregunte, pero... ¿qué hay del sueldo?

—Te aseguro que estarás satisfecha con tu sueldo —respondió Leticia.

Frida alejó definitivamente las dudas de su mente. ¡Había conseguido el empleo! Era la primera cosa buena que le pasaba desde hacía semanas.

—Por fin —le dijo a papá—. Ahora podré hacer una verdadera contribución. Y el trabajo es muy interesante. Me han asignado al departamento de adquisiciones. —Pero ni a mi padre ni a mí nos habló de Leticia.

Papá estaba desolado. Le fastidiaba mucho que Frida tuviera que trabajar. No quería que su hija abandonara los estudios, como había hecho él. Le dio un beso en la mejilla.

A la mañana siguiente, Frida llegó muy temprano a la biblioteca, pero Leticia ya estaba allí. La bibliotecaria llevaba un vestido amarillo que le llegaba hasta las rodillas, con la cintura baja y un lazo blanco en el cuello, adornado con una gargantilla y un largo collar de perlas. En la cabeza llevaba un turbante blanco. ¿Que cómo recordaba Frida todos esos detalles? Supongo que porque le daba tanta importancia como Leticia a la ropa. O quizá porque Leticia era una mujer fascinante.

A Frida aquel atuendo le pareció a la vez muy atractivo e intensamente intimidante. Comparada con las amigas de mami, que seguían la moda más conservadora, o con las colegialas de la prepa, que todavía llevaban la falda tres dedos por encima del tobillo, aquella mujer era una auténtica radical. Frida era muy meticulosa con la ropa, casi obsesiva, pero ahora, de pronto, se sentía dejada. La falda que llevaba era demasiado larga, las medias demasiado oscuras, y el jersey demasiado sencillo. De todos modos, se daba cuenta de que con la pierna derecha atrofiada, ella nunca podría ponerse aquellas faldas tan cortas ni medias tan claras.

Leticia la llevó a su despacho y le explicó en qué consistía su trabajo. Frida contemplaba los labios de la mujer mientras hablaba. Los llevaba perfectamente pintados.

—¿Lo has entendido todo, querida?

—Sí, creo que sí. —Leticia era una mujer alta, y al inclinarse para recoger las microfichas del escritorio, le rozó ligeramente el hombro a mi hermana con el pecho.

—Mira, en ésta lo que tienes que hacer es buscar la subclasificación. —Le tocó la mano a Frida mientras señalaba un punto de la tarjeta.

«¿No tuviste vergüenza?», le pregunté a Frida. Pero para ella el sexo no tenía ninguna dimensión moral. Todo lo que era interesante, todo lo que te hacía sentir bien, estaba bien. Frida ya se había deshecho de sus prejuicios burgueses, incluso antes de afiliarse a la Liga de Jóvenes Comunistas.

—¿Te pongo nerviosa? —le preguntó Leticia.

—No, qué va —contestó Frida—. Pero creo que ya puedo hacerlo sola.

—Todas podemos hacerlo solas —murmuró Leticia—, pero es más agradable cuando lo haces con otra persona.

Aquí la historia se vuelve confusa. Según Alex, la bibliotecaria cogió a Frida por la cintura y la abrazó, y Frida estaba tan aturdida que no opuso resistencia. Según Diego, Frida se sintió atraída por el dulce y floral aroma de Leticia, y de hecho fue ella la que dio el primer paso. Según la versión de Frida, Leticia, de repente, trazó una línea sobre su boca con el dedo índice y dijo: «Tienes un poco de bigote. Es adorable.» Entonces Leticia pasó el dedo por la frente de Frida. «Y también me gusta cómo se juntan tus cejas. Parecen alas de pájaro.» Hubo un tiempo en que Frida se avergonzaba de su bigote y sus gruesas cejas, pero había aprendido a amarlos, e incluso los destacaba en sus cuadros. La gente que a ella le importaba los encontraba atractivos; aunque, si quiere que le diga la verdad, a mí nunca me gustaron.

Leticia le cogió la cara y la besó suavemente en los labios.

—¿Alguna vez has hecho el amor con una mujer? —susurró—. Es mucho más bonito que hacerlo con un hombre. Las mujeres nos entendemos mejor, y sabemos lo que quiere nuestra compañera. —Empezó a acariciarle el cuerpo suavemente, ejerciendo presión en las partes más sensibles.

¿Le incomoda esta historia? ¿Quiere que pare? Usted dijo que quería saberlo todo, y yo intento complacerlo. ¿Seguro que quiere que continúe? De acuerdo, pero si quiere que cambie de tema, sólo tiene que decírmelo. Tratándose de Frida, hay mucho de que hablar. Si no quiere oír esta historia, puedo contarle otra.

—¿Lo ves? —dijo Leticia—. ¡No es como con un hombre! Los hombres te agarran como si fueras un objeto, pero las mujeres somos mucho más sensibles. Déjame a mí, cariño. ¿No te encanta? ¡Házmelo tú a mí! —Se quitó el holgado vestido con un solo movimiento del brazo. Se quedó plantada enfrente de Frida, con la ropa interior, las medias y los zapatos de tacón, y con el collar de perlas señalando provocativamente su pubis. Tenía los pechos grandes y redondos, pero el sostén minimizaba su tamaño. Los calzones de crep de China tenían unos bordados espléndidos.

¿Que cómo me sentí? No lo sé. No me gustó. Yo no iba a una escuela moderna donde los alumnos aprendían ideas revolucionarias. No formaba parte del movimiento disidente que rechazaba las convenciones. Estaba... no sé, impresionada. Sí, eso es. Me causó una gran impresión enterarme de las actividades poco ortodoxas de Frida. Yo era una buena católica, y lo único que quería era casarme y tener seis hijos, aunque mis esperanzas no se cumplieron del todo... Pero por entonces yo soñaba con eso. Después me volví más tolerante, más transigente. Comprendí que Frida tenía razón. ¿Por qué no puedes hacer lo que te hace feliz? ¿Por qué no puedes aceptar el amor donde lo encuentras, sin importar quién te lo ofrece? ¿Qué tiene que ver la moral con el sexo? Puedes tener una relación con quien quieras, siempre que no le hagas daño a nadie. Lo malo es que con la relación que tuve yo sí le hacía daño a alguien.

—¿Lo ves, preciosa? —Leticia seguía hablándole a Frida con un ronco susurro—. Las chicas modernas no necesitan a los hombres para nada. Pueden encargarse ellas mismas de satisfacer sus necesidades.

«Sus pechos eran como dos jugosos melones», me dijo Frida.

¿Que qué hice yo? Me puse a llorar.

«Las manos de Leticia eran suaves como guantes de seda, pero sus nudillos eran maravillosamente duros —prosiguió Frida. Me estaba torturando—. ¡Era fantástico!», murmuraba una y otra vez. Disfrutaba haciéndome sufrir. Le encantaba que yo encontrara asqueroso lo que ella estaba haciendo.

Para Leticia Santiago, tener una aventura amorosa resultaba fácil. Leticia tenía su propio despacho, y además conocía todos los rincones secretos de la biblioteca. Por si fuera poco, tenía un apartamento en la calle Aguascalientes, encima del taller de un mecánico, donde vivía con su transigente hermana y con una criada que compartía sus inclinaciones.

Sin embargo, en la biblioteca no había ni un empleado que no supiera que Leticia Santiago era lesbiana; estaba constantemente sometida a vigilancia y era objeto de continuos comentarios. Y no tardaron en relacionar a Frida con ella. De modo que el escándalo llegó a oídos de mi madre.

El volcán entró en erupción una noche, cuando Frida llegó a casa del trabajo, poco menos de un mes después de haber conocido a Leticia Santiago. En cuanto Frida entró por la puerta, mami la agarró por el pelo y empezó a zarandearla. Fue un espectáculo espantoso. Yo me escondí detrás de Inocencia, en la cocina. Mi madre le pegaba bofetadas, la aporreaba, le daba patadas, le tiraba de las orejas, le mordía las manos, gritando sin parar: «¡Puta! ¡Desgraciada! ¡Zorra! ¡Virgen santísima! ¡Madre de Dios! ¡Guarra! ¡Pervertida! ¡Eres peor que Maty! ¡Peor que Maty!» Gritaba y gritaba, hasta que le dio un violento ataque de tos.

A Frida ni se le ocurrió levantar una mano para defenderse.

Finalmente, mi madre se desmayó y se derrumbó en una butaca. Rufina y Manuel le llevaron sales. Yo me puse a abanicarla y darle palmaditas en las mejillas. Fue por ese tiempo cuando mami empezó a tener ataques parecidos a los de papá.

Yo no tenía ni idea de qué estaba pasando. Frida todavía no me había contado lo de Leticia, y no me imaginaba qué podía haber hecho mi hermana para provocarle semejante histeria a mi madre. Papá se limitaba a contemplar la escena con expresión de abatimiento. Pasó varios días sin decirnos nada a ninguna.

Un día llamó a la puerta de nuestro dormitorio y dijo:

—Ven, Fridita. Te he encontrado otro empleo. Éste te irá mejor.

Fernando Fernández era un dibujante publicitario que conocía a mi padre desde hacía años, y por amistad le ofreció a Frida un puesto de aprendiz remunerado. Su estudio estaba lleno de grabados, pero los que a Frida le gustaban más eran los del impresionista sueco Anders Zorn. Sus jóvenes campesinas bañándose, exuberantes y vivaces, eran tan inocentes y tan libres de toda culpa que parecían burlarse de las rancias convenciones de clase media que ahora Frida detestaba más que nunca. «Yo soy como esas muchachas —decía—. No me importa lo que piensen los demás. Chapotearía desnuda en Xochimilco, y no me importaría que vieran mi cuerpo desnudo.»

Pero eso no era del todo cierto. El episodio con Leticia había dejado en ella profundas heridas. Ahora los demás veían a Frida con otros ojos, y no creo que ella se sintiera muy cómoda con su nueva imagen.

Fernández quería que Frida aprendiera a dibujar, y le propuso que copiara a Zorn. Frida no se cansaba de hacer bocetos. «Dice que tengo un gran talento —me dijo mi hermana.» Trabajaba sin descanso para dominar la técnica—. «Dice que podría dedicarme a dibujar.»

Pero Frida no quería dedicarse a dibujar. Todavía quería ser médico, aunque sabía que seguramente jamás entraría en la universidad. «De todos modos, seguramente sería un médico malísimo —concedió—, porque la idea de pasarme el día metiéndole el dedo en el culo a la gente para ganarme el sustento me da náuseas.»

Fernández seguía animándola. «Dice que soy una chica excepcional.» Yo imaginaba qué estaba pasando. Fernández estaba adulando a Frida, engatusándola, y ella estaba deseando tener una aventura, porque después de lo ocurrido con Leticia, tenía que demostrarse que todavía atraía a los hombres. Fernández era un hombre maduro, y amigo de papá, pero según Frida tenía una hermosa boca que temblaba ligeramente bajo su bigote.

El romance con Fernández no duró mucho, pero Frida aprendió a dibujar.

¿Si se enteró mi padre? Nunca dijo nada, pero poco después de que Frida dejara al grabador, él se volvió más taciturno que nunca, y entonces ocurrió algo. ¿Creía que lo estaban castigando, o se estaba castigando a sí mismo por dejar que Frida fuera a trabajar y se enredara con Leticia y luego con Fernández?

Pese a nuestros problemas financieros, papá había conseguido comprarse una lente Zeiss, gracias a las grandes economías de mi madre. La encargó directamente en el taller Zeiss-Abbe de Alemania, y le dio instrucciones al fabricante de que se la guardara hasta que algún alemán que viajara a México pudiera traérsela personalmente. Hacer que se la enviaran por correo habría sido una locura, porque el correo de México era tan impredecible como una yegua preñada. Pasaron meses hasta que apareció un mensajero, pero finalmente un periodista alemán que iba a escribir un artículo sobre Obregón entregó el tesoro a mi padre.

Papá estaba emocionado. Examinó su lente para ver si tenía algún defecto. Le daba vueltas y vueltas con las manos. La sostuvo contra la luz y la limpió cuidadosamente con una gamuza especial; luego la metió en su caja y se la llevó al estudio.

Al día siguiente, la sacó una vez más de la caja para admirarla, antes de marcharse a trabajar. Y entonces ocurrió algo espantoso: a mi padre se le nubló la vista, y empezaron a temblarle las manos. La lente se le escapó, rodó por la mesa y cayó al suelo. Papá se quedó allí de pie, contemplando el cristal rajado, el cristal perfectamente pulido que él había tardado casi un año en acariciar. Me pareció que sus ojos, húmedos pero por una vez bien enfocados, querían saltar de la cabeza y recoger los fragmentos brillantes. Semanas, meses, incluso años más tarde, papá todavía intentaba averiguar la causa de aquel grotesco accidente. ¿Se había asustado? ¿Había tropezado con la mesa? No lo recordaba. ¿Había tenido un ataque epiléptico leve? Lo único que recordaba era una repentina e inexplicable debilidad de la muñeca, la angustiosa sensación de que el cristal resbalaba de su mano, y la terrible imagen de la lente recorriendo la mesa, y luego cayendo, cayendo, cayendo. Mi padre la veía estallar en un millón de fragmentos que salían despedidos hacia arriba a cámara lenta.

Sólo que la lente no se había hecho añicos. Cuando mi padre se recuperó, se dio cuenta de que sólo se había rajado, lo cual era, en cierto modo, peor. Si hubiera quedado destrozada, él habría podido recoger los pedazos y llorar. Pero allí estaba la lente, aparentemente entera, aparentemente intacta, y sin embargo completamente inútil.

Papá la recogió del suelo con tanto cuidado como si se tratara de un recién nacido muerto. La envolvió con un trapo de franela y la guardó en la caja. Frida y yo habíamos presenciado el accidente, pero no dijimos nada. Mami estaba en otra parte de la casa, o quizá había ido a la iglesia, no me acuerdo. Mi hermana y yo sabíamos que aquel tenía que ser nuestro secreto, un secreto que teníamos que compartir con papá. Ambas comprendimos, aunque él no dijo nada, que no debíamos decirle ni una palabra a nadie sobre lo ocurrido. Mi padre recogió sus cosas y se marchó a trabajar como si no hubiera pasado nada.

No podía contárselo a mi madre. ¿Cómo iba a decirle que con todos sus sacrificios sólo había conseguido una lente rota? Pobre papá. Creo que él tenía la sensación de que la lente se había roto por voluntad propia, de que aquello era un castigo por arruinarse y estropear las posibilidades de Frida de estudiar medicina. Creo que pensaba que todo (el destino, su padre, su debilidad física, los acontecimientos políticos, hasta los objetos que había en la casa) conspiraba contra él. Creo que pensaba que, desde el día que se cayó y se lastimó la cabeza hasta el día que se le cayó y se le rompió la lente, una constante sucesión de desastres lo habían convertido a él en un fracasado.

Y la mañana no había hecho más que empezar. Cuando salió a la calle, mi padre volvió a marearse. El aire era frío y húmedo. Debía de estar pensando en qué iba a hacer en su estudio de la Ciudad de México. No había trabajo. Quizá intentara fingir que estaba ocupado, limpiando su material. Quizá apareciera algún cliente. En la puerta había un letrero que rezaba: «Guillermo Kahlo, especialista en paisajes, edificios, interiores, fábricas, etc.» Siempre cabía la posibilidad de que alguien le pidiera que hiciera una fotografía de... ¿De qué? ¿De una refinería? ¿De un terreno? Si se lo pedían, mi padre también hacía retratos, aunque no le gustaba fotografiar a personas, a menos que se tratara de multitudes. Con las multitudes, lo importante no era el individuo, sino la escena en general. «¿Por qué voy a hacerle una fotografía a alguien e intentar que parezca atractivo? —solía decir—. ¿Por qué voy a hacer yo hermoso lo que Dios hizo feo?»

Quizá mi padre iba cavilando sobre eso mientras andaba por la calle. Quizá fue eso lo que lo mareó: su exasperación, su sensación de incompetencia. Sea como sea, el caso es que de pronto todo empezó a darle vueltas. Debió de ver cómo los árboles que había delante de la casa se hacían más grandes, cómo sus ramas se extendían hacia él, hacia su caja de lentes. Debió de ver cómo la acera se alargaba; cada adoquín era una montaña, el bordillo pintado de amarillo, un precipicio. Si resbalaba, se precipitaría durante una eternidad. En un momento u otro, seguro que recordó que allí abajo estaba la calle, pero a él le parecía un inmenso valle sin principio ni fin. Mi padre solía notar cuándo iba a darle un ataque, de modo que debió de saber lo que le estaba pasando. Debió de reconocer los síntomas: se le doblaban las rodillas, le costaba respirar.

¿Cuánto tiempo estuvo tendido en la calle? Quizá unos segundos, o quizá más. Cuando recobró el conocimiento, estaba acurrucado en el portal de nuestra casa, y había un criado a su lado con sus medicinas para la epilepsia y un vaso de agua. Mami le daba instrucciones: «No lo mueva. Vigile la bolsa del material. Tenga cuidado... tenga cuidado.» Frida y yo mirábamos desde la ventana. No era la primera vez que presenciábamos un ataque, pero aun así, estábamos asustadas. Cuando metieron a mi padre en la casa, me puse a llorar.

Papá descansaba. ¿Se daba cuenta de que mi madre iba y venía por la habitación? ¿Sabía que todavía estaba en casa, y no de camino a su estudio? Seguramente no, al menos no enseguida. Al principio estaba desorientado, pero luego, lentamente, se fue recuperando. Y debió de acordarse de su lente, su lente rota.

Mami estaba guardando las cosas de mi padre, y toqueteando la caja de las lentes. «Deja eso», le ordenó mi padre. Parecía que le hubiera sacudido una fuerte náusea.

Mami levantó una ceja y dijo:

—¿Qué?

—Me marcho —dijo mi padre.

—Será mejor que no —repuso mi madre con calma.

—Sí —insistió él—. Me marcho.

—¿Por qué no descansas un poco? —propuso ella.

—No quiero descansar —dijo él—. Quiero marcharme.

Mami intentó convencerlo que esperara un par de minutos más, pero papá estaba preocupado por lo de la lente. Temía que mi madre se enterara. Se sentó en la cama, y respiró hondo. Mami estaba toqueteando el cierre de la caja de las lentes, y papá no le quitaba los ojos de los dedos.

—¿Qué tienes aquí que te pone tan nervioso? —preguntó mami—. ¿Fotografías de tu querida?

—Yo no tengo ninguna querida —respondió mi padre con amargura.

—Gracias —replicó mi madre.

Papá se levantó de la cama y se alisó la ropa.

Mami se despidió de él sin cariño y prometió enviarle a Manuel con la comida cuando estuviera preparada.

—Supongo que no querrás venir a comer a casa —dijo, vacilante.

Pero mi padre dijo, como decía cada vez que ella se lo sugería, que el estudio estaba demasiado lejos. Luego agarró la caja de las lentes y la bolsa del material y abrió la puerta.

—Dios se está vengando de mí por ser un ateo y un mal padre —me susurró antes de marcharse. Lo que no sabía mi padre era que Dios no había hecho nada más que empezar a actuar.

❦

11

17 DE SEPTIEMBRE DE 1925

17 de septiembre de 1925. Cuando recuerdo aquel día, veo bandadas de cuervos. Veo cristales rotos y ríos de sangre, lobos devorando carne infestada de gusanos, espadas perforando cuerpos que se retuercen, rosas machacadas, cadáveres embarrados, embriones diseccionados, crucifijos cubiertos de orina, heces, vómito, lágrimas, muerte. Veo muerte. No soporto pensar en ello, y sin embargo pienso en ello constantemente. Incluso ahora. A pesar de que han pasado casi cuarenta años.

Se suponía que iba a ser un día maravilloso.

Yo ya no salía con Eusebio, no porque no me gustara, sino porque había conocido a Antonio Pinedo. Creí que mis padres adorarían a Pinedo, sobre todo mami. Pinedo tenía trabajo. Llevaba las uñas bien arregladas e iba a misa. Yo era joven, y todavía pensaba que podías conseguir que la gente te quisiera haciendo lo que ellos querían que hicieras. Pinedo se sentía atraído por mí porque yo tenía una bonita figura y porque exigía muy poco. Yo me había propuesto casarme con él, así que coqueteaba sin descanso, y él cayó en mi trampa como un saltamontes en una telaraña. Después del escándalo de Frida y Leticia Santiago, se había arrastrado nuestro apellido por el barro. Hasta los criados estaban avergonzados. Pensé que me correspondía a mí reparar el honor de la familia, y que, de paso, podía ganarme la gratitud eterna de mis padres. El 17 de septiembre era el día que yo esperaba que Pinedo iba a hablar con mi padre, pero el destino no quiso complacerme. Yo no fui la estrella aquel día: lo fue Frida.

Era una tarde gris, y quizá aquello fuera un mal agüero. O no. En septiembre, casi todas las tardes eran grises, y de todos modos, a Frida no le importaba la presión atmosférica. Alejandro y ella se habían reconciliado, y cuando mi hermana se marchó a la ciudad para reunirse con él, estaba muy feliz. Alejandro se mostraba muy atento con ella, más atento que nunca. Se pasearon por el Zócalo cogidos de la mano.

«¡Cómpreme este muñeco, señorita!»

«¡Cómpreme este títere, señor!»

A Frida le gustó una sombrilla en miniatura, de colores llamativos, y Alex se la compró.

—Es para una muñeca —dijo Alex—, y como tú eres una muñequita, te la compro. —Alex la pagó y se la dio a Frida, y ella se puso de puntillas para besar a Alex en los labios. «¡Ándale, hijo!», los animó el vendedor.

—¿Lo ves? —dijo Frida—. Esta gente nunca se avergüenza de sus sentimientos. Sólo la gente estúpida de clase media, como mi madre, arma tanto escándalo por cosas que son completamente naturales.

Es curioso, pero recuerdo con mayor precisión la tarde de Frida que la mía. Yo no estaba allí, pero despés tuvimos oportunidad de hablar largo y tendido sobre todo aquello. Mientras Frida se recuperaba. Pero no es sólo eso. Cuando a Frida le pasaba algo, yo lo reinventaba, lo revivía mentalmente una y otra vez, hasta que me parecía haber presenciado lo ocurrido.

Los dos tortolitos siguieron paseando, deteniéndose de vez en cuando para comprar un taco o un churro. Una débil lluvia los obligó a refugiarse bajo un toldo, pero al poco rato reemprendieron su paseo. No olvide que aquí suele caer un chaparrón todas las tardes. La gente no le presta atención a la lluvia. Frida y Alex fueron hacia la plaza y se encontraron a unos amigos de la escuela. Se pararon a charlar un rato; luego examinaron las mercancías expuestas delante de la catedral, que bajo la lluvia tenía un tono plateado y espectral.

—Se está haciendo tarde, mi amor —dijo Frida con un suspiro—. Tengo que irme.

—¡Qué dolor tan dulce me produce separarme de mi amada! —recitó Alex, melodramático.

Frida rió y dijo:

—Cállate, pendejo. Al menos podrías citar a un poeta mexicano.

—«Como hermana y hermano/vamos los dos cogidos de la mano...»

—No lo conozco, pero suena muy mal.

—¡Es de Enrique González Martínez! ¿No querías que citara a un poeta mexicano?

—Sí, pero eso que recitabas era una tontería. Yo no soy tu hermana, soy tu mujer.

Alex la abrazó por la cintura y la besó en el cuello; luego se dirigieron hacia el tranvía.

—Dios, qué prisa tienes por librarte de mí —protestó Frida.

—No me llames Dios, por favor. Llámame simplemente Alex.

Frida le dio un golpe en las costillas, y él le pellizcó la mejilla.

Llegaron junto al tranvía, y Alex ayudó a Frida a subir. Pero de pronto Frida soltó un grito y bajó de un brinco.

—¿Qué pasa?

—¡Mi sombrilla! La sombrillita que me compraste. Debo de habérmela dejado en uno de los puestos de comida. Vamos a ver si la encontramos.

Volvieron sobre sus pasos, y como no encontraron la sombrilla, fueron al puesto donde la habían comprado.

—Vamos —dijo Alex—. Te compraré otra. No voy a permitir que mi chamaquita esté triste.

Pero las sombrillas se habían acabado.

—Lo siento mucho, señor —dijo el vendedor—. Quizá la señorita quiera otra cosa. Mire, aquí tiene un bonito balero.

El hombre les enseñó un vasito de madera del que colgaba una bola atada con una cuerda. Hizo oscilar la bola un par de veces y luego la atrapó con el vasito, para enseñarles lo fácil que era. Alex pagó y se marcharon.

Un autobús pintado de vivos colores se paró en la esquina. Los autobuses eran una novedad en la Ciudad de México, una curiosidad. No hacía mucho tiempo que circulaban, y atraían a mucha gente, como la montaña rusa de un parque de atracciones. A veces Frida me llevaba a la ciudad sólo para andar en camión.

—Vamos —dijo Frida—. Subamos al autobús. Después puedes ir en el tranvía.

Alex y Frida corrieron hacia la puerta del desvencijado vehículo.

El conductor había decorado el salpicadero con imágenes de la Virgen de Guadalupe e imágenes de mujeres desnudas. Del espejo retrovisor colgaba un rosario.

Había bancos a cada lado del autobús, que estaba abarrotado. Alex y Frida encontraron asientos hacia el fondo. Delante de ellos había una mujer envuelta en un rebozo que llevaba a su hijo en brazos; un obrero con un enorme sombrero sacó un cigarrillo y lo encendió, ofreciendo alegremente caladas a sus compañeros de viaje. En la parte delantera del autobús, un pintor con un overol manchado cerró los ojos y esperó a que el autobús arrancara. Llevaba una lata de pintura entre los pies, y un paquete de polvo dorado en la mano.

El conductor era un joven mestizo con bigote, agresivo y

nervioso. Arrancó con cierta prepotencia, entrando en la transitada calle. Por lo visto pensaba que como el autobús era más grande que los automóviles, los otros conductores tendrían que cederle el paso. Pisó el acelerador como un exaltado caballero que entra en combate, sin tener en cuenta el peligro. Un coche viró hacia la izquierda para cederle el paso. El conductor hizo sonar la bocina.

Estaban llegando al mercado de San Juan, en la esquina de Cuahutemotzín y Cinco de Mayo. Se acercaba un tranvía de dos coches que venía de Xochimilco. El autobús iba a torcer por la Calzada de Tlalpán, pero el tranvía venía hacia él. El conductor redujo la marcha, pero calculó la distancia y decidió que podía pasar. El tranvía avanzaba lentamente, como si su conductor estuviera retando al del autobús para que se apartara. El autobús siguió adelante. Y entonces ocurrió. El tranvía embistió al autobús, golpeándolo justo en el medio y aplastándolo contra una pared.

El autobús no se partió inmediatamente. Dotado de una extraña flexibilidad, cedió a la presión, doblándose y contrayéndose antes de partirse. De pronto, Alex se encontró cara a cara con el obrero del cigarrillo, y Frida en el regazo de la madre que amamantaba a su hijo. Todo ocurrió muy deprisa, y sin embargo las cosas parecían moverse a cámara lenta. Había objetos flotando ingrávidos por encima de sus cabezas: un periódico, una alianza, una manta de niño, una fotografía, un pincel, unas llaves, cigarrillos, un carrete de hilo, motitas doradas. Y entonces, con un estrépito espantoso, el vehículo se hizo pedazos. Los pasajeros salieron despedidos en medio de una lluvia de madera y metal. Entretanto, el tranvía siguió avanzando lentamente, como si quisiera demostrar la victoria sobre su adversario.

Alex cayó debajo del tranvía. Abrió los ojos y vio un chasis de metal encima de su cabeza, y cuerpos destrozados a su alrededor. Había dos o tres personas muertas. Otros estaban moribundos. Se oía el llanto de un niño.

Evaluó rápidamente la situación y se dio cuenta de que si el tranvía avanzaba un centímetro más, lo haría pedazos. Alex salió precipitadamente de debajo del tranvía. La parte delantera de su abrigo había desaparecido, pero no tenía heridas graves. Miró alrededor buscando a Frida.

La encontró en la calle, ensangrentada y desnuda. La fuerza de la colisión le había arrancado la ropa. El paquete del pintor se había roto y la había cubierto de motitas doradas, dándole un aspecto fantasmagórico, carnavalesco.

«¡Miren a la pequeña bailarina!», gritó un hombre. Debió de pensar que Frida parecía una actriz de circo, cubierta de rojo y oro. O quizá le recordó a una bailarina porque el cuerpo de Frida era sumamente delgado, delicado y elegante.

Cristales rotos y ríos de sangre. Entrañas al descubierto. Cráneos aplastados. Metal retorcido y extremidades retorcidas. Hedor a bilis y a terror. Gritos. Sollozos. Sirenas.

Frida sangraba. Una barandilla de hierro le había perforado la pelvis, atravesándola de lado a lado. Pero ella no sabía qué le había pasado. Quizá estaba histérica, o deliraba. «¡Mi balero! —gritaba—. ¿Dónde está mi balero? ¡No me digas que también lo perdí!»

Alex la contemplaba, horrorizado, mientras ella buscaba a tientas su juguete, sin darse cuenta de que tenía una barra de metal clavada. Intentó tranquilizarla e impedir que se moviera. La cubrió con los girones de su abrigo y la levantó. Frida seguía retorciéndose y gritando: «¡Mi balero!» La barra de hierro se movía cada vez que ella se movía.

Un individuo se acercó corriendo a Alex.

—¿Es Frida Kahlo? —preguntó—. ¡Dios mío! ¿Qué es eso que tiene clavado? ¡Tenemos que quitárselo! —Cogió la barra de hierro.

Alex estaba frenético.

—¿Quién es usted? —gritó.

—Trabajo en la escuela. Pero ¿qué importa eso? ¡Vamos! ¡Déjela en el suelo! ¡Que alguien llame una ambulancia!

Aquel hombre sujetó el cuerpo de Frida con la rodilla y tiró de la barra de hierro. Ella gritó de dolor y la sangre brotó de la herida. Alex le ayudó a llevarla a un salón de billares cercano y la tumbaron junto a la ventana. Alex le acariciaba la mano, pero Frida estaba tan desesperada de dolor que ni siquiera sabía que él estaba allí.

No se dieron cuenta de que había llegado la ambulancia de la Cruz Roja porque los gritos de Frida no les dejaban oír la sirena. Alex ayudó a los enfermeros a ponerla en una camilla y a trasladarla al hospital de la calle de San Jerónimo. Alex iba rezando: «Dios mío, no la dejes morir. Por favor, no la dejes morir.» Era un revolucionario, por supuesto, pero en momentos como aquél uno se olvida de la política, y reza. Cuando llegaron al hospital, Alex estaba agotado y casi histérico.

Una enfermera que tenía un enorme lunar encima del labio superior lo cogió por el brazo. El lunar parecía expandirse y contraerse cuando ella hablaba, y Alex tuvo que concentrarse en aquel lunar para no derrumbarse a los pies de la enfermera. Todas·las enfermeras llevaban túnicas blancas hasta los tobillos, atadas en la cintura, y un griñón con una cruz roja. En la enrarecida atmósfera del hospital, parecían fantasmas que pasaban flotando por espacios indefinidos, nódulos de luz que aparecían y desaparecían, ángeles que guiaban a los aturdidos peregrinos hacia un lugar seguro.

—Venga conmigo —dijo la enfermera—. No puede quedarse aquí. Tienen que preparar a la señorita para operarla.

—¿Se salvará?

El lunar permaneció quieto.

—Dígame, ¿se salvará? —insistió Alex.

—Está en manos de Dios —murmuró finalmente la mujer—. Si él quiere salvarla, la salvará.

«Me dieron ganas de aplastar aquel lunar, y también aquella voz que parecía proceder de una aparición», me dijo Alex. Mentalmente, le gritaba a la enfermera: «¡Deje de hablar de

Jesús y dígame si Frida se va a salvar!» Pero no lo dijo. Estaba demasiado asustado y consumido por el miedo. Se sentó, dispuesto a esperar.

El diagnóstico no fue alentador: múltiples fracturas, heridas profundas.

—¿Han avisado a sus padres? —preguntó Alex en un momento de lucidez.

—Todavía no. No hemos tenido tiempo. —El médico suspiró, y añadió—: Haremos todo lo que podamos, desde luego, pero si sobrevive será un milagro.

Frida tenía tres fracturas en la pelvis, y la columna vertebral rota por varios sitios. También tenía la clavícula y dos costillas rotas, la pierna derecha destrozada, y el pie derecho y el hombro izquierdo dislocados.

Una enfermera le dijo al médico que Frida ya estaba en el quirófano. Alex se volvió hacia la pared e hizo algo que raramente se permitía hacer: lloró.

Cuando esperas para saber si alguien va a morir o no, las horas son interminables. El aire se llena de demonios. Los ángeles luchan con ellos, pero a veces pierden. Pierden muchas veces. Aquel hospital había sido un convento, y las habitaciones, oscuras y frías, estaban llenas de murmullos sobrenaturales. Por todas partes había gente que correteaba, susurraba, daba órdenes; pero Alex se sentía envuelto en un inmenso silencio. Cerró los ojos. Le asaltaron imágenes de Frida, la risueña adolescente, la bromista, la seductora, mezcladas con un revoltijo de huesos destrozados.

Una enfermera le tocó el hombro.

—¿Se salvará? —preguntó Alex.

—De momento, el que me preocupa es usted.

—A mí no me pasa nada.

Alex miró a la enfermera. La insignia que llevaba en el cuello la identificaba como religiosa. En el México posrevolucionario, las monjas tenían prohibido llevar hábito, aunque algunas infringían la norma y lo llevaban. Aquella insignia era lo único que distinguía el atuendo de las enfermeras religiosas del de las laicas.

Alex estaba tan preocupado por Frida que no se había parado a pensar en él. Ahora empezaba a notar cierto dolor en la cabeza. Pero no tenía ni idea de la gravedad de sus heridas, ni de que también él pasaría varios meses en la cama.

Cuando Frida despertó, la muerte estaba sentada en su cama. Eso fue lo que le dijo a Maty. «No sólo la noto —le explicó—. La veo. La muerte baila por la habitación. A veces monta en bicicleta y anda alrededor de mi cama. A veces agarra una guitarra y toca una canción alegre. Una canción tentadora, que me hace desear acercarme a ella y abrazarla.» Para Frida, la muerte siempre fue algo atractivo, seductor. Cuando éramos pequeñas, la muerte la asustaba pero también la fascinaba.

—Le supliqué que no dijera aquellas cosas —me dijo Maty—, pero ella dijo que la muerte no le daba miedo como cuando tenía seis o siete años; que era como un esqueleto, su esqueleto, y que llevaba su ropa: su falda azul, su blusa blanca, su jersey. Dijo que tenía una pequeña rosa roja pintada en el cráneo. Muy bonita. Muy intensa. Según ella, la muerte es una niña muy alegre.

A Maty le alteró mucho aquella conversación, como podrá imaginar, pero yo entendía lo que Frida intentaba hacer. Los médicos decían que podía morir, y ella intentaba mirar la muerte a la cara, aceptarla.

El accidente sirvió para volver a unir a mi familia. Mami todavía no había perdonado a Maty, pero todos sufríamos mucho por Frida y teníamos que apoyarnos mutuamente. Maty, Adriana y yo íbamos al hospital cada día, y mami y papá iban cuando podían. Cuando se enteró del accidente de Frida, mi madre se alteró tanto que se derrumbó, y papá tenía tantos problemas de salud que apenas podía salir de casa.

La primera vez que vi a Frida después del accidente, casi me desmayé. Estaba recubierta por una estructura que parecía un ataúd, con el tronco enyesado y las piernas colgadas de una especie de columpio. Maty no se atrevía a tocarla, y a mí me daba miedo acercarme a ella. Parecía una momia. Creí que ya estaba muerta.

—Pronto podrás salir de aquí —le decía Maty.

—Sí, pero ¿adónde iré? ¿A Coyoacán o al cementerio? Al menos no moriré virgen. ¡Esa barra que me atravesó el vientre se encargó de evitarlo!

—Ah, ¿sí? —dijo Maty—. Tenía entendido que la virginidad la habías perdido de otra forma. —Hizo un esfuerzo para reír, y luego se quedaron las dos calladas.

—Mami y papá te envían muchos besos —dije para romper el silencio—. Papá vuelve a tener ataques. Vendrá en cuanto pueda.

—Tengo ganas de verlo.

—Ya lo sé. No te preocupes, pronto vendrá. ¿Sabes que Adri se desmayó cuando se enteró de lo que te había pasado?

—Es verdad —confirmó Adriana—. Alberto dijo que yo no estaba en condiciones de hacer el viaje a la ciudad, pero yo me empeñé en venir. Quería verte. —Alberto era el marido de Adriana.

—¿Que no estás en condiciones? —dijo Frida, enojada—. Tiene gracia. ¡La que casi se muere soy yo! ¡Es a mí a la que se le clavó una barra de hierro en las entrañas!

—Lo siento —susurró Adriana conteniendo las lágrimas.

Frida enseguida se arrepintió de haberle gritado a Adriana. Se puso muy triste, y las lágrimas asomaron a sus ojos.

—Ustedes son las únicas que me quieren de verdad —dijo sollozando—. Mis hermanas. —Y entonces dijo algo que me puso furiosa—: Sobre todo tú, Maty. Tú eres la única que se preocupa por mí. Tú y los Cachuchas. Han venido todos. Pero es extraño... Cuando te escapaste con Paco Hernández, mami dijo que tú eras la oveja negra, que eras una calamidad; y sin embargo eres la única que no me ha abandonado. Eres un ángel, Maty.

¿Desde cuándo es Maty el ángel?, pensé yo. ¿No soy yo la

que lleva diecisiete años aguantando las tonterías de Frida? Su arrogancia, sus aires. Yo soy la que compartía con ella la habitación, aunque me trasladé al otro dormitorio cuando Adriana se casó. Yo soy la que siempre la escuchaba. Yo soy la que la ayudó cuando lo estaba pasando mal por culpa de Alex. Frida siempre me decía que yo era su mejor amiga, su cuate. Y ahora resulta que es a Maty a la que más quiere.

—¿Cómo iba a abandonarte? —dijo Maty con dulzura—. ¡Tú me ayudaste a huir! ¡Tú fuiste la que cerró la ventana para que nadie advirtiera mi desaparición! Sólo tenías siete años, ¿recuerdas? En fin, una oveja negra se merece otra, y, según me cuenta papá, mami dice que tú eres la más negra de todas. ¡Más negra que yo, imagínate! —Ambas rieron.

A mí me dieron ganas de vomitar. De pronto me alegraba de que mami no le dirigiera la palabra a Maty, a pesar de que mi hermana y Paco se habían casado y de que ahora era una señora respetable.

Frida siguió hablando de la muerte, la «pelona», como la llamamos en México. Y entonces empezó a lamentarse por Alex. Él no había ido a verla, aunque ella le había escrito. Él ni siquiera había contestado sus cartas.

Ahora entiendo por qué está tan desagradable conmigo, pensé. Yo era la que estaba al corriente de todos sus altibajos con Alex, y supongo que se sentía avergonzada porque se había pasado horas hablándome de su «reconciliación».

—Alex también salió muy mal parado del accidente —le recordé.

—No tanto como yo —replicó Frida—. Lo mío es mucho más grave. Y ahora nadie se molesta en venir a verme, salvo ustedes, los Cachuchas y la pelona.

—El médico dice que si sigues manteniendo a raya a la pelona, tienes muchas posibilidades de salirte con la tuya —dijo Maty para tranquilizarla.

—Mira, Maty —dijo Frida—, a veces pienso que siempre estará conmigo.

Oiga, doctor, ya sé que mi hermana acababa de sufrir un trauma. Sí, por Dios, ya sé lo que es un trauma. Usted es igual que Frida, me toma por idiota. Mire, lo único que digo es que le encantaba el melodrama y que estaba interpretando su papel a la perfección.

Claro que lo sentía por ella. ¿Por quién me toma? ¿Por un demonio? Ella era mi hermana y estaba sufriendo mucho. Lo que digo es que, incluso entonces, incluso en aquel estado tan lamentable, ella sabía manipular a los demás.

Frida le escribía largas y detalladas cartas a Alex desde el hospital. Le describía sus dolores, los diagnósticos del médico, los tratamientos. Se quejaba de las enfermeras. Decía que comprendía que con veinticinco pacientes por enfermera, ellas no podían hacerlo mejor, pero aun así creía que deberían prestarle más atención. Yo vi algunas de aquellas cartas. Frida hablaba de las visitas de sus compañeros de clase o de sus amigos de la Liga de Jóvenes Comunistas. Se quejaba de lo aburrida que estaba y de su mala suerte. Le decía que lloraba cuando le contaban lo mal que lo estaba pasando él. No sé si eso es cierto. Yo nunca la vi llorar por el dolor de otro.

Pobre Frida. Hay que reconocer que era una chica excepcional. Sufría tanto, y sin embargo seguía adelante, seguía luchando. Yo sufría viéndola sufrir. Frida era muy frágil y al mismo tiempo tenía una voluntad de hierro y un espíritu como un géiser. Yo la adoraba. Aunque me hiciera enfadar y me hiciera daño, yo la quería más que a nadie. Se lo juro.

I 2

RETRATOS

Cuando Frida salió del hospital, mi madre se alegró tanto que ofreció una misa de acción de gracias, a la que asistimos todos excepto Frida, por supuesto, que no podía moverse, y papá, demasiado traumatizado para tratar con Dios. Después mi madre puso una nota en el periódico local para expresar su agradecimiento a la Cruz Roja. Todo el mundo comentó que aquel era un gesto muy bonito, aunque Elena Cabrera Andrade, la madre de Estela, se dedicó a decir que Matilde Kahlo siempre estaba buscando la forma de que su nombre apareciera en las páginas de sociedad.

Frida estaba insoportable. «Píntame las uñas, Cristi. ¡No! ¡Así no, tonta!» «Léeme este libro, Cristi. ¡Boba! ¡Ni siquiera entiendes lo que estás leyendo!» «Cristi, tráeme el espejo.» «Cristi, tráeme un vaso de agua.» «Cristi, tráeme la nota que envió Alex. Sé que la tienes escondida.»

Frida estaba convencida de que yo me guardaba las cartas de Alex porque sentía envidia de su maravilloso romance. La verdad es que él nunca le escribía. O casi nunca. El caso es que yo estaba teniendo mi propio romance maravilloso. Pinedo y yo íbamos a casarnos, así que tenía otras cosas en que pensar.

Al principio los Cachuchas venían a verla, pero cada vez les daba más pereza pasarse dos horas en el tranvía. A Frida no le gustaba estar sola, y me llamaba para que me sentara junto a su cama. Sin embargo, después se ponía desagradable y se quejaba de que yo no le prestaba suficiente atención. Se aburría como una ostra, es cierto, pero eso no justifica que se pasara el día gritándome. Acabé inventándome excusas para salir de casa y, así, pasar el menor tiempo posible con ella.

En cuanto a la boda, mami me decepcionó. Se supone que las madres se ponen nerviosísimas cuando se casan sus hijas, ¿no? Se supone que van de compras y hacen la lista de invitados, eligen el menú, ponen anuncios en los periódicos y todas esas cosas, ¿verdad? Anuncios como: «El destacado fotógrafo europeo Guillermo Kahlo y la señora Matilde Calderón de Kahlo anuncian el enlace matrimonial de su hija Cristina...» Pensé que se preocuparía por el vestido y todo lo demás. Pero no. Mami tenía que ocuparse de Frida. Sí, claro, Frida había tenido un grave accidente.

No lo encontraba justo, porque Frida era la que siempre había causado los problemas. Frida y Maty. Maty tampoco se quedaba corta, según lo que mi madre llevaba años diciendo. Y sin embargo, de repente todo había cambiado. Maty se había casado, y mami ya no se quejaba tanto de ella. Es más, ahora Maty estaba siempre en casa, y Frida y ella eran íntimas amigas. Se suponía que la estrella era yo, que era la que se iba a casar. Yo lo hacía todo bien, ¿no? Yo obedecía todas las normas. Pero mami trataba a Maty como si fuera la hija pródiga, y en cuanto a Frida, se desvivía por la pobrecita inválida.

Frida escribía a Alex casi a diario. Le escribía largas y suplicantes cartas en las que enumeraba sus dolencias y le pedía que fuera a visitarla y le escribiera. «¡Oh, querido Alex, me he pasado toda la noche vomitando! ¡Ven a verme, por favor!» «Querido, queridísimo Alex, tengo el estómago tan inflamado que apenas puedo tirarme pedos.» Y después, largas y detalladas descripciones de todas sus operaciones: una en el brazo, una en la columna vertebral, una en el útero. Francamente, con lo inteligente que era, se comportaba como una estúpida. ¿Hay algún hombre al que le interese leer esas cosas? ¿Le parece prudente que una muchacha le diga a su amante que le duele cuando defeca? No es de extrañar que Alex dejara de contestar aquellas cartas. Fue a visitarla una vez, pero Rufina le dijo que Frida no estaba en casa. Aunque habían pasado muchos años, Rufina todavía estaba enfadada con Frida y Maty por haberle tomado el pelo el día que Maty se escapó con Paco. Rufina se vengaba cada vez que tenía ocasión. Por eso le dijo a Alex que Frida había ido a visitar a no sé quién. Imagínese, Alex había hecho un viaje de una hora en tranvía. Frida se puso furiosa. «¡Esa criada me odia! —sollozaba—. ¡Me odia!»

La verdad es que todos nos estábamos hartando de las quejas de Frida. Sufría mucho, es cierto, pero también fingía para que nos compadeciéramos de ella. No paraba de quejarse, pero en realidad hacía muchos progresos. Mami estaba convencida de que la Virgen la estaba ayudando, porque la Virgen ama a los pecadores. Igual que Jesús. Por eso se metió en la guarida de los ladrones. Y no hay que olvidar a María Magdalena.

Antes de lo que nos imaginábamos, Frida podía sentarse, luego levantarse, y por último caminar. En diciembre mi hermana decidió que estaba bastante recuperada para ir a la Ciudad de México. Mami no quería que fuera, pero finalmente le dio permiso (aunque a Frida le tenía sin cuidado que mi madre le diera permiso o no). Sin embargo, puso como condición que yo la acompañara, lo cual a Frida no le hizo ninguna gracia. No tenía ningún interés en que yo fuera con ella, porque quería ir a la Ciudad de México para ver a Alex, claro.

—En cuanto lleguemos a la ciudad, te dejaré en algún sitio —me dijo—. Nos encontraremos en El Lazo Roto a la hora de comer.

Me dejó cerca del Zócalo y me enseñó el sitio donde comeríamos.

—No te alejes mucho, no vayas a perderte —me previno—. A ver si no voy a tener que pasarme toda la tarde buscándote.

A mí me daba mucha rabia que me hablara en ese tono. Como si yo tuviera cuatro años. Como si fuera idiota. Frida no me creía capaz de ir a dar un paseo y encontrar el camino de regreso. Pensaba que era tonta perdida.

«No se encuentra en casa», le dijo la criada cuando Frida llamó a la puerta de la casa de los Gómez Arias. Frida esperó un rato en el salón y luego fue a la Biblioteca Iberoamericana. Pero Alex tampoco estaba allí. Dio una vuelta por la prepa. Se asomó a los cafés y las tiendas que Alex frecuentaba. No encontró a Alex, pero Agustina Reyna estaba comprando un libro en la librería La Mancha, y supongo que Frida no pudo simular que no la había visto. En fin, el caso es que aparecieron las dos en El Lazo Roto, donde yo llevaba más de un cuarto de hora esperando. Y no lo digo porque sea quisquillosa con la puntualidad, sino para que vea que no me perdí.

La situación era un tanto violenta. Yo no pintaba nada allí. Para empezar, yo no era una Cachucha, y por lo tanto no era lo bastante inteligente como para mantener una conversación con personas tan superiores a mí. Por otra parte, Frida y Agustina querían hablar de Alex, y yo les estorbaba. Ninguna de las dos hizo el menor esfuerzo por incluirme en la conversación, así que permanecí callada, comiéndome mi arroz con pollo y sin levantar la vista de la mesa.

Agustina no sabía cómo empezar. Ninguna de las dos quería ser la primera en mencionar a Alex.

—¿Piensas volver a la escuela el año que viene? —dijo al fin la Reina—. ¿Vas a acabar los cursos de la prepa para matricularte en la universidad?

—No lo sé —respondió Frida—. No creo que pueda seguir estudiando.

Agustina fingió que lo sentía.

—Qué pena. Pero, de todos modos, podrías examinarte.

—Por culpa del accidente, Frida se había perdido los exámenes de otoño.

Charlaron durante un rato. Frida le habló a Agustina del accidente, de que había perdido el hábito de estudiar, de nuestros gastos médicos.

—En cuanto esté recuperada del todo, tendré que buscar un empleo para ayudar a mis padres —dijo.

Hubo una pausa y luego Agustina dijo:

—¿Qué hacías en la biblioteca esta mañana? —A mí no me pareció que la pregunta fuera muy sutil.

—¿Qué quieres decir? —preguntó Frida. Ambas sabíamos lo que quería decir.

—¿Buscabas a Alex?

—No... —balbuceó Frida—. Sólo quería... sólo quería ver quién estaba allí.

—¿Sabes qué te digo? —repuso Agustina—. Deberías olvidar a Alex. Yo lo estoy intentando.

Aquel comentario tomó a Frida por sorpresa, y, por una vez, no supo qué contestar.

—Alex es un maleducado —añadió la Reina—. Dijo cosas espantosas de mí. ¡Dijo que era casi tan golfa como tú!

Mire, yo siempre he sido muy franca al hablar de Frida. He reconocido sus defectos. Nunca he dicho que fuera perfecta, ni casi perfecta; pero las palabras de Agustina me dejaron atónita. ¿Cómo se atrevía a decir una cosa así sobre mi hermana? Fue una crueldad, y la pobre Frida se quedó perpleja. Agustina me miró y sonrió, como si acabara de hacer un comentario inocuo, como «Me parece que va a llover», o «La catedral está preciosa iluminada». Me di cuenta de que Frida tenía ganas de llorar, y de que estaba haciendo un gran esfuerzo para contener las lágrimas. Me imaginé que se estaba repitiendo mentalmente: «No voy a llorar aquí, no voy a llorar aquí.» Yo también noté que se me comprimía el pecho, y sentí una punzada en la espalda. Estaba acostumbrada: cuando Frida sufría, yo sufría. Cuando ella sentía dolor, yo también lo sentía.

Sí, tiene usted razón: a veces Frida me ponía muy nerviosa. Cuando vives con una persona tan exigente como ella, es inevitable que pierdas la paciencia y te pongas nervioso. Una cosa no tiene nada que ver con la otra. Puedes querer a una persona y, aun así, enfadarte con ella. Ya le digo que cuando Frida se sentía desgraciada, yo también me sentía desgraciada; y aquel día, sentada en El Lazo Roto con Agustina Reyna, ambas nos sentimos desgraciadas.

—¿Sabes qué más dijo? —prosiguió Agustina.

—No, ni lo sabe ni le interesa saberlo —le interrumpí. Frida me dio un apretón de agradecimiento en la mano, pero Agustina no estaba dispuesta a rendirse.

—Dijo que eras más guarra que Nahui Olín, esa mujer que posaba para Rivera. Dijo que lo que hiciste con él también lo hiciste con Lira, y quizá con muchos más: Lira, Fernández...

Frida quedó pasmada. Quizá le cayó mal que Alex se hubiera enterado de lo de Fernández. Respecto a Lira, era la primera vez que yo lo oía.

—Hasta dijo que el peor accidente que había tenido en su vida había sido conocerte, pero que por fin se estaba recuperando. Ya lo ves —concluyó la Reina, deleitándose con el efecto que sus palabras estaban teniendo sobre Frida—, Alex ha destrozado tu reputación y la mía, así que lo mejor que podemos hacer es olvidarnos de él.

Aquella tarde volvimos juntas a casa de Alejandro, pero la criada no nos dejó entrar.

A veces critico a Frida, lo reconozco, pero tenga en cuenta que estábamos tan unidas que es imposible que no surgieran conflictos entre nosotras. Cuando volvimos a casa, Frida se puso muy... no sé como decirlo... melancólica, supongo. Ahora diríamos *deprimida*. Usted es el que entiende de estas cosas. ¿Le parece correcto que diga que Frida estaba deprimida? No sé si fue porque verdaderamente adoraba a Alex y no soportaba la idea de perderlo, o porque no soportaba ningún tipo de rechazo, pero lo cierto es que estaba muy abatida. Fue terrible. Yo no podía pensar en mi novio, en mi boda ni en nada: sólo pensaba en Frida. Me olvidé del vestido, del encaje, de la música, de las invitaciones, de las flores con que llevaba meses soñando. De todos modos, no había dinero para todo aquello.

Como ya le he dicho, Frida se había recuperado muy deprisa, pese a todas las operaciones que le habían practicado. Sólo tardó un mes en salir del hospital. Sin embargo, después de aquella visita a la capital empezó a sufrir recaídas. Dicen que el estado mental de las personas afecta a su salud. ¿Es eso cierto? Debe de serlo, porque el pobre cuerpecito de Frida se estaba haciendo pedazos como un castillo de arena azotado por una ola. Los médicos no le habían hecho radiografías; no lo consideraban necesario, porque su columna se estaba curando muy bien. Y ahora descubrieron que por dentro estaba destrozada. Sufría dolores constantes, y tuvo que someterse a un tratamiento médico tras otro. Ya no nos quedaba dinero, y papá no podía pagar los tratamientos que, según los médicos, Frida necesitaba. En lugar de darle medicación, le ponían unos corsés de yeso que sólo le aliviaban el dolor temporalmente.

Ya sé que no debería mencionarlo, pero yo había soñado con una hermosa boda, con un vestido bordado con ribetes de encaje mexicano. No me habría importado ponerme el vestido de Maty si lo hubiera habido; pero Maty llevaba ocho o diez años viviendo con Paco cuando se casó con él, de modo que ¿qué sentido tenía celebrar una fiesta? Adri utilizó el vestido que heredó de María Luisa, y yo también lo habría utilizado, aunque no le tenía mucha simpatía a mi hermanastra. Lo que pasa es que aquel vestido tenía una mancha enorme, y ¿quién quiere iniciar su vida de casada con una mancha en el vestido?

Antes le dije que me olvidé de la boda, que Frida me absorbía tanto que no podía pensar en nada más, pero supongo que sería más acertado decir que aparté la boda de mi mente. Tiene usted razón: no la olvidé del todo. Ninguna mujer se olvida de su propia boda. Ahora que lo pienso, supongo que todos aquellos problemas eran malos presagios.

A Frida no le interesaba demasiado mi noviazgo. Nada de lo que yo hacía le interesaba, hasta que... hasta que me enamoré de un hombre al que ella también quería. Entonces sí se fijó en mí.

Frida siguió escribiéndole cartas a Alex, pero en vano. Y le daba mucha rabia que yo tuviera un prometido que iba a buscarme al trabajo y me acompañaba a casa, y que venía a verme todos los domingos. Yo estaba encantada con la atención que me prestaba mi novio. Sabía que tarde o temprano me casaría, y una novia siempre es la estrella, aunque sólo sea por un día. ¿Si se lo refregaba a Frida por la nariz? Francamente, no lo sé. Lo único que puedo decirle es que durante aquellos meses Frida tenía el ánimo por los suelos.

Mi hermana tenía que guardar cama la mayor parte del tiempo, pero cuando podía levantarse, se dedicaba a hacer cosas por la casa, y así fue como descubrió lo único que la aliviaba: las pinturas de papá.

—Cristi, ¿recuerdas aquellas mañanas quiméricas en que acompañábamos a papá cuando iba a pintar? —me dijo en una ocasión. Como no me atrevía a decirle que no sabía qué significaba «quiméricas», no respondí. Pero no importó, porque Frida no esperaba mi respuesta. Añadió—: A veces ayudaba a papá a montar su caballete y sus pinturas, pero si quieres que te diga la verdad, no prestaba mucha atención a lo que hacía. ¿Y tú, Cristi?

—Yo tampoco —admití. De hecho, yo casi nunca los

acompañaba. Generalmente era Frida la que salía con él.

—Y cometía un error, porque ahora tengo ganas de aprender a pintar. ¿Crees que podré hacerlo, Cristi?

Lo único que yo sabía era que la única instrucción artística recibida por Frida era la que le ofreció Fernández. Papá nunca intentó enseñarle a pintar porque quería que estudiara medicina. Incluso cuando todo parecía indicar que Frida no volvería a la escuela, él seguía albergando esperanzas de que, de un modo u otro, su hija conseguiría acabar la carrera.

—¿Me dejas tus pinturas? —le preguntó a mi padre—. Hace años que no las usas.

La respuesta de papá me sorprendió:

—No, Frida —dijo—. Esas pinturas son mías.

—Es el ramalazo alemán —me dijo Frida al oído—. Al principio siempre se muestra obstinado, pero siempre acaba cediendo.

Y efectivamente, al cabo de unos días mi padre accedió a dejarle las pinturas, pero sólo temporalmente.

—De acuerdo —dijo ella—, sólo temporalmente. —Sin embargo, ambos sabían que nunca se las devolvería.

Frida no podía permanecer mucho rato sentada debido al dolor de la espalda y las piernas, así que mami pidió a un carpintero que le construyera un caballete especial que se colgaba encima de la cama. De ese modo, Frida podía pintar tumbada. Entonces mami colgó un espejo para que Frida pudiera utilizarse a sí misma como modelo. Pensó que la pintura sería una excelente distracción para Frida. Si quiere que le diga la verdad, creo que todo el mundo se alegraba de que Frida estuviera ocupada y callada.

Es curioso. Mi madre se había peleado con Frida como una hiena después del escándalo de Leticia Santiago, y ahora iba de aquí para allá por la habitación, ordenando, cambiando las flores, recogiendo la ropa sucia para llevársela a la criada. Mi madre era la que bañaba a Frida y la peinaba. Mi madre era la que le alisaba las sábanas. Y ahora encargaba aquel maravilloso caballete para ella. Frida me preguntó: «¿Crees que es posible que una hija ame y odie a su madre a la vez?»

¿Por qué mamá se había vuelto tan atenta? ¿Porque se sentía culpable? ¿Porque era consciente de que Frida podía morir? ¿Por simple y puro instinto maternal? No lo sé. En fin, se supone que es usted quien tiene que aclarar esas cosas.

Al principio Frida pintaba unas horas al día, y luego el día entero. Hacia finales del verano de 1926 terminó su primer autorretrato, y se lo envió a Alex. A mí no me parecía nada del otro mundo. Era muy rígido, no como los cuadros que pintó cuando adquirió más práctica. Parecía una dama renacentista, con la mirada distante y un vestido de terciopelo. El caso es que el cuadro funcionó. Alex no sólo aceptó el regalo, sino que se convirtió de nuevo en el novio de Frida.

Mire, a veces Frida se mostraba muy arrogante, pero en el fondo era muy frágil. Lo que quiero decir es que, pese a su engreimiento, no estaba tan segura de sí misma como aparentaba. A veces, cuando pintaba, de pronto se echaba a llorar. «¡Es malísimo! ¡No sé lo que hago! ¡Ojalá papá quisiera enseñarme!» Pero papá estaba demasiado ocupado con sus problemas y no tenía tiempo para el nuevo hobby de Frida.

Un día no conseguía darle el color que quería a un autorretrato. «¡Maldito cuadro! —exclamó—. ¡Odio este ridículo cuadro!» Me quedé mirándola, sin decir nada. Acababa de discutir con Antonio por la fecha de nuestra boda (él estaba harto de aplazamientos), y sólo me faltaba pelearme con Frida. «¡Maldita sea! —bramaba ella—. ¡Mierda! ¡Mierda! ¡Mierda! ¡No sé hacer nada! —Y de pronto agarró el pincel y empezó a trazar equis negras sobre el cuadro.

Entonces no tuve más remedio que decir algo. «¿Qué haces?», exclamé. Al fin y al cabo, aquellas pinturas y aquellos lienzos valían dinero. Frida ya había gastado las pinturas viejas de papá, y él había tenido que comprarle material nuevo, que era el que ahora mi hermana estaba malgastando. ¡Precisamente cuando papá me estaba diciendo que no teníamos dinero para la boda!

Frida siguió pintando equis. Luego empezó a garabatear, mezclando los colores hasta convertirlos en una masa marrón oscuro. ¡Una masa de color caca! Eso era lo que había hecho: ¡se había cubierto de mierda! Mierda en los ojos, mierda en el pelo, mierda en la boca, mierda en la frente.

—¡Basta, Frida! —grité.

Pero Frida no había terminado, y lo que hizo a continuación fue espantoso. Apoyó las palmas de las manos en el lienzo húmedo, y luego se las pasó por la cara, manchándose los ojos, el pelo, la boca y la frente con aquella asquerosa mezcla de colores.

Frida lloraba desconsoladamente y las lágrimas corrían por sus mejillas, trazando surcos en la pintura que cubría su rostro.

—Basta, Frida, por favor —supliqué, aterrada—. ¡Basta! ¡Basta, por favor! —Ya no gritaba. Intentaba tranquilizarla, pero ella ni siquiera era consciente de mi presencia.

—Dios mío —se lamentó—. Oh, Dios mío. No sé hacer nada. ¡No me extraña que nadie me quiera! —Metió una mano en la pintura de la paleta, en la pintura roja, y se la pasó por las mejillas, por el corsé, por las sábanas, la almohada, por todas partes. Tenía la cara cubierta de pintura roja, marrón y negra, excepto los dientes, sólo ligeramente salpicados de rojo. Era como si le sangrara la boca, como si estuviera empapada en sangre. ¡Se estaba transformando en un demonio! De pronto me asaltó una imagen: la clase de la señorita Caballero. Aquel día que la maestra intentó avergonzarla delante de las otras niñas, y Frida se escabulló y se embadurnó de pintura. ¡Volvía a ocurrir lo mismo! Di otro grito, y mami vino corriendo, pero antes de atender a Frida tuvo que atenderme a mí, porque yo estaba histérica. Mi madre llamó a Inocencia, que me trajo una taza de hierbaluisa con algo dentro y me acostó. Creo que dormí hasta la hora de cenar.

Pero a pesar de todo, Frida siguió pintando. Su tema favorito era ella misma. No, eso no es justo. Frida estaba casi siempre en cama, de modo que era normal que se utilizara a sí misma como modelo. Cuando pudo permanecer más tiempo sentada, Maty o Adri posaban para ella. También nos pintó a mí y a mamá. Todos decían que pintaba muy bien. Todos decían que tenía un gran talento. Frida empezó a pensar que quizá hasta pudiera ganar algún dinero pintando. Con todo, no se fiaba de nuestro criterio, y con razón. Nosotros éramos su familia, sus amigos. ¿Qué sabíamos nosotros de pintura? «¿A quién podría pedirle su opinión? —preguntaba siempre—. ¿Quién podría darme una opinión sincera?» Por una parte, creo que Frida quería saber, sinceramente, si lo que estaba haciendo tenía algún valor. Y por otra parte, sospecho que le daba miedo pedirle su opinión a un experto, lo cual se entiende.

—No sé —le dije un día—. Tú conoces a un pintor famoso.

Frida se quedó pensando y, al cabo de un rato, dijo:

—No, no puedo preguntárselo a Diego Rivera.

—¿Por qué no? —insistí—. Decías que era muy amable, y que no era un esnob.

Frida siguió cavilando, y finalmente dijo:

—Él es la única persona de cuya opinión me fiaría absolutamente.

Pero no fue a buscarlo, y aquel día no volvimos a hablar del asunto, ni al siguiente, que yo recuerde. Sin embargo, pasadas un par de semanas, volvió a sacar el tema.

—Necesito una opinión imparcial —dijo—. Ya sé que mami y tú tienen buena intención, pero no puedo fiarme de su opinión. No tienen ni idea de pintura, y yo tampoco.

Me pareció milagroso oírla admitir que había algo de lo que no tenía ni idea. Y más aún tratándose de arte. Frida había leído muchos libros de papá y había pasado mucho tiempo en la biblioteca. Lo normal era que se considerara una autoridad en pintura.

—Bueno —dije—, ve a buscar a un experto. Ve a buscar a Rivera.

—No sé si se acordará de mí. Cuando terminó los murales del anfiteatro sólo volví a verlo un par de veces. Una vez lo vi en una de esas fiestas de Tina. Llevaba una pistola, y de pronto se puso a disparar contra las farolas desde la ventana. ¡Hasta le disparó al fonógrafo de Tina! Fue espantoso... ¡y muy divertido! Pero él iba con otra chica. Quizá ni siquiera se fijara en mí, aunque me agarró por la cintura y me puso la mano en el trasero.

Frida se refería a Tina Modotti, la amante de Edward Weston. Ya sabe, el fotógrafo norteamericano. Tina había venido a México con él, y cuando él se marchó ella se quedó aquí. Verá, Tina formaba parte del grupo de vanguardistas con los que se relacionaban los Cachuchas cuando terminaron sus estudios en la prepa. A veces los amigos de Frida la llevaban a las fiestas que celebraba Tina. Tina conocía a todos los artistas. Se acostaba con la mayoría, entre ellos Diego, y celebraba unas orgías desenfrenadas en su casa. Todos los artistas famosos asistían a aquellas fiestas, y Frida también, no sólo porque le gustaba codearse con bohemios y quería ser uno de ellos, sino también porque estaba convencida de que allí no se encontraría a Alex. Ahora él tenía otra novia y había cambiado. Se había vuelto muy formal.

—¿Qué más da si Rivera se acuerda de ti o no? Lo más probable es que no, porque seguramente estaba demasiado borracho para saber de quién era el trasero que estaba tocando. Pero no importa, Frida. ¡Habla con él! ¿Qué puedes perder?

Frida no contestó. Se quedó pensando, pero al cabo de un rato, una sonrisita de satisfacción apareció en sus labios, y comprendí que había tomado una decisión.

13

❦

ENCUENTROS Y ACOPLAMIENTOS

Cuentan muchas historias falsas sobre Frida y Diego. Los periodistas siempre escribían sobre ellos, y lo que no sabían se lo inventaban. Venían aquí a entrevistarnos. A todos. A mí también. Les interesaba todo lo que tuviera que ver con Frida: sus cartas, sus perritos, su colección de muñecas, sus pañuelos sucios, hasta sus hermanas. Y hace unos años Diego escribió un libro. A ver... ahora estamos en 1963, y Diego murió en 1957... Debió de publicarse en el 1958. En ese libro Diego describía cómo conoció a Frida, pero como todos los demás, él también se olvida de un detalle importante: que yo también estaba allí.

Estaba allí aunque no me vieran. Esto fue lo que pasó. En aquella época, Diego estaba pintando los frescos del Ministerio de Educación. Según Frida, eran unos frescos maravillosos. En ellos Rivera ensalzaba nuestro patrimonio nacional pintando indios que trabajaban en los campos que la Revolución les había devuelto, indios celebrando reuniones y decidiendo su propio destino, indios en la escuela, aprendiendo. ¡Qué bonito! Por entonces, Frida se pasaba la vida hablando del comunismo. ¿Qué aprendían aquellos indios? Aprendían español, el idioma de los conquistadores. Aprendían las técnicas agrícolas inventadas por los europeos. Ahora la gente se pregunta si todo aquel «progreso» de los indios era buena idea, o si lo único que hicimos en realidad fue borrar su cultura; pero entonces nadie se lo planteaba. Y Frida menos que nadie. Estaba demasiado emocionada con las consignas del partido. Acababa de ingresar en la Liga de Jóvenes Comunistas. Y bien, ¿dónde estaba yo?

Frida tenía tres o cuatro cuadros que quería enseñarle a Diego. Los lienzos pesaban mucho, y ella todavía tenía dolor de espalda, así que me ofrecí a ayudarla a transportarlos. Digan lo que digan, yo siempre intentaba ayudar a Frida.

El viaje en tranvía fue muy agradable. Frida estaba un poco nerviosa, pero se la veía alegre y parlanchina, y no paraba de hacer chistes sobre el aspecto de Diego. Sin embargo, a medida que nos acercábamos al Ministerio de Educación, cada vez hablaba menos. Se fue poniendo tensa, y de repente me dijo:

—Mira, Cristi, no creo que debas acompañarme. Será mejor que me des los cuadros, y ya iré yo a hablar con Rivera.

Me quedé sorprendida. Yo había pedido permiso en el trabajo y me había tomado la mañana libre sólo para acompañarla a ella, y ahora me decía que me largara. Me pareció una grosería.

—Y ¿qué voy a hacer mientras tú hablas con Rivera?

—Puedes dar un paseo.

—No quiero pasear —dije.

Seguimos caminando hacia el Ministerio de Educación. Cuando estábamos a unos metros de la entrada, Frida se volvió y me dijo:

—Dame los cuadros. Ve a esa tiendita y cómprate unos pasteles y algo para beber. Me reuniré contigo allí en cuanto haya terminado. —Señaló la pastelería Agua Mansa—. A ti te gusta comer —añadió con sarcasmo.

Le di los cuadros, y echó a andar tan deprisa como podía,

que no era mucho, porque todavía le dolían la espalda y la pierna, y los cuadros eran muy grandes. Dejé que se alejara, y luego la seguí, a cierta distancia, y entré en el Ministerio de Educación.

¿Por qué cree usted que no quería que la acompañara? ¿Porque yo era más guapa que ella y no quería que Diego me viera? ¿Porque no quería que él supiera que era una inválida que necesitaba ayuda para transportar sus cuadros? ¿O eran sólo los nervios? A lo mejor temía que Diego le dijera que lo dejara en paz, y no quería testigos; o que el pintor la tomaría por una chiquilla si se presentaba con su hermana. En fin, la seguí hasta que casi la alcancé. Ella iba demasiado absorta en sus pensamientos para volverse, supongo. Me acerqué bastante y me escondí tras una puerta.

Diego estaba subido en el andamio. Desde donde estaba yo, el pintor parecía un enorme trasero con una cabeza del tamaño de un guisante encima. Frida se acercó a él y gritó: «¡Diego! Baja, por favor. Tengo que hablar contigo de una cosa.»

Recuerdo que pensé: Ojalá le tire un pincel por la cabeza y le diga que se largue. ¡Ojalá le escupa! Fue un pensamiento horrible, mezquino, pero yo estaba ofendida porque Frida no me había dejado ir con ella a hablar con Diego Rivera. Estaba muy enfadada, esperando a ver qué pasaba. Pero no pasó nada. Diego miró a Frida y sonrió, pero siguió trabajando. Había muchas jóvenes que iban a ver cómo pintaba. Él estaba acostumbrado, y le encantaba que le dedicaran tanta atención, pero no podía parar cada vez que aparecía una cara bonita delante de él. Estupendo, me dije. No le va a hacer ni caso.

Pero Frida no se rendía fácilmente.

—¡Tengo que enseñarte una cosa! —gritó.

Diego siguió trabajando, pero le echó un vistazo de reojo. Ya sabe a qué me refiero. Le dio un repaso. Le encantaba la carne fresca, y aunque Frida no era una muchacha de belleza convencional, por así decirlo (verá, era coja y tenía bigote), su descaro la hacía atractiva para muchos hombres.

—Mira —insistió Frida—, no he venido a coquetear contigo. Tengo que hablar en serio contigo de una cosa. He traído algunos de mis cuadros, y quiero que me des tu opinión sobre ellos.

Tras una larga pausa, añadió:

—Soy Frida Kahlo. Nos conocimos hace mucho tiempo en la Prepa.

¿Reconoció Diego a la niñita que le había plantado cara a Lupe Marín en el anfiteatro? Es posible que sí. Lombardo Toledano siempre se quejaba de Frida, así que es probable que las palabras Frida Kahlo se le quedaran grabadas en la memoria. O quizá la recordó de la fiesta de Tina Modotti. En fin, Frida siguió acosándolo un rato, y al final Rivera bajó del andamio con sorprendente destreza, como un hipopótamo caminando por la cuerda floja.

—No he venido a gastarte bromas —dijo Frida—. He venido a pedirte tu opinión sobre mis cuadros. Tengo que ganarme la vida, y quiero saber si crees que podría dedicarme profesionalmente a la pintura. Si no tengo talento, prefiero saberlo ahora, para no perder el tiempo y dedicarme a otra cosa más productiva.

Diego examinó los cuadros, pero en realidad creo que la miraba a ella de reojo. Acababa de separarse de Lupe Marín. No habían llegado a celebrar un matrimonio civil, y los matrimonios religiosos no estaban reconocidos en el México posrevolucionario, de modo que no hizo falta que se divorciaran. Diego se marchó a Rusia para pintar un fresco que loaba el Ejército Rojo, y cuando regresó a México, Lupe había decidido que estaba harta de las aventuras de él. Diego había estado cortejando a Tina antes de marcharse, y Lupe consideraba que la estaba convirtiendo en el hazmerreír de la Ciudad de México. En cuanto Diego entró por la puerta, Lupe le dijo que se fuera al infierno, y así terminó su relación. Lupe era una auténtica fiera. Diego se lamió las heridas y, para reponerse, se metió en la cama con Ana, con María, con Neli, Marta, Rosalía...Yo me enteré de eso mucho más tarde, cuando Lupe y yo nos hicimos amigas.

Un vistazo a las exuberantes tetas de Frida bastó para que Diego decidiera que valía la pena conversar unos minutos con aquella joven.

Se quedó contemplando los cuadros, o fingiendo que lo hacía.

—Tengo muchos más —dijo ella—. Si quieres verlos, puedes venir a mi casa el domingo. Vivo en Coyoacán. Avenida Londres, 126.

—Tienes talento —dijo él—. El que más me gusta es este autorretrato.

No sé si lo decía en serio o sólo por cortesía, porque al fin y al cabo Frida era una señorita. Entonces Diego dijo algo más, pero como estaba de espaldas, no lo oí. Supuse que había dicho algo como «Me encantaría ver el resto de tus cuadros, jovencita, pero los fines de semana estoy ocupado». No olvidemos que Diego era un pintor famoso con cientos de amigos, y además era un miembro destacado del Partido Comunista, y tenía reuniones y actos importantes a los que asistir.

Frida le dio las gracias y se volvió hacia el pasillo donde yo estaba escondida. Diego se ofreció para ayudarla a llevar los cuadros, pero ella dijo que no hacía falta, que podía hacerlo sola. No quería que la acompañara fuera, evidentemente. No quería que Diego viera cómo se reunía conmigo en la pastelería de la acera de enfrente, donde se suponía que yo estaba esperándola.

Le salí al paso en medio del pasillo.

—¿Qué haces aquí? —me espetó—. ¿No te dije que te compraras unos pasteles y me esperaras allí enfrente?

—No lo hice. ¿Qué importa?

—Toma, coge los cuadros —me ordenó, y me dio los dos más pesados.

—¿Y bien? ¿Qué te dijo?

—Ya debes de saberlo. Me has estado espiando.

—No oía muy bien —mentí. La verdad es que lo había oído todo, excepto aquella última frase.

—Dijo que le encantan mis cuadros, que mi retrato es espléndido, que tengo muchísimo talento y que irá a visitarme el domingo para ver el resto de los cuadros.

—¿En serio?

Como Frida había exagerado en la primera parte, supuse que había mentido en la segunda. Pensé que Diego le habría dado alguna excusa o que habría hecho algún comentario ambiguo para no herir sus sentimientos. Verá, no pensé que el gran Diego Rivera hubiera accedido a viajar hasta Coyoacán sólo para ver los cuadros de una muchacha de veintiún años.

No, Frida no tenía dieciocho años, sino veintiuno. No olvide que había estado todo un año fuera de circulación después del accidente, por lo que se quitó otro año. Ahora decía que era tres años más joven de lo que en realidad era. Si alguna vez ha leído que tenía dieciocho años, es porque ella siempre mentía a los periodistas.

No se imagina la sorpresa que me llevé aquel domingo cuando vi aparecer a Diego Rivera. Frida llevaba un overol y estaba trepando a un árbol, y yo estaba sentada en la sombra, soñando despierta, cuando aquella bestia enorme llegó dando grandes zancadas. Llevaba una camisa limpia, y unos pantalones que no estaban salpicados de pintura; una chaqueta y el típico Stetson. Fumaba un puro que apestaba, pero Frida dijo que le gustaba aquel olor.

—¿Vive aquí la señorita Kahlo? —me preguntó.

—Yo soy la señorita Kahlo —contesté con malas pulgas.

Frida, desde el árbol, lanzó una ramita que fue a parar junto a aquellos enormes barcos. Me refiero a sus pies, por supuesto.

—Yo soy la señorita Kahlo que buscas. Ésta es la otra señorita Kahlo. Ven —dijo, sin presentarme—. Entremos en la casa y te enseñaré los cuadros.

Aquel día Diego no se quedó mucho rato. Miró los cuadros que Frida había apartado para enseñarle, pero yo no oí sus comentarios porque no los acompañé. Mi hermana dejó muy claro que lo quería para ella sola, y me prohibió que les siguiera. Pensé: Aunque no le gusten, le dirá que le encantan, porque es un adulador. A cualquier mujer le diría que le encantan sus cuadros con tal de acostarse con ella. Frida debió de pensar lo mismo, porque cuando salieron de su habitación, le oí decirle: «Quiero que me digas lo que piensas de verdad. No intentes halagarme, porque no puedo perder el tiempo haciendo algo para lo que no sirvo.»

Frida le preguntó si quería quedarse a cenar. Él declinó la invitación, pero prometió volver a la semana siguiente.

A mi madre no le hizo ninguna gracia aquella visita. Ya era bastante grave que Frida se hubiera hecho comunista y que se relacionara con gente como Tina Modotti, aquella loca que se creía fotógrafa; y ahora, para colmo, se hacía amiga de aquel pintor que se las daba de tesoro nacional. Para mi madre, una católica de clase media, Diego no era más que un ateo descomunal.

Fiel a su palabra, Diego regresó el domingo siguiente por la tarde, pero esta vez Frida y yo nos habíamos arreglado para la ocasión. Yo llevaba una falda y una blusa sencillas, y ella un traje de hombre que le había regalado Alberto Lira porque se le había quedado pequeño. Frida llevaba un clavel en la solapa; el color de la flor era idéntico al del brillante carmín de sus labios y al del esmalte de sus larguísimas uñas. Se había puesto otro clavel en el pelo, que llevaba peinado hacia atrás como los bailarines argentinos de tango. Los pantalones le cubrían la pierna atrofiada, pero curiosamente, como si quisiera hacer destacar su impedimento físico, se había puesto unas ridículas zapatillas de raso. No se imagina usted lo femenina que estaba, lo femenina y seductora. Era increíble lo atractiva que podía estar Frida con un traje de hombre. Yo estaba un poco nerviosa; al fin y al cabo, Diego ya era toda una leyenda, y allí estaba, en el salón de mi casa. Sin embargo, Frida estaba muy tranquila, nada apantallada.

Él no entró en el salón, sino que lo invadió. Primero, su barriga, que era como un caballo de Troya; luego un pie que era como un buque de guerra, dos hombros como dos ciudadelas maltrechas, unos labios que parecían una carnicería, los carrillos fláccidos, la papada, las aletas de la nariz, otro pie como un buque de guerra, un trasero colgante (¿un búnker abandonado?, ¿un almacén vacío?): un ejército de partes inapropiadas que parecían regidas por alguna disciplina interna en lugar de por sus funciones individuales. Lo encontré repugnante.

Mami lo invitó a sentarse, y al dejarse caer en la butaca, Diego movió un brazo (un brazo enorme y rígido, como un ariete), y derribó un juego de té de plata, uno de los pocos recuerdos que quedaban de mejores épocas, que cayó al suelo con gran estruendo, como mil armaduras. Diego extendió las piernas para acomodar su gigantesca barriga y sonrió tímidamente mientras Inocencia recogía jarritas para la crema y terrones de azúcar. ¿Cómo podía aquella masa falta de coordinación ser un gran pintor?, me pregunté. Tuve la sensación de que habían violado nuestro espacio vital. Sin embargo, Frida no parecía notarlo.

Lo miré con timidez. Crucé las piernas y me estiré la falda floreada. La delicada Cristina, tan coqueta. Frida, en cambio, reía a carcajadas. Estaba recordando alguna travesura comiquísima que los Cachuchas habían hecho en la escuela, y describiendo el incidente con todo detalle. Diego la miró con gesto impasible, como un rinoceronte. Entonces sonrió, separando sus carnosos, obscenos labios. Olía a sudor y trementina.

—El viejo señor Bayer, el profesor de inglés —iba diciendo mi hermana— se puso más colorado que los calzones de una puta cuando abrió su escritorio y encontró una exquisita taza de porcelana llena de mierda de perro.

—¡Frida! —exclamó mi madre.

Pero Diego estaba encantado. Ensanchó la sonrisa, y las piezas de la armadura se aflojaron lentamente en su cara, como si les costara desprenderse de la piel. Ya no parecía un rinoceronte. La carne que había debajo de la armadura era suave y frágil como la de un fruto delicado. De hecho, sentado en aquella blanda butaca, me recordaba a una ciruela enorme y madura, a punto de abrirse y soltar un jugo dulce y pegajoso. Años más tarde me di cuenta de que aquellos cuadros que pintó Frida de mangos y sandías voluptuosos, suculentos, abiertos y rezumando jugos, eran, en realidad, retratos de Diego.

—No seas desagradable, Frida —la reprendí. Diego ya no miraba a Frida. No. Me miraba a mí. Yo notaba su mirada en mis tobillos, en mis rodillas, en mis muslos, y me revolví, inquieta, en la silla.

Entonces, aquel ser carnoso y rezumante me miró a los ojos y esbozó una sonrisa.

Me estremecí, y de pronto tuve la sensación de que estaba desnuda delante de todos: Diego, Frida, mami, papá, Inocencia, todos. Instintivamente, me llevé una mano al pecho, como para protegerme, y una vez más Diego separó los labios y esbozó una sonrisa lasciva. Miré hacia otra parte. Me escocían los párpados.

Frida farfullaba sobre su grupo de jóvenes comunistas. Hablaba de la igualdad. Hablaba del nuevo México, dirigido por los obreros y los campesinos. Hablaba de que no habría más inversiones extranjeras. Hablaba del fin del imperialismo yanqui. Diego la miraba, o, mejor dicho, se la comía con los ojos. Tenga en cuenta que él era un héroe revolucionario, un instrumento del pueblo. Pero, salvo cuando se trataba de pintar, a Diego le costaba concentrarse, y al cabo de un rato creo que se olvidó de las masas. Sí, se olvidó de las masas, sin duda. En lugar de pensar en las masas, me examinaba a mí de la cabeza a los pies. A mí. No a Frida, sino a mí. Y ni siquiera disimulaba. ¿Si no se dieron cuenta mis padres? ¿Y Frida? ¿Estaba demasiado absorta en su historia para darse cuenta? No lo sé. Nunca he entendido cómo se las ingeniaba Diego, pero supongo que para él, admirar a una mujer hermosa era algo tan natural, tan normal, que podía comérselas con los ojos sin llamar la atención. O quizá sea que los demás no querían verlo. O quizá... quizá todo fueran imaginaciones mías.

Bueno, así fue cómo empezó todo. Después de aquel día, Diego iba a visitarnos todos los domingos. Era un noviazgo muy burgués para tratarse de dos comunistas rabiosos. Diego traía un ramo de flores o una caja de bombones, se sentaba en el salón y hablaba con papá sobre la situación política. Frida y él iban a pasear por la plaza, como dos enamorados tradicionales, con la excepción de que él llevaba ropa de trabajo y ella llevaba vaqueros y una camiseta negra con una insignia de la hoz y el martillo. Ambos compartían la obsesión por la política. En uno de los murales del Ministerio de Educación, Diego pintó a Frida como activista de la Liga de Jóvenes Comunistas, con una camisa de trabajo con una estrella roja en el bolsillo, rodeada de peces gordos del partido. Frida siempre decía que la mutua atracción que sentían era eléctrica. Según mi hermana, en una ocasión iban paseando por la calle al atardecer, y todas las farolas se encendieron de golpe. Debió de ser hacia las cinco de la tarde. Diego la abrazó por la cintura y la besó en los labios, y cuando se tocaron, las farolas se encendieron. ¿Será cierto, o será otra de las invenciones de Frida? Según ella, había tanto voltaje entre ellos que habrían podido iluminar la ciudad entera. Sea como sea, estoy segura de que no se limitaban a aquellos besos inocentes bajo las farolas. Estoy segura de que iban al apartamento de Diego y cogían como locos, y de que se entregaban al desenfreno más absoluto en las orgías de Tina. Pero en Coyoacán se comportaban como dos ángeles de clase media con alas vaporosas, aunque en realidad parecían un orangután y un gorrión. No cabía duda de que Diego estaba locamente enamorado de mi hermana, aunque, si he de ser sincera, cuando yo estaba con ellos, Diego no me quitaba los ojos de encima.

¿Si me sentía halagada? Por supuesto que sí. Estamos hablando del gran Diego Rivera, héroe y pintor de la Revolución mexicana, y además, Diego tenía algo irresistible a pesar de su gordura. O quizá era precisamente su gordura lo que lo hacía irresistible. Era un hombre muy sensual. Carnoso y sensual. Cuando lo veías, te daban ganas de tocarlo. Te daban ganas de clavar los dientes en aquellos pliegues de carne. Además, tenía muy buena reputación. No, no me refiero a su arte... bueno, no me refiero sólo a su arte, sino también como amante. Había estado con tantas mujeres, o al menos eso se decía. Las mujeres no podían evitar sentirse fascinadas por él. No podían evitar preguntarse: ¿Qué les da a las mujeres que a mí nunca me han dado? ¿Qué hace él que no hagan otros hombres? Era, también, la forma de mirarte, la forma de hablarte. Te hacía sentir importante; te convencía de que te admiraba de verdad, que no eras un simple objeto con todo lo necesario para satisfacer sus necesidades. Cuando conocí a Diego, no volví a sentir que no era más que «la otra hermana». Era yo, Cristina, quizá no tan inteligente como Frida, pero una joven con ideas, opiniones y sentimientos, y con un hermoso cuerpo. Diego me hablaba del comunismo, de la vida en París, de Picasso, de Juan Gris y de André Breton. Me hablaba de los frescos italianos, de su viaje a Rusia, de que intentó alistarse en el ejército para participar en la Primera Guerra Mundial. Dicho de otro modo: me trataba como a una persona real, y por eso me enamoré... ¡No! No quería decir eso. No me enamoré de él; al menos no me enamoré entonces, mientras él cortejaba a Frida, porque yo estaba enamorada de otro hombre. Estaba muy enamorada de mi prometido. Íbamos a casarnos pronto, muy pronto. De hecho, nos casamos aquel año, 1928. De modo que, aunque coquetear con Diego (y supongo que sí, que coqueteaba con él) fuera un juego divertido, era simplemente eso, porque pronto me convertiría en la señora Cristina Kahlo de Pinedo.

La boda se celebró pese a que mi padre no paraba de quejarse de que estábamos arruinados. Mi madre, por fin, se puso en marcha y empezó a comportarse como una madre como Dios manda, ocupándose del encaje y de enviar fotografías a las páginas de sociedad de los periódicos. La ceremonia acabó siendo precisamente lo que mami quería: una boda por la iglesia con su hija menor vestida de blanco. A la boda asistieron todos nuestros amigos, aunque las celebraciones fueron sencillas debido a nuestra situación económica. Mi madre, Inocencia y yo nos pasamos varios días preparando burritos, enchiladas suizas, tamales, chiles rellenos, empanadas, mole, ceviche... Había cubas de pulque y sangría, todo tipo de pasteles, dulce de coco, arroz con leche... Frida también nos ayudó, porque le encantaba cocinar. Maty y Adri también echaron una mano. Pese que tuvimos que apañárnosla sin muchas cosas y hacerlo todo nosotras mismas, había mucha comida. También celebramos una ceremonia civil, porque la ley mexicana lo requería. En la iglesia, Pinedo estaba muy guapo y muy correcto, aunque un tanto distante. Es posible que se sintiera intimidado por Frida y Diego y sus amigos artistas. Él creía que eran unos degenerados y unos imbéciles. Sobre todo Diego. Se hacía pasar por obrero cuando tenía diez veces más dinero que cualquiera de nosotros, vivía en una gran casa con un estudio y hasta tenía coche. «Es un farsante», me decía Pinedo, y supongo que en muchos aspectos tenía razón. Nos fuimos a vivir a nuestra casita de la calle San Cristóbal, cerca de la de mami y papá, y me quedé embarazada en menos de lo que canta un gallo. Isolda nació en 1929; era la cosita más preciosa, con los ojos más relucientes que se pueda usted imaginar. Al menos he hecho algo bien, pensé. Verá, yo era la única de mis hermanas que había tenido un hijo.

Mami cada vez estaba más preocupada por la relación de

Frida con Diego. No le importaba que él fuera un pintor famoso. A mi madre no le importaba el arte. Para ella, Diego era demasiado gordo, demasiado comunista y, sobre todo, demasiado viejo. Tenía cuarenta y un años, o sea que era veinte años mayor que mi hermana. Además, era un dejado y un playboy.

Mami estaba tan alarmada que le escribió a Alejandro y le suplicó que hiciera algo al respecto. Pero Alejandro estaba ocupado con su nueva novia, y, francamente, creo que se alegraba de haberse librado de mi hermana. Eran como un balero; Frida era el vaso y él la bola. Cada vez que él intentaba escapar, ella se ponía a lloriquear y a lamentarse; tiraba de la cuerda y volvía a atraparlo. ¿Si Frida habría vuelto con Alex si él se lo hubiera pedido? No lo creo. Estaba muy contenta de ser la novia del gran Diego Rivera. Iba a fiestas con gente importante que le prestaba atención porque iba con Diego. Eso le hacía sentirse importante.

Durante esa época Frida pintaba mucho. Eso hay que reconocérselo a Diego. Él nunca la desanimó. Muchos hombres famosos mantienen a sus esposas en jaulas, como pájaros decorativos. No quieren que ellas tengan sus propios intereses. En cambio, Diego valoraba el talento de Frida y la animaba a pintar. No era exactamente su maestro; es decir, no le daba lecciones. «No quiero abrumarla —le dijo a mi padre—. No quiero imponerle mi propio estilo.» Siempre apoyaba a Frida, y ella se lo agradecía. Frida pasaba horas mirando cómo pintaba Diego, sentada a su lado en el andamio. Así fue como aprendió.

Frida hizo un retrato mío en el que estoy muy seria y muy rígida, como si tuviera un palo en el culo. Una rama de un árbol se inclina hacia mí como si estuviera viva y quisiera tocarme, y hay otro árbol solitario un poco más allá. Es un cuadro extraño; el lienzo se extiende hasta el límite del marco, como si yo saliera de la pintura y me trasladara al mundo real; y así es precisamente como me siento a veces: como si estuviera atrapada en una especie de celda demasiado pequeña para mí, y como si me desbordara y saliera de ella pese a los intentos de los demás de mantenerme encerrada.

Frida también hizo un retrato de Adri en esa época. A mí no me gusta ese cuadro, porque en él Adri parece una maestra vieja y antipática. ¿He dicho vieja? Vieja, como yo. ¿Cuántos años diría usted que tengo? No, no busque la ficha; a ver si lo adivina. Tengo cincuenta y cinco años, pero me siento como si tuviera cien. Adri mira hacia fuera como si quisiera agarrarte para regañarte. Lleva un vestido que resalta sus grandes pechos, y tiene un aire muy imponente. Parece ser la clase de persona con la que no querrías discutir. Es curioso, porque Adri no era así. Frida también hizo muchos retratos de niños: chiquillos del barrio, hijos de amigos nuestros... A Frida le encantaban los niños, y fue una tía excelente para mis hijos.

Pues bien, Frida y Diego se estaban haciendo casi inseparables. A mami seguía sin gustarle Diego, pero empezaba a ver que él tenía dinero de sobra para ocuparse de Frida, y además era generoso. No olvide que mi padre todavía intentaba saldar las deudas que tenía con los médicos, y que temíamos perder nuestra casa.

Un día papá le dijo a Diego:

—Me da la impresión de que le interesa mi hija.

Diego soltó una carcajada y replicó:

—¿Qué cree? ¿Que no tengo nada mejor que hacer los domingos que venir a Coyoacán a ver a una muchacha que no me interesa? Pues claro que me interesa. Por eso estoy aquí.

—No es una chica dócil. Mi hija Cristi es mucho más dócil. —Yo había ido a visitar a mis padres con mi hija Isolda, como hacía todos los domingos.

Diego me sonrió y dijo:

—Sí, ya lo sé. Frida es un auténtico diablillo, pero la quiero mucho.

—Bueno —dijo papá—, yo ya le he avisado.

—Sí, usted ya me ha avisado.

—Y otra cosa —añadió mi padre—: Y *otrrra* cosa. Sale muy *carrra*. Hay que *pagarrr* a los médicos. —Le contó lo de las enfermedades de Frida, lo de su accidente. Le dijo a Diego que seguramente Frida necesitaría tratamientos médicos el resto de su vida.

—A ver, hablemos de eso —dijo Diego.

Entraron en el estudio de papá, supongo que para discutir aquel asunto. No me invitaron a acompañarlos, y de todos modos, yo tenía que ocuparme de Isolda. A continuación me enteré que habían fijado la fecha de la boda para el 21 de agosto de 1929.

Frida tenía que superarme siempre en todo, ¿verdad? Yo había celebrado una bonita boda y había tenido una hija preciosa, pero la salvadora de la familia no podía ser yo. No, claro que no. La salvadora de la familia tenía que ser Frida. O, mejor dicho, Diego. Yo creía que lo había hecho todo bien, pero no podía sacarlos de aquel cúmulo de deudas en que Frida los había metido con sus enfermedades y accidentes. No me interprete mal. Ya sé que Frida no tenía la culpa. Pero lo cierto es que sus gastos médicos eran tan enormes que se llevaban todo el dinero que ganaba mi padre, que no era mucho. Si Diego no se hubiera hecho cargo de los pagos de la hipoteca de la casa de la calle Londres, estoy segura de que la habríamos perdido. Y Diego no se limitó a pagar la casa, sino que dejó que mis padres siguieran viviendo allí. Más adelante, cuando mi marido me abandonó, yo también me fui a vivir con ellos. Isolda, el pequeño Antonio y yo. De modo que todos estábamos en deuda con Diego. De no ser por Frida... Si Frida no se hubiera casado con él no sé qué habría pasado.

Fue una boda muy animada, según me contaron. No me refiero a la ceremonia civil, por supuesto, sino a la fiesta que se celebró después. Yo no asistí ni a la boda ni a la fiesta, y tampoco mi madre y mis hermanas. A mami no le gustaban los amigos de Frida y Diego, ni el hecho de que no hubiera sacerdote, y protestó tanto que Maty, Adri y yo no nos atrevimos a contrariarla. Si la hubiéramos dejado sola en casa y hubiéramos ido a la boda de Frida, mi madre lo habría considerado una ofensa. No olvide que mi hermana Maty acababa de reconciliarse con mamá. Mi padre, en cambio, sí asistió.

Vaya boda. Frida y Diego fueron al juzgado y los casó un juez. Muy revolucionario. Muy acorde con sus principios comunistas y anticlericales. Estoy segura de que estaban orgullosísimos de prescindir del clero. Pobre mami. Había cuidado a Frida con tanto cariño mientras estuvo enferma, y ahora mi hermana pisoteaba las tradiciones y se casaba por lo civil, a sabiendas de lo que eso iba a dolerle.

Frida ni siquiera llevaba traje de novia. No, el traje de novia era demasiado burgués. Convirtió la ceremonia en una declaración política, una declaración de su solidaridad con el pueblo. Le pidió prestada la ropa a la criada. ¡A la criada! Una falda, una blusa y un rebozo. Al menos habría podido ponerse un vestido de tehuana bonito, un vestido de tehuana nuevo. Habría podido ir al mercado a comprarse uno, pero no, se puso la ropa vieja de la hija de Inocencia. Seguro que lo consideró un gesto muy original, muy radical. O quizá sólo pretendía humillar a papá porque él no podía ofrecerle una boda como la que me había ofrecido a mí. Sea como sea, Frida rellenó el zapato y se puso unas medias gruesas para que no se notara que era tullida (siempre supo camuflar sus defectos), y, para colmo, fumó durante toda la ceremonia. En la fotografía que apareció en el periódico al día siguiente, Frida tenía un cigarrillo colgando de los labios, igual que una prostituta. Lo siento, pero eso es lo que parecía. Mi madre casi se desmaya. Diego llevaba un traje corriente, sin chaleco. «Fue una farsa —me dijo mi padre más tarde—. ¡Fue una *farrrsa*!»

El juez Mondragón pronunció las palabras mágicas, y Frida y Diego se convirtieron en marido y mujer. A continuación, se fueron todos a casa de Andrés Henestrosa, un escritor amigo de Diego y Frida. Henestrosa tenía una voz muy bonita, y siempre cantaba en las fiestas, sobre todo cuando se emborrachaba. Era del grupo de amigos de Tina Modotti, así que ya se puede imaginar usted. Fueron todos menos mi padre, que volvió a casa.

Las historias sobre la orgía que se montó en casa de Henestrosa circularon durante meses. Uno se emborrachó y orinó en un tiesto. Otro se emborrachó y vomitó en el sofá. Otro se emborrachó y agarró a Lupe Marín por la entrepierna, y ella ni se inmutó. Uno se puso a fumar opio y otro se puso hasta las orejas de heroína. Yo no fui a la fiesta. Tenía que ocuparme de mi hija. Isolda tenía mucha tos y no quería dejarla con la criada; además, tenía la impresión de que Frida no quería que me mezclara con sus revoltosos amigotes. Dicho de otro modo: no me invitaron. Verá, ellos eran la elite, la aristocracia del mundo del arte, aunque se suponía que en México no había aristocracia. Eran gente muy distinguida. Frida me habló de la fiesta después, y reconozco que le hice muchas preguntas. Sentía curiosidad. Yo nunca había ido a una fiesta como aquella, y quería saber cómo era. Las mujeres llevaban el pelo corto y engominado, y chaquetas masculinas. El estilo lésbico todavía estaba de moda entre los amigos de Frida, aunque ya no en otros círculos. Tina Modotti llevaba un vestido suelto rojo, muy atrevido, y su abundante melena acariciaba sensualmente su cuerpo. Tina no debería haber estado allí, porque también estaba Lupe. Lupe la odiaba porque Tina había posado para algunos desnudos de los murales de Diego de la capilla Chapingo, y Lupe se moría de celos. Culpaba a Tina de la ruptura de su matrimonio, y cuando la vio en casa de Henestrosa, fue directamente hacia ella y le dio una bofetada. «¡Puta! —gritó—. ¿Por qué no vuelves a California, a Italia o a donde sea?» Tina había nacido en Italia, pero había vivido con Weston en California antes de venir a México con él. Cuando acabó de insultarla, Lupe le agarró la falda a Frida y se la levantó. «¡Miren estas piernas! —gritó—. ¡Son de madera! ¡Parecen dos palillos!» Cuando oí esta historia, me acordé de las niñas que se burlaban de Frida en la escuela, cantando

«¡Frida Pata de Palo!», y sentí lástima de mi hermana. «¡Éstas son las piernas que Diego se lleva ahora a la cama, en lugar de las mías!» Entonces se levantó el vestido para exhibir sus hermosas piernas. Lupe seguía ligada emocionalmente a Diego (habían tenido dos hijos), y aunque afirmaba que ya no lo quería, no soportaba que él hubiera encontrado otra mujer.

Diego se portó muy mal en la fiesta. Se emborrachó con tequila y se puso a disparar contra todo: plantas, lámparas, espejos, jarrones, copas. Dejó la casa de Henestrosa llena de agujeros de bala, y ni siquiera se ofreció a pagar los desperfectos. Hugo Leffert, un periodista, intentó arrebatarle la pistola, pero Diego le destrozó el dedo meñique. Normalmente, Frida encontraba muy gracioso el comportamiento de Diego, pero en aquella ocasión se estaba propasando. Era su boda, y Diego no le hacía ni caso. Se dedicaba a hacer puntería y a tocarle el trasero a las mujeres, chocando contra las paredes y destrozando la porcelana de Henestrosa.

—Te estás portando como un salvaje —le dijo Frida.

Diego estaba indignado. ¿Quién era aquella mocosa de veintiún años para decirle a él lo que tenía que hacer?

—Soy tu esposa, nada más y nada menos —le espetó ella.

Diego gruñó como un león herido.

—¡Déjame en paz! ¡Largo de aquí!

—¡Muy bien! —dijo Frida—. ¡Me voy! —Y rompió a llorar.

Era muy tarde, pero Frida volvió a la avenida Londres y se acostó en la cama donde había dormido desde niña.

Al día siguiente fui a verla y la encontré llorando.

—¡No pienso volver con él! ¡Jamás! Viviré contigo y te ayudaré a criar a Isolda.

Pero al cabo de unos días Diego fue a buscarla, y empezaron su vida conyugal.

14

FINALES Y PRINCIPIOS

Dicen que llevo una vida de ermitaña, que no me gusta la gente. Después de todo lo que he tenido que sufrir, ¿cómo pueden echarme la culpa? Desde que Frida nos dejó... desde que Frida murió... me he sentido muy sola. Ni siquiera veo mucho a mis hijos. Ya no les intereso. No le intereso a nadie. Ahora que Frida ya no está con nosotros, es como si yo nunca hubiera existido. Yo sólo era alguien mientras estaba a su lado. Yo era la hermana, la otra Kahlo, la tonta, la que nunca hacía nada. Pero al menos estaba viva.

No sé por qué le cuento esto. En realidad no lo conozco. ¿Por qué sigue bombardeándome con preguntas? Empieza a molestarme.

Quiere que le hable del matrimonio de Frida, ¿no? No olvide que yo también estaba casada, aunque las cosas no me iban tan bien. De hecho, las cosas fueron mal desde el principio. Yo creía que lo estaba haciendo todo bien. En cuanto nació Isolda, volví a quedar embarazada. Se suponía que era eso lo que tenían que hacer las muchachas, ¿no? Darles nietos a sus padres. Ninguna de mis hermanas lo había conseguido, de modo que yo me creía la reina de la familia, porque era la única Kahlo que podía tener hijos. Pensé que, por una vez, sería la favorita. Pero supongo que los problemas de salud de Frida habían dejado agotada a mi madre, porque por lo visto no le quedaba mucha energía para dedicarme.

Diego y Frida fueron a vivir al número 104 de Reforma. Era una casa de estilo francés, de las que construyeron cuando Díaz estaba en el poder y se creía que todo lo europeo era mejor. Era una casa elegante en una calle elegante, porque Diego era un tesoro nacional. Al fin y al cabo, el hecho de que Frida y él se identificaran con el pueblo no significaba que tuvieran que vivir como los pobres. A Diego siempre le había interesado la arqueología, y tenía cientos de pequeñas figurillas precolombinas, entre ellas una de un hombre sentado a horcajadas sobre una serpiente que en realidad es un pene gigante. ¡Ja! A Diego le encantaban esas cosas. Pues bien, me explicó que en la cultura maya-quiché la serpiente era un símbolo de fertilidad. ¿Lo ve? A eso me refería. Él siempre me explicaba cosas. No me trataba como si yo fuera idiota. Diego era el único que me hacía sentir importante y guapa; me hacía sentir que existía.

La casa estaba llena de gente. Había una criada, naturalmente, porque aunque ellos eran comunistas seguían necesitando que les sirvieran. Verá, todo el mundo tenía criados, incluso después de la Revolución. A pesar de que los radicales decían que todos éramos iguales y que nadie tenía que doblegarse ante nadie, los indios seguían emigrando a las ciudades, y las mujeres trabajaban de sirvientas por un par de centavos al día. Ahora, tres décadas más tarde, sigue pasando lo mismo. El hecho de tener criados no te convertía en un antirrevolucionario. El hecho de que alguien limpiara lo que tú ensuciabas no significaba que esa persona no fuera tan buena como tú. Ella tenía su trabajo, y tú... bueno, no lo sé. Es un poco complicado.

Tenían una criada que se llamaba Margarita; también vivían en la casa el pintor Siqueiros y su mujer, y un puñado de comunistas más. No recuerdo quiénes eran. Ha pasado mucho tiempo, y no olvide que yo estaba ocupada con mi hija. Lo que sí recuerdo es que había gente por todas partes, porque además de los amigos que vivían con Diego y Frida, siempre había otros comunistas de paso. Dormían en el suelo del comedor o del salón. Se amontonaban en los sofás y debajo de las mesas. Al principio Frida estaba encantada. Era como un juego, como una acampada. «Todos somos hermanos —me decía—. Trabajamos juntos y nos ayudamos. Yo cocino, Andrea se encarga de las tareas domésticas, Edit hace la compra...» Andrea y Edit eran dos amigas comunistas. «Y cuando no me encuentro bien, no tengo que preocuparme, porque las otras chicas se encargan de todo.» Sin embargo, cuando pasó la novedad, aquello se convirtió en un fastidio. «¡Estoy deseando que se larguen todos para poder tirarme tranquila a mi marido!», me dijo Frida. Habrían podido venir a mi casa. Yo ya no chingaba con mi marido, y me habría venido bien un poco de compañía.

¿Que por qué no chingaba con mi marido? Porque en cuanto me quedé embarazada, Pinedo empezó a decirme que parecía una vaca lechera, y a pasar las noches fuera, bebiendo y acostándose con las hijas de los vecinos.

Los comunistas acabaron marchándose, porque Diego tenía problemas con el partido. Era secretario general de la división mexicana, pero había gente que creía que estaba confabulado con el nuevo gobierno, que era anticomunista. El país se había orientado hacia la derecha. El dinero escaseaba a causa de la Depresión, y el gobierno no quería gastarse el presupuesto en los obreros y los indios que se morían de hambre. Además, mucha gente opinaba que los objetivos de la Revolución ya se habían cumplido y que había llegado el momento de abandonar la lucha. Pero se equivocaban. Era evidente que el pueblo seguía pasando hambre, y que los ricos seguían mandando. Los pobres idolatraban a Diego porque sus obras ensalzaban al pueblo y mostraban su sufrimiento. Pero para los peces gordos comunistas, las imágenes de campesinos no eran lo suficiente. Ellos querían un compromiso total, y en su opinión Diego flirteaba con ambos bandos.

A Diego le encantaba ser una estrella marxista. Le encantaba ser el héroe de las masas, pero no era... ¿cómo se llama eso? Un ideólogo. No tenía reparos en aceptar un encargo del gobierno anticomunista. Se reía de ello, diciendo: «¿Por qué ha de importarme que me paguen por reírme de ellos en mis cuadros? No veo qué hay de malo en aceptar el dinero de esos cerdos para luchar por los hijos olvidados de Dios.» Pero lo cierto es que Diego no era un buen miembro del partido. No estaba de acuerdo con todo lo que promulgaban los comunistas, y tenía muchos amigos que no tenían nada de comunistas. Además, asistir a reuniones, esperar a que hablaran los demás y someter las cosas a votación no era su estilo. A él le gustaba hacer las cosas a su manera. Pretendía presentarse en aquellas asambleas cuando le convenía, contar chistes, tomarse unas copas y que todo el mundo comiera de su mano. A los duros estalinistas no les hacía ninguna gracia. Ellos eran personas serias, y aquellas excentricidades no les gustaban. Querían que Diego obedeciera las normas, y como él no estaba dispuesto a ello, lo expulsaron del partido.

Espere un momento. No me he explicado bien. No quiero decir que Diego no fuera un marxista convencido. Diego era un buen comunista. Creía en la igualdad y en todas esas cosas. Creía en la belleza y la fuerza del pueblo. Estaba convencido de que lo estaba haciendo bien, trasladando el mensaje del partido al pueblo a través de sus murales. Diego intentaba ayudar a conseguir los objetivos de la Revolución con sus pinceles. En eso era sincero. Lo que pasa es que él era más... ¿cómo se llama?... pragmatista. No le importaba darles coba a unos cuantos conservadores, a unos cuantos ricos asquerosos, si eso le daba la oportunidad de educar a sus queridos campesinos. El gobierno de Calles era muy reaccionario, pero seguía haciéndole encargos. Le encargaron un mural en el Palacio Nacional, y Diego aceptó, y eso hizo creer a los comunistas que era un falso. Ellos eran puristas, y consideraron a Diego un traidor y un oportunista.

Diego sabía que lo iban a echar del partido, y ¿sabe qué hizo? Se presentó en una reunión del partido empuñando una pistola. La cubrió con un pañuelo y la dejó encima de la mesa, y entonces, pronunciando un elaborado discurso, se acusó de colaborar con el gobierno burgués y se expulsó oficialmente del partido. Hizo una pausa, miró alrededor para ver quién farfullaba de rabia, quién lo miraba con incredulidad y quién estaba paralizado como un turón al que una serpiente de cascabel acaba de morder en las pelotas, y cuando quedó convencido de que estaban todos atónitos, cogió la pistola y la golpeó contra el canto de la mesa. La pistola se hizo añicos. Los camaradas contuvieron la respiración, y Diego soltó una carcajada. La pistola no era de verdad, sino de arcilla.

—¡Cómo me reí! —nos explicó a Frida y a mí. Isolda y yo habíamos ido a verlos a la ciudad—. ¡Tendrían que haber visto la cara que pusieron! ¡Ja! ¿Qué se han creído? ¿Que pueden expulsar a Diego Rivera? ¡Nadie puede expulsar a Diego Rivera! ¡Sólo Diego Rivera!

Me miraba todo el rato de reojo para ver qué impresión estaba causando. Yo estaba muerta de risa. Hacía mucho tiempo que no me reía tanto, y me gustó el efecto que mi risa ejercía en Diego. Era como si bailáramos juntos sin tocarnos, como si estuviéramos realizando una danza salvaje y sugerente después de la cual nos derrumbaríamos, agotados, el uno en los brazos del otro; pero sin tocarnos. No es fácil explicarlo, pero aquel momento que compartimos, aquella risa que compartí con él, me inflamó, me exaltó, me hizo vibrar.

Frida no se dio cuenta.

—¡Yo también me voy! —anunció cerrando el puño—. ¡Solidaridad!

—¡Solidaridad! —bramó Diego. Pero seguía mirándome con el rabillo del ojo.

En realidad, la actitud de Diego no era más que una fachada. Sin el partido se sentía perdido. Después de abandonarlo, algunos de sus mejores amigos le dieron la espalda. Tina no quería saber nada de ninguno de nosotros. Diego acababa de ser nombrado director de la Academia de San Carlos, pero la gente se volvía en su contra, hasta tal punto que lo despidieron. Diego trabajaba más que nunca, supongo que para aliviar el dolor que sentía. Trabajaba en los murales del Palacio Nacional, en los del Ministerio de Educación y en los que... bueno, en los que nos causarían más problemas: los del Ministerio de Sanidad.

Un día estábamos sentados en un pequeño café de Coyoacán, no recuerdo cuál. De hecho ni siquiera recuerdo si Frida y Diego ya estaban casados. Creo que acababan de casarse. Frida hacía garabatos, dibujos obscenos que Diego encontraba muy graciosos. Ambos estaban obsesionados con los genitales. Frida fumaba un cigarrillo tras otro, y yo también. El humo me producía náuseas, porque estaba embarazada, pero aun así seguía fumando aquellos cigarrillos baratos, aquellos cigarrillos negros mexicanos, tan amargos, que te dan la impresión de que te van a estallar los pulmones. Ahora sólo fumo tabaco rubio, cigarrillos americanos. De vez en cuando, Diego intentaba acariciarme la pierna por debajo de la mesa, recorriendo mi muslo con los dedos, por debajo del vestido. Yo me apartaba y cruzaba las piernas para que no pudiera ponerme la mano más arriba. Estaba acostumbrada a sus travesuras, y Frida también, pero nunca sabías cómo podía reaccionar mi hermana. A veces, cuando Diego coqueteaba con otras mujeres, Frida se lo tomaba a risa; pero otras veces se ponía hecha una fiera. Yo no quería que se enfadara conmigo, así que fumaba y me reía como si no pasara nada.

Por aquel entonces Diego estaba trabajando en los murales del Ministerio de Sanidad: seis desnudos enormes, alegorías de la Pureza, la Sabiduría, la Fuerza, la Templanza, la Vida... ¿qué más? La Templanza... no, ese ya lo he dicho... ah, sí, claro: la Salud. Estábamos bromeando los tres, cuando de pronto Frida dijo:

—Oye, Diego, ¿por qué no pintas a Cristi en tu mural? Ahora está embarazada y tiene las tetas enormes.

—¡Frida! —exclamé yo. ¿Qué otra cosa podía decir?

Pero Frida tenía razón. El embarazo me hacía sentir muy sensual. Como ya le he dicho antes, en aquella época mi marido no me hacía mucho caso, pero cuando iba por la calle, los hombres me miraban y me piropeaban. «¡Llévame al Edén, mi amor, llévame al Paraíso!», me decían. Yo tenía un cuerpo blando y redondo que los hombres asocian con la sumisión. Eso era lo que los volvía locos: la idea de que podrían hacer lo que quisieran conmigo. No es que fuera muy guapa, ni que tuviera las caderas muy anchas, ni la piel muy tersa. Era que parecía una muñeca de peluche a la que ellos podían estrujar y sobre la que podían descansar, como una almohada. Era maleable.

Diego rió con satisfacción.

—¡Cristi! —dijo—. ¡Nunca se me había ocurrido! ¡Es una idea excelente!

¿Que nunca se le había ocurrido? ¡Y un cuerno! No había dejado de mirarme desde que nos conocimos, sólo que entonces le interesaba Frida, y por lo tanto no podía ir detrás de mí. Incluso cuando eran novios, Frida sabía que Diego tonteaba con otras mujeres, pero con su propia hermana... Eso no lo habría tolerado. Una cosa era que me toqueteara un poco por debajo de la mesa, pero lo otro... Y ahora Frida le proponía que me utilizara como modelo. ¿Jugaba conmigo? ¿Intentaba impresionarme? Creo que a Frida le gustaba jugar con fuego, poner a la gente contra las cuerdas. Sabía que Diego solía acabar en la cama con sus modelos. Frida siempre intentaba sorprenderlo, y cuando lo lograba se ponía hecha una fiera. Pero ahora hacía como si posar desnuda no tuviera nada que ver con el sexo, que aquello iba a ser un asunto estrictamente profesional. Frida sabía perfectamente que yo le gustaba a Diego. Él siempre estaba coqueteando conmigo, bromeando, haciendo comentarios. Por eso me extrañó que quisiera ponernos en una situación tan arriesgada. Pero verá, para Frida aquello era un juego. Decía que ella iba a elegir a las modelos para los murales del Ministerio de Sanidad. ¿Qué pretendía? ¿Poner la entrepierna de sus mejores amigas al alcance de la mano del obseso de su marido para ver qué pasaba?

—Háblame del mural —dije para ganar tiempo. No quería contestar enseguida. No quería decir «Me parece una idea estupenda», o algo así, y luego cambiar de opinión.

—Es una serie de alegorías —dijo Diego.

Debí de mirarlo como si me hubiera hablado en chino, porque añadió:

—Figuras que representan ideas. —Cuando Diego me explicaba algo, no me hacía sentir idiota. No lo decía como si estuviera definiendo una palabra que yo no entendía porque era demasiado ignorante. Lo decía con naturalidad: «figuras que representan ideas»—. Seis desnudos decorados con atados de trigo. Trigo maduro, como tú. —Me dio unas palmaditas en la barriga—. Maduro y voluptuoso, como tú. Eres la modelo perfecta.

La palabra «desnudo» me alarmó. Yo ya sabía que Diego iba a pintar desnudos, pero lo dijo de un modo que me inquietó, como si pudiera ver a través de mi blusa. A Frida le encantaba estar desnuda y retratarse desnuda. Pero yo no tenía tanta experiencia en ese tema, y todavía tenía las ideas anticuadas que me había inculcado mi madre. Según Diego, la desnudez no tenía nada que ver con la moral. Las personas tenían cuerpos, y podían tapárselos con ropa o no tapárselos. A él le gustaban los objetos hermosos, entre ellos los cuerpos de mujer, y por eso llenaba sus murales de desnudos. Pintaba muchos desnudos, y tenía muchas mujeres porque también le gustaba mucho el sexo. Pero no pintaba desnudos porque fueran sexis, sino porque eran formas hermosas e interesantes. Además, para él los cuerpos representaban cosas; un cuerpo abundante y bien modulado como el mío podía representar la fertilidad; un cuerpo escuálido, la miseria.

Yo no estaba convencida de hacerlo. Por la forma en que Diego me miraba, comprendí que en cuanto me quitara la ropa... No sé, que al final de la sesión no se limitaría a un «Gracias por tu colaboración. Adiós». Sabía que... podía pasar algo.

—Creo que serías una modelo perfecta —insistió Diego poniéndose serio. Ya no me tocaba la pierna.

Se suponía que yo tenía que hacer ver que comprendía que el desnudarme no significaba que él fuera a seducirme. Pero estaba confundida. De pronto Diego se ponía muy solemne, incluso distante, y sin embargo yo sabía que lo que quería era penetrarme como penetra un arado en la tierra fresca y húmeda.

Frida me azuzaba:

—Vamos, di que sí. Eres muy guapa. Mucho más que yo.

Creo que a Frida le emocionaba la idea de que yo tuviera que desnudarme delante de Diego. Ella siempre iba a ver cómo pintaba su marido, y yo no podía dejar de pensar que los dos estarían allí de pie, completamente vestidos, mientras que yo estaría posando completamente desnuda. Era como una violación en grupo, aunque sólo con la mirada. Sus ojos en mi cuerpo, en mis pezones, en mis muslos. Y había otra cosa que todavía me hacía sentir más incómoda, y es que a Frida también le gustaban las mujeres. Ya sé que no está bien que diga eso de mi hermana, pero es la verdad. Me sentí ruborizar. Dicen que cuando están embarazadas las mujeres no se excitan sexualmente, pero no es cierto. La idea de aquellos cuatro ojos recorriendo mi piel me produjo un estremecimiento febril. Aquella noche esperé con ansia a que Pinedo llegara a casa. Lo deseaba por primera vez desde hacía varios meses. Pinedo llegó borracho, como de costumbre, y oliendo a putas, pero no me importó. Lo ataqué con tanta pasión que creí que dejaría a sus fulanas para siempre. Pensé que cuando despertara al menos se acordaría de que habíamos hecho el amor. Pero luego comprendí que me equivocaba. Cuando terminamos, él se apartó de mí como un bloque de cemento y se precipitó al vacío. Atravesó la cama, el suelo, la tierra, como una masa inerte, hasta llegar al centro de la tierra, tan lejos de mí... tan lejos que supe que no podría llegar hasta él, por mucho que lo intentara. De vez en cuando oía su voz, a kilómetros de distancia, que llegaba a la superficie desde el abismo. Murmuraba cosas, cosas relacionadas con discusiones que había tenido, con deudas, con mujeres. Cosas que no tenían nada que ver con nosotros.

—Ya lo creo —decía Frida—. Sería una modelo excelente. ¡Es la fecundidad personificada! Como un hermoso árbol cargado de frutos carnosos. ¡Vamos, Cristi, di que sí!

—No lo sé —dije—. Tendré que pensarlo bien. ¿Qué diría mi marido?

Pero todos sabíamos que mi marido no diría nada, y que si decía algo, no importaría. Muchos hombres encuentran repulsivas a sus mujeres cuando están embarazadas, y sin embargo no soportan imaginárselas en brazos de otro hombre. Pero Pinedo... No es que no fuera posesivo, sino que nuestro matrimonio dejó de interesarle casi desde el principio. Se rindió a lo inevitable, a lo que él consideraba inevitable. Creía que Diego y Frida y sus amigos eran una pandilla de degenerados. No soportaba a Diego. Que un pintor de brocha gorda se dedicara a beber y a ir de putas era normal. Pero un pintor como Diego, un artista, un hombre que se pasaba el día contemplando a mujeres desnudas... no podía ser sano, era un pervertido. Relacionaba a Diego, y también a Frida, con la depravación. Y como Frida y yo estábamos muy unidas, Pinedo empezó a pensar que yo era como ella, que no tardaría en comportarme como ella. «¡Puta! —me gritaba—. ¡Eres igual que tu hermana, que Tina, que Lupe! ¡Parecen gatas en celo!» Cuando me quedé embarazada de Isolda, Pinedo empezó a salir por las noches. No soportaba ver mi vientre hinchado. Decía que le daba asco. «Y ¿quién crees que es el responsable de que esté así de hinchada? —le pregunté—. ¿Crees que me he quedado embarazada yo sola? ¡Este niño es tuyo!» Cuando nació mi hija, Pinedo estuvo un tiempo interpretando el papel de padre orgulloso. Ya sabe, el macho ufano cuya esposa ha parido nueve meses después de la boda. Pero cuando quedé encinta por segunda vez, fue muy diferente. Se puso insoportable. Me acorralaba contra la pared y me gritaba: «¡Éste no es mío! ¿De quién es este niño?» No se imagina usted lo que me dolían aquellas palabras. Pinedo se comportaba como si no soportara mirarme. Yo sabía que no diría nada si se enteraba de que estaba posando para Diego, porque... no sé, lo estaba esperando. Estaba esperando que yo cayera, como Eva. Es más, él creía que ya había caído.

¿Para qué figura cree que posé? ¡Para la Sabiduría! Parece un chiste, ¿no? Yo, Cristina, la hermana tonta. Estaba sentada, muy recatadamente, con la cabeza agachada, las rodillas juntas, con una florecilla en la mano. Frida me dijo que la flor es un símbolo del sexo femenino porque se abre como el órgano sexual femenino, pero puede que fuera otra tontería de las suyas. A un lado hay una serpiente que se desliza por un árbol. Según Frida, la serpiente convenció a Eva de que comiera el fruto del Árbol de la Sabiduría, y entonces Eva vio que estaba desnuda y descubrió el sexo. Pero a pesar de todos aquellos órganos sexuales, no es una pintura muy sexual. La Sabiduría no es una imagen muy atractiva. Estoy allí sentada, mirando la flor, y nada más.

También posé para la figura de la Vida, la alegoría del techo. Parece que vuele, o más bien que esté suspendida en el aire, porque la Vida engloba toda la naturaleza, todo lo representado por las otras alegorías. En realidad, cuando Diego me pintó, estaba tumbada boca arriba.

Posar desnuda para Diego no fue tan desagradable como

había pensado. Al cabo de un rato dejé de sentirme incómoda. Al principio Diego adoptaba una postura muy profesional, muy natural. He de reconocer que me sorprendió, porque yo pensaba que se pasaría el rato coqueteando conmigo; aunque eso vino después. Supongo que la presencia de Frida lo mantenía a raya; eso, y el hecho de que yo estuviera embarazada y muy nerviosa. Al principio ni siquiera me miraba, sólo lo justo, para guiar su pincel. Nunca tuve la sensación de que me comía con los ojos. La verdad es que me gustó posar para Diego. Posé para las alegorías más destacadas: la Sabiduría y la Vida. Tenga en cuenta que eso ocurrió en la época en que Pinedo me trataba como si yo fuera una basura. Siempre me estaba denigrando. A veces, cuando estaba borracho, se ponía muy cruel, y otras se sentaba y se pasaba horas en silencio. Empecé a pensar que no aguantaría conmigo ni siquiera hasta que naciera el niño. Me sentía desesperada, abandonada, pero posando para aquellos murales me di cuenta de que no era una inútil. Si el gran Diego Rivera se fijaba en mí, significaba que tenía algún valor. Poco después, Pinedo empezó a desaparecer de mi vida. Ya no importaba si estaba en casa o no, si estaba borracho o no. Diego era el único que ocupaba mi mente. Cuando terminó los murales del Ministerio de Educación, me pidió que siguiera posando para él. Cuando nació Antonio y recuperé la figura, me convertí en su modelo favorita. Aquello era algo que sólo yo podía hacer por él, porque a Frida, curiosamente, no le gustaba que Diego la pintara desnuda. Ella pintaba autorretratos en los que aparecía desnuda, pero raramente posaba para su marido. Quizá fuera por la pierna atrofiada y la espalda torcida. Ya le he dicho que mi hermana era una experta en camuflaje, y en sus autorretratos sabía disimular sus imperfecciones. Pero como no estaba segura de cómo Diego la representaría, no posaba para él. O quizá no fuera por eso. Quizá gozaba viéndolo pintar a otras mujeres, tentando a la suerte. Frida casi siempre estaba con Diego en el andamio, y en cierto modo su presencia era tranquilizante. Dentro de mí estaban naciendo sentimientos inquietantes. Pero yo me decía: «No estoy haciendo nada malo. ¿Cómo voy a hacer algo malo? La esposa de Diego, mi propia hermana, está aquí, a mi lado.»

Cuando posas para un pintor no sientes vergüenza, porque la obra que él está haciendo crea una especie de barrera. Tú estás allí con un propósito concreto. Le estás ayudando a hacer su trabajo. No estás allí para complacer a nadie. Y la ropa de él también crea una barrera. Eso era lo que me repetía continuamente.

Frida estaba atareada organizando su nuevo hogar. ¿A que no se imagina con quién iba de compras? ¡Con Lupe Marín! Lupe la ayudaba a comprar cazos, manteles y tela para cortinas. Es decir, hacía lo que debería haber hecho mi madre. Mami seguía sin tragar a Diego, y Coyoacán estaba lejos de la Ciudad de México, así que Frida tenía que arreglárselas sola. Supongo que mi madre se sentía defraudada por todas sus hijas, a pesar de que yo lo hice lo mejor que pude.

Lupe también enseñó a Frida a preparar un extraordinario mole poblano, el plato favorito de Diego. Acabaron siendo muy buenas amigas. Es curioso, pero Frida siempre se hacía amiga de las amantes de Diego. Quizá lo hacía para no perderlo. Convertía a sus rivales en aliadas para que no la traicionaran, para que dejaran en paz a su marido. Pero aquella táctica no funcionó. Al fin y al cabo, ¿en quién vas a confiar si no puedes confiar en tu propia hermana?

Pero Frida no usó aquellos camuflajes mucho tiempo, porque se fueron a vivir a Cuernavaca. Al embajador de Estados Unidos, Dwight Morrow, le gustaba la obra de Diego, y le encargó que pintara un mural en el Palacio Cortés. Diego se pasaba la vida despotricando contra los norteamericanos; decía que ustedes explotaban México, que sacaban los recursos naturales del país y nos trataban como a subnormales. Sin embargo, cuando los norteamericanos le ofrecían dinero, lo aceptaba. Ésa es una de las razones por las que los comunistas la tomaron con él. Cuando nació mi hijo Antonio, Frida y Diego se instalaron en la casa de Morrow en Cuernavaca, para que Diego trabajara en el mural. El embajador estaba de vacaciones, de modo que todo encajaba perfectamente. La residencia era muy lujosa, según me contó Frida. Yo no fui a visitarlos porque estaba muy ocupada con mi hijo recién nacido. Pero no me sorprende que aceptaran la invitación de Morrow, porque a Diego le gustaban las comodidades.

Cuando se casó, Frida dejó de pintar durante un tiempo. Se dedicaba a ver trabajar a su marido y a elegirle las modelos. Pero en Cuernavaca se aburría. Allí no tenía otra cosa que hacer que cuidar de Diego y asistir a actos sociales, así que empezó a pintar para pasar el rato. Y entonces sucedió lo que todos estábamos esperando, el magnífico y espectacular suceso que iba a marcar un hito en la historia mundial, el fenómeno con que Frida soñaba desde que era adolescente.

¡Frida estaba embarazada! Iba a tener un hijo de Diego, tal como había predicho años atrás.

¿Cómo dice? Pues claro que me alegré. Todos estábamos encantados. ¿Qué otra cosa podía desear mi madre, sino unos cuantos nietos más? A mi padre no le interesaban mucho los niños, pero estoy segura de que si se trataba de los hijos de Frida, habría sido diferente. No, no es lo que usted cree. Yo me moría de ganas de ser tía. ¡Me moría de ganas! Mis otras hermanas no tenían hijos, y ahora Frida iba a darme un sobrino. Por fin íbamos a ser una típica familia mexicana, con nietos, abuelas, bisabuelas, tías, primos y todo lo demás.

El embarazo de Frida era excepcional, por supuesto, porque con ella todo era excepcional. Cuando yo me quedé encinta, mi familia se alegró, pero nadie le dio excesiva importancia. Al fin y al cabo, Cristina era una mujer normal y corriente, con unos pechos como calabazas dispuestos a derramar sus jugos y unos muslos generosos dispuestos a abrirse. Todo el mundo confiaba en que yo daría a luz un hijo sano, y así fue. Y ellos se alegraron, por descontado. Y cuando nació Antonio, se alegraron todavía más, porque mi hijo era el primer heredero varón. Mami había tenido un niño antes de que naciera Frida, pero murió de neumonía, de modo que Antonio era especial, y yo me sentí especial por haberlo parido.

Pero con Frida todo fue diferente. Cuando mi hermana anunció su embarazo, todos enloquecieron de alegría (enloquecimos de alegría), porque todos deseábamos aquel niño, y sabíamos que Frida estaba deseando ser madre. Fuimos a la iglesia y le pusimos velas a la Virgen: mami, Maty, Adri y yo, e incluso nuestras hermanastras del primer matrimonio de papá, María Luisa y Margarita, que era muy devota y acabó haciéndose monja.

Cuando Frida supo que estaba encinta, volvió a Coyoacán y se instaló en su antigua habitación, para que mami pudiera cuidarla: llevarle caldo, arreglarle la ropa de cama, cambiarle las flores, como en los viejos tiempos. Mi hermana necesitaba atenciones especiales. Hasta yo tuve que cuidarla, pese a que acababa de tener a mi hijo.

Pero entonces pasó algo terrible. El médico le dijo a Frida que el niño estaba mal colocado, con la cabeza arriba y los pies abajo. Cabía la posibilidad de que se quedara en aquella posición, siguiera creciendo y Frida no pudiera parirlo. Podía esperar y ver si se giraba él solo, por supuesto, pero incluso en ese caso, podía haber complicaciones. El útero de Frida había quedado destrozado a causa del accidente, y quizá ni siquiera hubiera espacio para que el niño se desarrollara del todo. Nos quedamos desconsolados. Frida no hacía más que llorar. Yo también lloré mucho.

—¿Qué voy a hacer, Cristi? —me preguntaba una y otra vez.

Ambas sabíamos qué tenía que hacer, pero yo no pensaba decírselo.

—Háblalo con Diego —le dije—. Al fin y al cabo, él es el padre.

No sé si de verdad pensaba que Diego podía ofrecerle algún consejo, o si se lo decía sólo por crueldad. A veces uno no sabe por qué hace las cosas. Pinedo no me había ayudado en nada cuando nació Antonio, desde luego. Yo confiaba en que mi marido volvería a enamorarse de mí después del nacimiento de nuestro hijo, porque le había dado un varón. ¡Un hijo varón! ¡El sueño de todo mexicano! Pero en lugar de convertirse en el padre encantador que yo deseaba para mi niñito, Pinedo nos abandonó. «¿Cómo te atreves a posar desnuda para un depravado como Diego Rivera estando embarazada?», me decía. Y continuamente estaba con el cuento de que ni siquiera sabía si aquel hijo era suyo. Finalmente hizo las maletas y se marchó. Los hombres no les toman mucho cariño a sus hijos. Son como iguanas. Fertilizan tu huevo y luego se desentienden de todo. Mi padre, por ejemplo. Él siempre estuvo con nosotras, pero ¿nos quería? A Frida sí, pero ¿quería a sus otras hijas?

Frida intentó hablar con Diego acerca de lo que había que hacer con el niño, pero él estaba ocupado tirándose a su ayudante norteamericana, Ione Robinson, y no le prestó mucha atención. Si quiere que le diga la verdad, creo que a Diego nunca le interesaron demasiado los embarazos de Frida. Él consideraba que los embarazos eran cosas de mujeres, como la menstruación. ¿Recuerda que le hablé del hijo que tuvo Diego en París? Cuando el niño murió, Diego no ocultó que él nunca quiso que Angelina tuviera un hijo. Y cuando nació Marika, la hija de Marievna, Diego tampoco se alegró. En cuanto a las dos hijas que le dio Lupe Marín, Lupita y Ruth, Frida les hacía más caso que su propio padre. Para Diego los niños eran un fastidio, y no se portó nada bien con Frida cuando se quedó embarazada. La mayoría de los hombres quieren que sus esposas tengan hijos. De ese modo se demuestran que son hombres. Eso no significa que ellos estén dispuestos a cuidar a esos niños, pero al menos se alegran de que nazcan. Lo que quería Diego era ser él mismo el niño de Frida, y temía que un niño de verdad le arrebatara ese papel. Frida lo mimaba, cocinaba para él, se ocupaba de su ropa, le llevaba la comida cuando estaba trabajando, miraba cómo pintaba, soportaba sus aventuras amorosas. A veces se ponía celosa. Gritaba, pataleaba, lanzaba cosas, le rasgaba la ropa a Diego. Pero al final se callaba y fingía que no le importaba. «Me da lo mismo —decía—, siempre que después vuelva con su mamita.» Lo llamaba *ranita*, *sapo-rana*. Lo adoraba incluso cuando él la trataba mal, y él era tan egoísta y tan creído que no le importaba hacerle daño. O quizá lo hiciera a propósito, para demostrar que la dominaba. El caso es que a Diego no le interesaba si Frida tenía el niño o no, y por eso Frida acudió a mí.

El médico de Frida no quiso hacer la operación. La envió a una abortista, una anciana con manos nudosas y ojos amables que le dio a Frida una manzanilla con un tranquilizante para que se distendiera, y me dijo que le sujetara la mano mientras ella le introducía un tubo entre las piernas. Frida sangró mucho, y cuando todo terminó lloró sobre mi hombro, pero si quiere que le diga la verdad, creo que se sintió aliviada.

¿Por qué me lo pregunta? Ya le he dicho que Frida deseaba tener un hijo. Siempre andaba buscando algo que abrazar: perritos, monos, muñecas. Coleccionaba muñecas. Las vestía y las desvestía, las peinaba, las bañaba, les daba de comer, las acostaba, las llevaba al hospital de muñecas cuando estaban enfermas, ya sabe, rotas. Pero tiene usted razón, una muñeca no es lo mismo que un hijo. Las muñecas no te exigen nada. A las muñecas puedes guardarlas en un armario e irte de vacaciones. Las muñecas no se convierten en rivales que luchan contigo por la atención de tu marido.

Que Dios me perdone, nunca le había dicho esto a nadie (usted ha sido quien ha sacado el tema), pero en el fondo creo que mi hermana tampoco deseaba ese niño. A pesar de lo mucho que lloró después del aborto. A pesar de los cuadros que pintó con úteros vacíos. A pesar de sus lágrimas. Frida era igual que Diego. Ella quería ser el centro del mundo, y lo que hace un hijo es reducirte a esclava. Cuando el niño tiene hambre, tienes que levantarte y darle de comer. Cuando hace pipí, tienes que cambiarle el pañal. La estrella es él, no tú. Frida no lo habría soportado mucho tiempo. Porque, al igual que Diego, lo que ella quería era seguir siendo niña. Quería ser la niñita de Diego. Entre ellos usaban una jerga infantil. Él la llamaba Frisita chicuitita, mi niñita preciosa, y otras estupideces por el estilo. Al no poder tener hijos, Frida se convertía en víctima, y las víctimas siempre son objeto de atención. Eso quería ella: que todo el mundo se preocupara por ella y dijera ¡pobrecita Frida! Eso le encantaba.

No, claro que yo no estaba celosa. Yo tenía dos hijos preciosos. Yo era la única hija que les había dado nietos a mis padres. No tenía celos; lo que sentía era lástima de Frida, sencillamente. Como todo el mundo.

Creo que aquellos primeros años con Diego fueron difíciles para mi hermana. Era una muchacha tozuda y egocéntrica, y ahora tenía que interpretar el papel de esposa devota ante un hombre tan egocéntrico como ella. Llevaba siempre vestidos de tehuana, con faldas largas de vivos colores y blusas de encaje. Ya le he dicho que ése era el estilo que se llevaba en México después de la Revolución, pero lo de Frida era puro fetichismo. Mi hermana decía que se los ponía para expresar su solidaridad con los campesinos, pero había algo más. Frida no tenía nada de campesina. ¿Bromea usted? ¿Con sus largas uñas pintadas de rojo, su impresionante maquillaje y sus complicados peinados? ¿Cree usted que las campesinas tienen tiempo para trenzarse el cabello con hilos de diferentes colores? Frida se pasaba horas delante del espejo. Le encantaba contemplarse. Si el color del esmalte de uñas no era el adecuado, volvía a pintárselas otra vez. Si los lazos no estaban bien hechos, se soltaba el pelo y se lo volvía a trenzar. ¡Y las faldas! ¡Y los delantales! Tenían que estar perfectamente planchados. Las criadas se volvían locas. No, no era solidaridad con las indias, o no era sólo eso. Frida cultivaba su imagen. Le encantaba que la gente se volviera para mirarla. ¿Que cómo lo sé? Porque mi hermana siempre hablaba de ello. «¡En la fiesta del embajador norteamericano les encantó mi vestido de tehuana!» «¡Cuando entré en la recepción de los Cabello, todos se volvieron y se pusieron a aplaudir!»

Frida ya no se relacionaba con Tina Modotti y sus amigos. Tina no nos dirigía la palabra, pero no sólo eso. En una gran fiesta del partido, nos insultó y nos denunció gritando «¡Viva México!». Bueno, a nosotros no, a ellos. A Frida y a Diego. ¿A mí por qué iba a denunciarme? Aquel día Tina llevaba un vestido ajustado con los colores de la bandera mexicana. Su fotografía apareció en los periódicos. Estaba chiflada. Era guapísima, desde luego, pero estaba como una cabra.

Bueno, como usted sabe, Tina tenía facilidad para el drama. Había sido actriz en California, antes de liarse con Edward Weston y dedicarse a la fotografía. Supongo que habrá visto sus fotografías: esas rosas aplastadas que según ella eran las almas de los obreros destruidas por el sistema capitalista; los cables de teléfono que se extendían hasta el infinito. A su manera, Tina era una gran artista, como Frida. Al menos ésa es mi opinión.

Ahora que lo pienso, no me sorprende que Tina se entusiasmara tanto con la expulsión de Diego, porque en esa época ella vivía con Julio Antonio Mella, un destacado comunista cubano. A Mella lo mataron. Tina y él iban paseando por la calle cuando de pronto alguien lo acribilló a balazos. Tina intentó huir, pero la detuvieron y la acusaron de estar implicada en el asesinato. Pero no pudieron demostrar nada.

¿A quién me refiero? No lo sé. A los matones del gobierno, supongo. ¿Por dónde iba? Ah, sí, a Tina la soltaron, pero el caso atrajo mucha atención, y mucha gente salió mal parada. ¿Cómo podían tratar tan mal a la pobre y hermosa Tina? La pobre y hermosa Tina con sus enormes y trágicos ojos castaños y su peinado moderno. Así que, para compensarla por las molestias, le ofrecieron un puesto de fotógrafa oficial del Museo Nacional de México, pero ella, como era de esperar, los mandó a paseo. Tina era una mujer muy idealista. Y muy ingenua. Nunca supo cuándo había que tener la boca cerrada, y por eso volvieron a detenerla. La acusaron de terrorista. ¡Terrorista! ¡Imagínese! Sólo pasó un par de semanas en la cárcel, pero aquello la destruyó. La expulsaron del país. Debió de ser terrible para ella, porque adoraba México. Se fue a Moscú para trabajar para Stalin, creo. Stalin, uno de los ídolos de Frida. Había gente que decía que Tina trabajaba para la policía secreta de Stalin. Finalmente regresó a México a principios de los años cuarenta. Murió aquí, presuntamente de un infarto.

Ésa es la historia de nuestra amiga Tina. O mejor dicho, de nuestra ex amiga Tina, porque nos dio la espalda cuando a Diego lo echaron del partido. A Frida no le importaba, porque ella ya no necesitaba a Tina Modotti. Diego y ella estaban muy ocupados relacionándose con los norteamericanos ricos, vomitando retórica comunista mientras comían caviar y Frida se hacía pasar por india.

No sé si estoy siendo justa. Al fin y al cabo, Diego tenía que aceptar los encargos que le hacían, ¿no? Los artistas dependen de los ricos, y Diego utilizaba a aquellos gringos malcriados para conseguir dinero y avanzar la causa de los obreros. Y con aquellos vestidos de campesina, Frida les estaba diciendo a aquellas elegantes damas extranjeras: «Miren, tengo que relacionarme con ustedes porque necesito su dinero, pero no crean que soy como ustedes. Yo no he abandonado a mi pueblo.» Supongo que era eso.

A Diego le llovían golpes de todas partes. En aquella época ya no quedaban muchos radicales altruistas en las aulas de la prepa. El nuevo alumnado detestaba los murales de Diego, y un grupo de estudiantes de derechas los destrozó. Diego era un superviviente, y salió adelante haciéndole la rosca al nuevo ministro de Educación. Aceptó varios encargos del gobierno, con lo que empeoró la situación con los comunistas. Lo llamaban *comunista de salón*. Incluso después de que lo echaran del partido seguían despotricando contra él. El gobierno estaba tomando medidas enérgicas contra los izquierdistas. A algunos los mataron y a otros los encarcelaron. Los amigos de Diego (Orozco y compañía) se marcharon a California, y Diego también buscó una forma de escapar.

No le costó encontrarla, porque él era la estrella de los muralistas mexicanos, y todos los peces gordos norteamericanos le iban detrás con ofertas. Pese a que Diego representaba a la gente como John D. Rockefeller como unos monstruos deformes que le chupaban la sangre al pueblo, ellos deseaban pagarle para que pintara en sus edificios. Tenía mucha gracia, se lo aseguro. Supongo que eran tan poderosos, tan ricos, tan inteligentes, que no se sentían amenazados por aquellos murales de Diego en los que los obreros hacían ondear banderas con la hoz y el martillo. O quizá fuera su forma de demostrar que no eran tan malos, que se preocupaban por las masas cuya sangre chupaban con miserables condiciones de trabajo y míseros salarios.

En noviembre de 1930, Frida y Diego viajaron a San Francisco. Recuerdo que ayudé a Frida a hacer las maletas; mientras doblaba sus largas faldas con volantes y sus chales, fingía que me alegraba mucho por ellos. Yo no sabía qué iba a ser de mí sin ella. Nunca nos habíamos separado durante más de un mes. «Te lo vas a pasar estupendamente —le decía yo—. ¡Conocerás a gente fascinante!» Pero en el fondo estaba muerta de pena. Pinedo me había abandonado y yo había vuelto a la casa de mis padres con mis dos hijos. Mami, mirando a todos por encima del hombro y con el rosario en las manos, no paraba de insistir sobre mi fracasado matrimonio. Yo me sentía una calamidad, una muchacha vulgar que sólo había intentado conseguir cosas vulgares y que ni siquiera había conseguido eso. Papá me miraba como si no me viera, como si me hubiera vuelto invisible. ¿Estaba enfadado conmigo, o sencillamente yo no le interesaba? Maty venía casi a diario, pero con quien más hablaba era con mami, que ahora se había convertido en su gran aliada. Adri también venía, y también algunas de mis antiguas amigas, pero a pesar del relajo de visitas, criados y, por supuesto, mis hijos, yo me sentía indescriptiblemente sola. Estaba acostumbrada a tener a Frida a mi lado, a compartir con ella sus más secretos pensamientos. Y estaba preocupada, porque Frida tenía la salud delicada, y además Diego podía ser muy cruel. En Estados Unidos, Frida no tendría ninguna hermana a la que acudir.

Fue el principio de nuestra nueva vida, nuestra nueva vida solas. Yo temía por las dos, pero sobre todo por ella. Mi querida hermana, mi gemela. Era como si me hubieran arrancado una uña.

SEGUNDA PARTE

15

EL PAÍS DE LAS MARAVILLAS

Frida llevaba menos de seis semanas en Estados Unidos cuando recibí su primera carta. ¿Quiere leerla? Aquí la tiene. Mire, me llama Kity. A veces Frida me llamaba así.

San Francisco, 28 de noviembre de 1930

Querida Kity:

Cómo sufrirías si vieras cómo tratan a tu pobre hermana en este lugar horrible, la ciudad del Mundo. ¡La gente de San Francisco es de lo más hipócrita! Aquí me siento como un mono de feria. Invitan constantemente a Diego a fiestas y almuerzos, y yo tengo que sentarme a su lado y fingir que sus estúpidas conversaciones me parecen fascinantes. El otro día fuimos a casa de los Baker. El señor Reginald Baker es presidente de un banco, y quiere encargarle un mural a Diego. Ella no paraba de exhibir su fastuosa boquilla.

—¡Mira qué larga es, querida! —decía una y otra vez—. Es la más larga que encontré. Tiene dieciséis diamantes.

—¡El pene de mi marido es mucho más largo! —repuse.

La señora Baker se puso más roja que un chile, y los demás se quedaron mirándome, atónitos. Diego soltó una carcajada, pero después me dijo que tuviera cuidado con esa gente, porque dependemos de ellos. Me pone furiosa. Primero hace ver que le encantan mis salidas, y luego se queja de que lo estoy estropeando todo. «No olvides —me dice— que no podemos volver a México porque el gobierno nunca me perdonará que sea un héroe comunista que lucha por el pueblo. Hasta podrían matarme, Frida. A lo mejor eso es lo que quieres, para poder irte con ese abogado gringo que no para de revolotear alrededor tuyo. Pues mira, será mejor que lo olvides, ¡porque es maricón!»

No sé qué le ha pasado desde que llegamos aquí, pero está más celoso que nunca. Se pasa la vida acusándome de lanzarles miraditas a los hombres, y a veces ni siquiera sé de qué hombre me habla. Creo que lo que pasa es que no le gusta que yo haga comentarios graciosos, porque entonces la gente me presta atención a mí. No le gusta que le eclipse. Quiere que yo permanezca en mi sitio. Pues bueno, permaneceré en mi sitio. Me quedaré a su lado interpretando el papel de esposa devota, porque no tengo adónde ir en esta enorme y espantosa ciudad del Mundo, aunque a veces me dan ganas de echar a correr y saltar desde uno de esos puentes de los que los habitantes de San Francisco están tan orgullosos.

¿Sabías que aquí hay muchos mexicanos? La mayoría son peones que recogen naranjas o cebollas. Aquí cultivan de todo, Kity. Esto te encantaría, porque aquí hay todo lo que a ti te gusta comer. Los aguacates no son tan buenos como los nuestros, por supuesto, y los limones son secos, y no jugosos y ácidos como los nuestros. También hay muchos sirvientes mexicanos. Los norteamericanos ricos los tratan muy mal, y lo peor es que, en el fondo, creen que los mexicanos somos inferiores. Estoy segura de que nos miran por encima del hombro porque tenemos la piel oscura, aunque a Diego lo colman de alabanzas porque es un pintor famoso y un genio cuando se trata de pintar murales en espacios de formas irregulares. Diego incorpora los elementos arquitectónicos a su diseño. Creo que me estoy poniendo demasiado técnica, ¿verdad, cariño? En fin, lo que quiero decir es que aunque aparentemente son amables con nosotros, en el fondo nos desprecian.

No sé cómo pueden tratar a sus sirvientes como si fueran

animales y, al mismo tiempo, arrodillarse ante Diego como si fuera Jesucristo con una paleta. Al fin y al cabo, todos somos mexicanos, ¿no?

Diego trabaja mucho. Va a pintar unos murales en el restaurante de la Bolsa de San Francisco, y otros en la Escuela de Bellas Artes de California. Vivimos en casa de Ralph Stackpole, un escultor que tiene un estudio enorme en Montgomery Street. Aquí vive otra pareja, Lucile y Arnold Blanch. Él es escultor, y ella pintora. Procuro no hablar de arte con ellos, porque no quiero meter la pata y decir algo que los ofenda. Es posible que algún día los necesitemos.

Querida Kity, ahora tengo que dejarte. Espero no haberte aburrido con mi carta. Dales muchos besos a mami y a papá, a Maty y a Adri, y por supuesto, a mis queridísimos Toño e Isolda. Te echo mucho de menos y te quiero,

FRIDA.

No, se equivoca usted. No sentí ninguna satisfacción. ¿Por qué iba alegrarme de que Diego estuviera maltratando a mi hermana?

Todo el mundo agasajaba a Diego, lo invitaba a fiestas y a meriendas en el campo. Hasta lo llevaron a ver un partido de fútbol americano. Frida decía que el fútbol americano es un deporte absurdo. Además, Diego daba conferencias. En aquella época había muchos norteamericanos que creían en el comunismo, a causa de la Depresión, y cuando Diego hablaba del papel del artista y su misión de alcanzar la justicia social, la gente acudía en manadas: intelectuales, artistas, obreros, todo tipo de gente. Frida asistía a aquellas charlas e interpretaba el papel de esposa abnegada, tan callada, tan delicada, tan hermosa.

Frida nos enviaba postales de plantaciones de naranjas, de montañas moradas, de puentes interminables. También nos enviaba magníficas sedas de Chinatown, con las que ella mandaba hacerse unos insólitos vestidos de tehuana. A mí me envió estos pendientes de jade, ¿ve? Los guardo en esta caja, con sus cartas. Pero ¿era feliz? Mire esta carta.

San Francisco, 1 de febrero de 1931

Querida Kity:

Espero que estén todos bien. Yo me lo paso muy bien, pese a que esta ciudad es deprimente. Hay tantos pobres, no sólo los obreros mexicanos; también hay muchos blancos que hacen cola durante horas para conseguir unas migajas de pan. Y mientras tanto, la gente de Telegraph Hill vive en mansiones y come caviar y huevos de codorniz. A pesar de este horror, disfruto con mi vida cotidiana.

Diego está trabajando en el mural de la Bolsa, así que tengo mucho tiempo para pasear y explorar la ciudad. Me encanta subir y bajar las colinas en tranvía. Algunas calles son tan empinadas que tienes la impresión de estar escalando una pared, y de que si te das la vuelta y miras hacia abajo te caerás como un adorno de cristal y te romperás en mil pedazos. Cuando el tranvía arranca, contengo la respiración y me esfuerzo por no cerrar los ojos. Al principio tenía miedo, porque me acordaba del accidente, pero ahora lo encuentro muy divertido, como una montaña rusa. Otra cosa que me encanta es pasear por el barrio chino. Los niños chinos son preciosos, y van engalanados con trajes de colores (lila, naranja, rosa, rojo). Parecen caramelos. ¡Me los comería!

Cuando voy por la calle, todo el mundo se para a admirar mis hermosos vestidos de tehuana. Aquí nadie ha visto nunca nada parecido. Los desconocidos se me acercan y hablan conmigo, y yo les contesto en inglés. ¡No te puedes imaginar lo bien que lo hago! Éstas son mis palabras favoritas: *dick, shit, pussy, ass,* y sobre todo, *fuck.* Repítelas unas cuantas veces todos los días, querida, y así, cuando regrese, podremos hablar gringo juntas. Con los amigos de Diego no puedo practicar mucho, porque todo el mundo quiere hablar con él, aunque él no sabe ni una palabra de inglés. Yo me limito a sonreír.

No puedo caminar mucho porque vuelve a dolerme el pie derecho. No sé qué le pasa. Es como una barca que quiere ir en otra dirección. Se tuerce hacia fuera, y tengo que esforzarme tanto para hacerlo ir por donde yo quiero, que a veces desisto. ¡Pero sólo a veces! ¡Ah, tengo que darte una buena noticia! Aquí he conocido a un famoso doctor, Leo Eloesser, que está seguro de que podrá ayudarme. Es un hombre encantador. En cuanto empiece a pintar de nuevo voy a hacerle un retrato. Me ha examinado la espalda y dice que lo que tengo es escoliosis. Es decir, que tengo la columna desviada. También dice que me falta un disco intervertebral, lo cual es muy grave; pero lo bueno es que aquí la medicina está muy avanzada, y si el doctor Eloesser me opera, estoy segura de que me dejará como nueva. Y entonces podré correr con Toñito desde la pulquería al parque de un tirón.

¡Otra cosa! ¡Adivina a quién conocí! No te lo vas a creer, Cristi: a Edward Weston, el famoso fotógrafo, el antiguo amante de Tina. Siempre he sentido curiosidad por él. Tina me hablaba mucho de él. Una vez me dijo que era tan sensible como un pétalo de rosa, tan apasionado como una tempestad. [Mire, aquí Frida dibujó unos delicados pétalos y unas gruesas nubes con ojos.] Yo no sabía qué iba a pasar, teniendo en cuenta que Weston y Diego se habían acostado con Tina, pero resultó maravilloso, querida, porque Diego y Weston generan entre ellos una tensión deliciosa. Weston es tan atractivo; tiene ojos muy sensuales. No hemos hecho más que coquetear descaradamente, y Diego se tiene que aguantar. Weston me fotografió con Diego. Me muero de ganas de enseñarte esa fotografía.

El mes pasado fuimos a Nueva York, la capital del mundo, el manicomio del universo, porque se inauguró la exposición de Diego en el Museo de Arte Moderno. Los ricachones americanos no paraban de besarle el culo a Diego. Se exponían algunos de sus cuadros de Zapata, de la reforma agraria, llenos de ideología marxista, y ellos los encontraban fabulosos. Imagínate, esas arpías con sus largos vestidos con brocados y tiesas como un palo, expresando su admiración y solidarizándose con los campesinos. Lo que pasa es que les gusta defender al pueblo, porque así no se sienten tan culpables por sus caniches con diademas de diamantes y sus Daimlers con adornos de oro. El sentimiento de culpa norteamericano. Lo ves en todas partes. En cómo adoran el lozano arte mexicano, en cómo fingen no darse cuenta de que Diego y yo no somos blancos. «¡Qué figuras tan robustas! ¡Qué terrenales! ¡Qué auténticas! ¡Qué sinceras!» «Mira a la esposa de Rivera. ¡Es ideal, con sus hermosos vestiditos indígenas!» Yo no hablé con nadie; me quedé cerca de Diego y le dejé hablar en francés, aunque nadie entendía una palabra de lo que decía.

Estos americanos tienen un gusto deplorable. Tendrías que haber visto cómo iba vestida Alice Bricker, la que nos invitó a su ático la noche después de la inauguración. Un vestido largo drapeado, con volantes en los hombros y un enorme lazo detrás, de color rosa pálido. Parecía una colegiala de cincuenta años. Y su amiga, la señora Fitch, llevaba una especie de pijama de varias capas. ¡Parecía el edificio Chrysler!

Ya te imaginas lo cansada que estoy, querida Kity, yendo de fiesta en fiesta. Todo el mundo quiere conocernos. Viajamos constantemente, y cada día veo cosas nuevas. ¡Imagínate, el Empire State Building, un monumento a la modernidad! A Diego le encanta. A mí me gustaría volverme a casar, en el último piso de ese edificio. Ahora que ya hemos regresado a San Francisco, para colmo hemos de asistir a unos importantes mítines políticos, porque la gente adora a Diego.

Ay, querida Kity, no sé por qué te miento. Esto no tiene nada de maravilloso. Diego desaparece durante días enteros, y ya te imaginas por qué, ¿verdad? Dice que está buscando información para su nuevo mural, pero el único sitio donde busca información es entre las piernas de su nueva modelo, la elegante, atlética y blanca Venus, Helen Wills. Es una famosa tenista, y Diego la va a utilizar como modelo para una alegoría de California. La sigue a todas partes. Se supone que tiene que verla en acción para captar la fluidez de sus movimientos. Sí, te aseguro que la ha visto en acción. Ya me imagino lo que hacen en sus sesiones de práctica: «Quítate la blusa, querida, y ¡saca otra vez! Así, ahora levanta los brazos, vuélvete hacia mí. Ahora quítate el calzón y ¡enséñame tu volea!» Tendrías que ver el desnudo que ha pintado. Está suspendida en el techo como una ninfa alada, como la diosa Artemisa. A mí me recuerda a un buitre desplumado.

Supongo que un hombre como Diego necesita distraerse,

pero estoy tan sola, Kity. Ojalá Toñito, Isoldita y tú estuvieran conmigo. Diego siempre está rodeado de gente: ayudantes, estudiantes, admiradores, parásitos. Todos le lisonjean, y a tu hermanita nadie le hace caso. Bueno, sí me hacen caso, claro (Diego me ha presentado a sus amigos, y me invitan constantemente), pero sólo porque soy la señora de Rivera, y no porque les importe de verdad. Tengo que ser amable con ellos, sobre todo con gente como Al Bender, el famoso coleccionista de arte que no sólo le consiguió un visado a Diego, sino que además le compró un montón de cuadros. La gente como él es la que nos mantiene vivos. Pero en realidad yo no les importo. Sólo soy un accesorio. La mujer de Diego, su consorte. Si quieres que te diga la verdad, los gringos no me gustan nada, con sus caras de panecillo medio cocido y su piel como harina de avena.

Querida Kity, ¿cómo voy a sobrevivir aquí? Ya sé que no me vas a escribir, pero guárdame todas las noticias que puedas, para que cuando vuelva me lo puedas contar todo, TODO, y yo pueda revivir esos importantes momentos que me perdí. Dales muchos besos a papá y a mami, y también a mi sobrinito y mi sobrinita. Un fuerte abrazo para ti,

FRIDA.

Es verdad: yo nunca contestaba sus cartas. A mí no se me daba bien escribir, y además estaba muy atareada con mis hijos. Por una parte sentía lástima por Frida, pero por la otra pensaba: bueno, por fin se va a enterar de lo que significa ser *la otra*. Sí, lo reconozco: saber que, por una vez, Frida no estaba siendo el centro de todas las miradas me producía cierta satisfacción. Yo estaba pasando una etapa muy mala; vivía con mis hijos en casa de mis padres, y prácticamente no tenía vida social.

No me interprete mal: yo no quería que Frida sufriera. Y tampoco me gustaba saber que volvía a molestarle el pie. Pero seamos sinceros: pese a todas sus quejas, Frida se estaba dando la gran vida. Iba a fiestas, conocía a gente interesante, montaba en tranvía, visitaba Chinatown, se escapaba a Nueva

York... ¿Qué importancia tenía que no fuera el centro de atención? De todos modos se lo estaba pasando bien. Sin embargo, entonces empecé a pensar en otra cosa, o mejor dicho, en otra persona: Helen Wills.

Yo nunca la había visto, ni siquiera en fotografías, y aun así no podía quitármela de la cabeza. Firme y atlética, con el cabello como la luz de la luna reflejada en un mar tembloroso. Blanca, pero sana y natural. ¿Cómo tenía la piel, del color de la arena fina, o del color de la madera clara, tersa y suave a base de lociones? Me la imaginaba practicando el revés y la volea, con sólo la visera y las zapatillas de tenis, levantando los brazos y exhibiendo unos pechos suculentos, inclinándose para mostrar la agilidad de su torso, los ojos de Diego acariciándola mientras ella lanzaba la pelota hacia el despejado y azul cielo californiano. Sonrisa radiante. Ojos centelleantes. Dientes resplandecientes, completamente rectos, como los de los gringos. Y Diego relamiéndose, tragando saliva, mientras dibujaba un boceto tras otro. ¿Dónde estaba el distanciamiento del artista mientras trabaja?

Yo lo odiaba, no por lo que le había hecho a Frida, sino por lo que me había hecho a mí.

¿Qué me había hecho a mí? Era todo muy confuso.

Frida tardó bastante en volver a escribirme. Había empezado a pintar otra vez, porque tenía tiempo libre y muchas veces no podía salir a pasear porque le dolía el pie. Hizo un retrato de Eloesser; en mi opinión es uno de los peores que pintó. Eloesser parece una especie de muñeca barata; la cabeza es demasiado grande en comparación con el cuerpo, y parece que se la hayan pegado a los hombros con adhesivo. Frida también retrató a Eva Fredrick, una mujer de color con los pómulos firmes y un cuerpo rellenito. A Frida le gustaban los negros. Decía que eran como los indios: guapos, inteligentes, ricos en cultura, y completamente olvidados por las clases superiores. Mi cuadro favorito de ese período es el retrato de Luther Burbank, un hombre que se dedicaba a hacer experimentos con plantas. Frida lo transformó a él en una planta, con un tallo robusto, unas raíces extensas y firmes hojas verdes. También pintó una escena de boda en que aparecían Diego y ella, con una bandera encima, como en esos cuadros anticuados que hay en las haciendas, donde se refiere a él como «mi querido esposo Diego». Frida estaba perfeccionando su papel de consorte, de esposa devotísima. «Mi Diego esto, mi Diego lo otro...» Mire esta carta:

San Francisco, 15 de agosto de 1931

Querida Kity:

No puedo entretenerme porque me estoy preparando para una gran exposición. ¡Mi exposición! ¿Te imaginas? ¡En Nueva York! Han pasado muchas cosas desde la última vez que te escribí. Aquí el verano es maravilloso, aunque no he podido pasear por las montañas tanto como me habría gustado, porque el pie me ha dado muchos problemas. Tu pobre hermanita tiene muy mala suerte con sus extremidades. ¡Ojalá fuera hermosa y sana como tú! Diego y yo hemos estado trabajando mucho, sobre todo yo, porque tengo una semana para preparar la exposición. Es muy emocionante. Aquí, en San Francisco, a todo el mundo le encantan mis cuadros. ¡Todos quieren comprarme uno! Apenas puedo cumplir los pedidos que me hacen, ya no tenemos tiempo debido a nuestras actividades sociales. He mejorado mucho en las fiestas de los gringos, querida mía, aunque en el fondo los odio porque los norteamericanos son un aburrimiento. Tienen un carácter más soso que el arroz blanco hervido, que por cierto, aquí nadie sabe cocinar. Lo único que comen es una carne roja y sanguinolenta; con sólo mirarla te dan ganas de vomitar.

La semana pasada fuimos a una cena en casa de Jerome Pattison. Los Pattison son unos mecenas muy importantes que le han comprado tres cuadros a Diego y que quizá le compren otro. Ella llevaba un vestido tubo de seda finísima que como mínimo le quedaba tres tallas pequeño, con una amplia túnica de organdí que al parecer ella creía que le daba un aire etéreo. En realidad, parecía ropa mojada secándose al viento. Pues bien, no hacían más que hablar de los derechos de los trabajadores y de otras cosas por el estilo sobre las que no saben nada. Yo me moría de aburrimiento, allí sentada bebiéndome mi vino, y cuando no pude más, dije en tono muy serio:

—¿Saben qué? Había un hombre que tenía un problema gravísimo.

Todos dejaron de hablar y me miraron, suponiendo que iba a hacer alguna declaración sobre las dificultades económicas de los parados.

—Sí —dije—, un problema gravísimo.

Me convertí en el blanco de todas las miradas. Vi que a Diego le temblaban los labios, y comprendí que estaba conteniendo la risa.

—Entró en una farmacia y le dijo a la señora que había detrás del mostrador: «Tengo un problema, y necesito hablar con el farmacéutico.» «Yo soy la farmacéutica», replicó la mujer. «Verá, se trata de algo muy personal —dijo él—. Me gustaría hablar con un farmacéutico varón.» «Lo siento, pero aquí no hay ningún farmacéutico varón —repuso ella—. Pero puede decirme lo que quiera. Soy licenciada en farmacia y dirijo esta farmacia junto con mi hermana.» «Está bien —dijo el hombre—. Verá, el problema es que tengo una erección permanente.» «Una erección permanente. Entiendo», dijo la farmacéutica.

Imagínatelo, Cristi. Todos me miraban y reían en voz baja. Llevaban horas bebiendo, y estaban bastante borrachos. A Diego se le escapaba la risa.

—«¿Puede darme algo para la erección?», preguntó el hombre. «Un momento, por favor —contestó la mujer—. Voy a consultarlo con mi hermana.»

Aquí hice una pausa para crear tensión. Luego continué:

—La farmacéutica regresó al cabo de un rato y dijo: «Sí, lo he consultado con mi hermana, y podemos darle dos terceras partes del negocio, más el treinta por ciento de los beneficios.»

Todos rieron a carcajadas. ¡Tendrías que haberlos visto, Kity! Después de aquello los invitados empezaron a contar chistes obscenos, hasta la sobria señora Pattison con su cara de gachas de avena. Yo seguí contando historias, y Diego estaba a mi lado, radiante. Aquella noche, cuando volvimos a casa, en lugar de regañarme por haber escandalizado a sus refinados benefactores, Diego me abrazó y me dijo que yo era lo mejor que le había pasado en la vida. Lo quiero tanto, Kity, lo quiero más que a nada en el mundo. No sabes cuánto me alegra hacerlo feliz. Aquel día comprendí que la clave de todo está en saber elegir el momento. A esos ricachones te los puedes meter en el bolsillo si esperas a que se atiborren de alcohol antes de empezar a soltar obscenidades. Desde aquel día, las fiestas son mucho más divertidas. Además, Diego ha terminado su mural y está más tranquilo, y tiene más tiempo para estar conmigo. Es posible que hasta pueda soportar este calvario, querida Kity.

No sabes cómo te echo de menos. Por favor, acuérdate de tu hermanita en tus plegarias. Los quiero mucho a todos,

FRIDA.

No era verdad, claro. No le llovían los pedidos. En San Francisco vendió poquísimos cuadros, y la exposición de Nueva York fue un completo desastre. Me lo dijo Diego. Sin embargo, yo nunca le dije a mi hermana que lo sabía. Jamás. Yo la quería, y tenía que protegerla.

Aquí los recuerdos pierden nitidez. Frida y Diego fueron a Detroit a finales de 1931, creo, o quizá en 1932. Diego tenía un importante encargo de un destacado empresario norteamericano, un tal Ford, el de los coches. No me refiero a Henry Ford, sino a Edsel Ford. Qué nombre tan curioso. Una vez Diego le compró un coche a Frida, y después me compró a mí otro igual. Ford quería que Diego pintara unos murales ensalzando el negocio de la fabricación de automóviles. Era un trabajo ideal para Diego, porque tendría ocasión de pintar hombres trabajando, hombres con el rostro sucio y los músculos en tensión, todo el aparato industrial, las masas, el proletariado, la nobleza del sudor. ¡Viva Marx! ¡Viva Zapata! A Diego le encantaban las máquinas, la maquinaria, todo lo moderno, todo lo relacionado con el progreso. ¿De dónde ha salido ese nombre, Edsel?

Pues bien, llegaron a Detroit y se dirigieron directamente al Wardell, un hotel donde puedes instalarte largas temporadas, con servicio y todo, y donde además tienes derecho a cocina y te puedes hacer la comida. Frida no soportaba la comida norteamericana. Se empeñaba en cocinar platos mexicanos porque decía que todo lo que hacían los gringos parecía yeso mojado. Se hospedaron en aquel elegante hotel con toda su parafernalia: las pinturas de Diego, los vestidos de tehuana de Frida, las inmensas botas de Diego, el maletín de las medicinas de Frida, las botellas de licor de Diego.

—¿Saben por qué es tan bueno ese hotel? —les dijo Bill Regginer, que se dedicaba a recaudar fondos para el Detroit Art Institute.

—¿Por qué? —preguntó Diego.

—Porque no aceptan a judíos. —Regginer creía que era un comentario muy gracioso.

Pero a Frida aquellas palabras se le atragantaron. «Es algo que nunca deja de perseguirte —me dijo más tarde—. Nunca te libras de ello.» Yo lo llamo la maldición de Guillermo Kahlo.

Y ¿sabe qué hizo Diego? Fue a ver al director del hotel y le dijo:

—Me he enterado de que en este hotel no aceptan a judíos. —Lo dijo en francés, y Frida tuvo que traducir sus palabras.

—Así es —respondió el director—. Este establecimiento es uno de los mejores de Detroit. Tenemos que mantener cierto nivel.

—En ese caso, Carmen y yo tendremos que buscarnos otro hotel, porque ambos somos judíos. —Llamaba a Frida «Carmen», porque el nazismo estaba en auge, y no era conveniente presentarse con un nombre alemán. El director se quedó boquiabierto. Diego era el pintor más importante del mundo, y daba prestigio al hotel hospedándose en él.

—No puede ser... —balbuceó.

—¡Como lo oye! —dijo Diego, riendo—. Haremos el equipaje inmediatamente, a menos que cambien ustedes su política.

—Verá, no se trata exactamente de una política, sino sólo de... —Diego lo tenía acorralado, y disfrutaba viéndolo sufrir—. Entiéndame, las normas no las dicto yo, tendré que consultarlo con... con... bueno, hay una junta...

—Pues vaya a consultarlo, pero si esta noche no han cambiado su política, nos iremos mañana por la mañana.

La Depresión todavía no había terminado, y al hotel le interesaba tener a Diego Rivera como reclamo. Resulta que no sólo modificaron su política, sino que además les rebajaron el precio de la suite de 185 a 100 dólares mensuales. Diego lo consideró un triunfo sobre la intolerancia.

Poco después fueron a una cena en casa de Edsel Ford. Según Frida, la fiesta estaba «llena de zorras con compresas higiénicas de raso y con la nariz apuntando a la luna». Se pusieron a hablar de tonterías. De tenis, quizá. Helen Wills acababa de ganar el campeonato femenino individual de Estados Unidos. O quizá de la última película de Chaplin, o de la de Gary Cooper. Frida decía cosas como «¿Han visto *Luces de la ciudad*? ¡Mierda!» Y cuando las damas de la alta sociedad palidecían, mi hermana decía: «Oh, ¿he dicho algo fuera de lugar? ¿No es eso lo que dicen ustedes cuando algo es fantástico? Perdónenme, creo que lo que quería decir era ¡Genial! Todavía no domino su idioma.» Pues bien, estaban en la fiesta de los Ford, y Edsel Ford era famoso por el desprecio que sentía por los judíos. Más tarde, durante la guerra, apoyó a los alemanes. De pronto hubo una pausa en la conversación, y Frida saltó diciendo: «¡Oye, Edsel! Me han dicho que eres judío. ¿Tu madre no es una judía de Brooklyn?» Ya se puede imaginar la que se organizó.

Yo no estaba allí, por supuesto. Se lo cuento tal como lo imagino.

En otra ocasión, Diego y Frida fueron a una función en el Art Institute. Había una especie de comité de bienvenida, y Frida estaba de pie junto a Diego ataviada con un vestido de tehuana de seda, con montañas de joyas y un anillo en cada dedo. Las señoras iban a saludarla y le decían cosas como «¡Oh, me encanta la obra de su marido!», «¡Nos encanta que usted y su marido hayan venido!» Y Frida les soltaba: «Muchas gracias. ¡Váyase a la mierda!» Después, con una dulce vocecilla, les explicaba: «¡Creía que eso era lo que tenía que decir! Creía que significaba "Es usted muy amable". Eso fue lo que me dijo mi marido. Diego es muy travieso. ¡Siempre metiéndome en líos!»

Pero no crea que Frida se lo pasaba bien en Detroit. El pie la torturaba y, para colmo, en primavera se quedó embarazada. Que ¿por qué digo «para colmo»? Porque estaba en un país extranjero, donde todo era diferente: la gente, el idioma, la comida, la forma de reaccionar ante una mujer embarazada. En México, una mujer encinta cuenta con el apoyo de sus hermanas, su madre, sus sirvientas. Yo me habría ocupado de Frida, la habría vigilado, me habría encargado de que obedeciera al médico si le decía que no bebiera o que no acudiera a tantas fiestas. Pero ella tenía que estar siempre en medio del jaleo, y además no le gustaba que le dieran órdenes. Diego se pasaba el día trabajando. Tenía que terminar aquellos murales para Ford. Como no soportaba estar sola, Frida salía, hacía más de lo que podía hacer, y... Esta carta es de finales de mayo.

Detroit, 30 de mayo de 1932

Querida hermana:

No sé cómo empezar. Me gustaría poder decirte que todo va maravillosamente, porque estoy esperando un hijo. ¡Es verdad! ¡Estoy esperando un hijo! Debería estar loca de alegría, pero querida Cristi, lo estoy pasando muy mal. Tengo unos pensamientos muy extraños, sueño con criaturas espantosas, monstruos con alas de murciélago y picos de loro que silban y graznan, y que se llevan a mi niño de su cuna. Quiero volver a casa, pero Diego no terminará sus frescos hasta septiembre. El niño nacerá en diciembre. Y yo querría marcharme ahora mismo. Aquí no hay nadie que sepa cuidar de mí, y Diego no se interesa nada por mi estado. Cuando tengo náuseas, y las tengo constantemente, o cuando me duele la pierna, él se marcha dando un portazo. «¡Tenías que quedarte embarazada!», me grita. «¡Ahora te aguantas!» Se pasa el día regañándome, y está de muy mal humor. A veces se marcha semanas enteras; dice que duerme en el Institute of Art porque así gana tiempo por la mañana, pero quién sabe dónde duerme, o con quién.

Oh, Cristi, odio esta ciudad horrible. Hace tanto calor que hay ratas y cucarachas achicharrándose en las aceras. ¡Quiero morirme! Reza por mí, querida Cristi. Los comunistas no creen en Dios, pero quizá de todos modos él quiera venir a rescatarme.

Tu hermana que te quiere,

FRIDA.

Había algo que me carcomía, pero no sabía qué. Esta vez lo tendrá, pensé. Dieguito. El pequeño Diego. Nunca dudé que iba a ser varón. El niño mimado de mami, la niña de sus ojos. «Dios mío, te ruego que no me dejes morir sin haber visto al hijo de Frida», lloriqueaba mi madre constantemente. Es que estaba muy enferma. El médico le había dicho que tenía cáncer, y mi madre sabía que quizá no viviría lo suficiente para ver a su nuevo nieto. Tenía a Toñito, pero él no era hijo de Frida. Todo el mundo seguía dale que dale con aquel asunto. «¡Contra todo pronóstico!» «¡La pequeña Frida es una luchadora, una verdadera heroína!» Y sí, reconozco que a mí me fastidiaba, porque mi hermana estaba en Estados Unidos interpretando el papel de esposa traviesa pero adorable de Diego Rivera, codeándose con la crema y nata de la sociedad norteamericana, y sé que a ella le encantaba pese a lo que decía en sus cartas, y yo estaba atrapada en Coyoacán intentando criar a mis dos hijos y ocupándome de mi madre. Bueno, me dije, al menos esto le cortará las alas. Dejará de ser el crucifijo, el Santo Grial y la pirula del monaguillo juntos. Durante un tiempo dejará de ser Jesucristo con un pijama azul lavanda. No puede ser el centro de la vida social y ocuparse de un recién nacido al mismo tiempo. Tendrá que quedarse en casa y ocuparse de sí misma y del niño. Pobre Frida, es verdad que sufría muchísimo con la espalda y el pie, y el embarazo no haría sino agravar sus problemas médicos. Sentía lástima por ella. Claro que sentía lástima. Sin embargo, yo también sufría. Mami no era una persona de trato fácil en circunstancias normales, y con su enfermedad, se había vuelto insoportable. Pastillas, médicos, calientacamas, vómitos todo el día. Y quejas, quejas constantes. Ojalá Frida estuviera aquí, se lamentaba mami; si Frida estuviera aquí todo iría mejor. Su querida Frida. La situación me estaba consumiendo. Yo era joven, y necesitaba salir y distraerme. Pero no tenía más remedio que permanecer en casa, día tras día. No me importaba atender a mami. Yo quería a mi madre. Era mi madre, caramba, y yo le debía cariño y atención. Pero ¿por qué no se lo debía también Frida?, me preguntaba.

Cuando recibí la carta, el niño ya había muerto. Una noche Frida empezó a sangrar. Océanos de sangre, coágulos como islas. En el hospital, Diego expresó un profundo dolor. El Monumento Rivera padeciendo su monumental dolor. Lo siento, no quiero ser desagradable. No pongo en duda que sufriera de verdad, pero no creo que sufriera por el niño. Si lo estaba pasando mal, no era por el niño, al que nunca quiso, sino de pensar que Frida pudiera marcharse al paraíso y dejarlo solo en aquella ciudad infecta. «Es como caca perfumada —decía Frida—, diarrea decorada con perejil.»

Cuando se recuperó, Frida empezó a pintar desenfrenadamente. Estoy segura de que no le resultaba fácil, porque mi hermana no era una persona muy organizada. Empezaba un proyecto, pero si entonces decías algo como «Vamos de compras», «Hagamos una partida de cartas» o «Vamos a visitar a las

Soliz», ella se olvidaba por completo del trabajo. Sin embargo, esta vez Frida se marcó un horario. Pintaba toda la mañana, luego le llevaba la comida a Diego al Institute, porque como es lógico él quería enchiladas y mole, y no serrín y pintura seca. Frida le preparaba la comida la noche antes. Frida, la esposa obediente. Se sentaba con Diego y comían juntos. Él cogía las tortillas con aquella lengua de anfibio que tenía y regañaba a Frida. Se estaba volviendo cada vez más maleducado. Lo criticaba todo. No se metía con los cuadros de Frida, ni con su ropa, sino con otras cosas. ¿Por qué había tenido que volver a quedar embarazada? ¿Por qué se pasaba la vida yendo al médico? ¿Por qué no paraba de quejarse de que le dolía el pie?

Frida hacía bocetos de fetos, igual que la vez anterior. Bocetos de niños muertos, madres que habían abortado. Fue en esa época cuando empezó a coleccionar muñecas en serio. Siempre le habían gustado las muñecas, y ya tenía una colección considerable. Pero ahora se convirtió en una obsesión. No sólo las vestía y desvestía, sino que las bautizaba (pese a ser comunista), les enseñaba a rezar y, cuando morían, las enterraba. Verá, murieron unas cuantas. Frida las envolvía con sábanas o chales viejos y las enterraba. No sé cuántas dejó pudriéndose bajo tierra en el jardín del hotel Wardell.

Ésta es la siguiente carta que recibí:

Detroit, 8 de julio de 1932

Adorada hermana:

No te puedes imaginar cómo llego a sufrir aquí. Diego siempre está trabajando y no me presta ninguna atención. Todavía está enfadado porque volví a quedarme embarazada, y me castiga no viniendo a casa. Además de acostarse con todas las modelos y estudiantes de arte guapas del Institute, hace alarde de sus conquistas, convirtiéndome en el hazmerreír de Detroit. Oh, Cristi, no sé por qué sigo viviendo. Me muero de ganas de tener un hijo, pero cada vez que lo menciono, Diego monta en cólera y empieza a arrojar cosas. Ayer estuvo a punto de darme en la cabeza con el candelabro de bronce. Cuando entra por la puerta, es como si estallara una tormenta dentro del apartamento. A veces pienso que es mejor que pase las noches en brazos de esas rubias inútiles. Yo pinto para olvidar, pero me siento muy desgraciada.

Estoy muy enferma, Cristi. Todavía sangro, y el pie me duele muchísimo. ¡Ojalá pudiera cortármelo! Ojalá pudiera volver a casa, Cristi. Inocencia y tú cuidarían de mí, porque ustedes me quieren. Son las únicas que me quieren de verdad. Diego no me quiere nada.

Por favor, cariño, dile a Dios, ese viejo pícaro, que me vigile. A ti te escuchará porque tienes un corazón puro. En cambio a mí no me hará caso, porque yo siempre he sido la oveja negra.

Adiós, querida. Cuento los días que faltan para volver a verte.

Un abrazo de tu hermana que te quiere,

FRIDA.

Los deseos de Frida se cumplieron. A principios de septiembre le envié un telegrama pidiéndole que volviera a casa inmediatamente porque mami se estaba muriendo.

16

CANTO FÚNEBRE

Frida se lamentaba a su nueva amiga Lucienne Bloch, una pintora que trabajaba de ayudante de Diego, hija del compositor suizo Ernest Bloch. Al principio Frida la odiaba, y hasta la había insultado en una fiesta, pero luego, cuando comprendió que Lucienne no tenía intención de acostarse con su marido, ambas se hicieron amigas íntimas. Frida seguía gimoteando:

—Diego no quiere tener hijos, Lucienne, tengo que metérmelo en la cabeza, no quiere tener hijos y no dejará que vuelva a quedarme embarazada, me lo dijo él mismo, tal cual, y sus palabras me hicieron mucho daño, y en mi estado, estoy tan agotada, querida, no te lo puedes imaginar, todo el día pintando, de pie, y todavía sigo sangrando. Pero tengo que mantenerme ocupada, Lucienne, tengo que olvidar al niño, tengo que olvidar su pérdida, me haces un gran favor acompañándome a México, querida. Es importante tener amigos que te quieren de verdad, personas con las que puedes hablar, que comparten tus intereses, eso es lo que me encanta de ti, Lucienne. Crees que mi madre se curará, ¿verdad? Los cálculos biliares no son graves, ¿verdad que no? Se pueden operar, eso fue lo que dijo el médico, pero mamá tiene tantos, más de un centenar, y está tan débil a causa del cáncer. Pero no crees que se vaya a morir, ¿verdad, Lucienne? Dios mío, no puedo más, primero el niño y ahora esto. Mamá me cuidó tanto cuando estuve enferma. Todavía estoy enferma, ¿sabes, Lucienne? El pie me duele muchísimo, y la espalda también. ¿Quién va a cuidar de mí si muere mi madre? Cuando me la imagino fría e inerte, bajo tierra, con el cráneo lleno de larvas, metiéndose por su nariz; cuando la veo sin párpados, con el pelo apelmazado y enmarañado como algas secas, desprendiéndose de su cuero cabelludo, su cuero cabelludo desprendiéndose de su cráneo, sus pechos sin pezones, su vientre vacío, sus genitales pudriéndose... es espantoso, Lucienne. Es como si alguien me estuviera frotando la espalda con hielo. Diego está adelgazando, Lucienne. Hace dieta, y por eso está tan malhumorado. Me lanza cosas: pinceles, cigarrillos, ceniceros, pistolas cargadas, pero él no tiene la culpa, la culpa la tiene la dieta, él no sabe lo que hace. Me quiere, y me dará un hijo porque sabe que lo necesito, necesito un hijo, Lucienne, lo entiendes, ¿verdad? Si no tengo un hijo me moriré. A veces no quiero seguir viviendo, pero quiero a Diego, y eso es lo que me anima, lo que me da fuerza, Lucienne. Eres la única que me comprende. ¿Qué soy, Lucienne? Una cañería oxidada, inútil, estropeada. Una casa destruida por dentro, vacía...

Yo intentaba no escuchar.

—¡Ay, querida, no puedo parar de llorar! No puedo controlarme, Lucienne, y lo único que me alivia es trabajar, pero aquí, con todo lo que está pasando, no voy a poder agarrar un pincel, y Diego solo en ese país cruel, pobre Diego, cómo sufro por él, mi pequeña ranita, no sabes lo mal que lo estoy pasando, querida.

¡Cállate!, pensaba yo, pero no dije nada. Me daban ganas de abalanzarme sobre ella y estrangularla. Frida había vuelto para despedirse de mi madre. Todos sabíamos que aquello era el fin. El cáncer llevaba años royéndole las entrañas, y ahora iban a operarla de la vesícula biliar, aunque el médico no creía que sobreviviera a la operación. Ya no tenía fuerzas, se había quedado en los huesos. No sé qué sentí exactamente en ese momento. La cantinela de Frida, sus constantes lamentos. Quizá lo único que quería era que acabara todo de una vez. Quizá deseaba que mi madre se muriera y que Frida regresara a Detroit. No, claro que no, claro que no era eso lo que deseaba. Lo que pasa es que estaba agotada. Noches enteras sin dormir. Calientacamas, caldos, medicinas, palabras de consuelo. «Claro que no vas a dejarnos, mami. No te vas a ninguna parte. Dentro de nada estarás corriendo detrás de Rufina con una vara, como antes. Bailarás en la boda de Isolda, mami.» Yo nunca hacía nada bien, eso era lo peor. Porque mi madre nunca quedaba satisfecha. Si ponía sábanas amarillas en su cama, ella las quería azules. Si ponía margaritas en el jarrón de su cómoda, ella quería claveles. Era la enfermedad. La enfermedad le hacía decir cosas odiosas. Ya lo sé, pero de todos modos era agotador.

Acabábamos de recoger a Frida en la estación de trenes de la Ciudad de México. El marido de Maty conducía; no sé de quién era el coche, porque Maty y Paco no tenían coche. Frida y Lucienne Bloch iban sentadas en el asiento trasero. Frida se había traído a su amiga porque decía que estaba demasiado débil para viajar sola. Lucienne y mi hermana eran inseparables. A veces me preguntaba si serían amantes. «Pobre de mí —se lamentaba Frida—. Pobre, pobre, pobre, pobre.» Me estaba dando dolor de cabeza.

El problema, le explicaba a Lucienne, era que estaba agotada. *Ella* estaba agotada. ¿Sabe usted lo que significa cuidar a un paciente de cáncer? Maty no me ayudaba nada. Ella estaba demasiado ocupada arreglando su pequeño departamento: cosiendo volantes para las cortinas, bordando sábanas, y esas cosas. Mami le había regalado muchas cosas de la casa, y Maty había comprado algunas antigüedades falsas. Frida decía que Maty tenía muy mal gusto, que era demasiado burguesa, pero

¿quién era ella para opinar? A fin de cuentas, era el departamento de Maty. Adri tampoco me ayudaba, porque no soportaba la enfermedad. Cuando el gato vomitaba, Adriana salía corriendo y yo tenía que limpiar. Y cuando mami ensuciaba la cama, bueno, Adri no sabía qué hacer. Yo era la que vivía en casa de mis padres, y por lo tanto era yo la que tenía que atender a mami, asegurarme de que tomaba las pastillas, sentarme a su lado y leerle, contarle el argumento de las últimas películas. *Anna Christi*, con la Garbo, por ejemplo. En Estados Unidos se había estrenado hacía tiempo, pero yo acababa de verla. También tenía que ocuparme de papá, encargarme de que comiera, porque si no lo hacía pasaba días enteros sin probar bocado. Y mis dos hijos... Sí, he de admitir que estaba irritada, porque la que estaba cansada no era Frida. La que estaba cansada era yo.

Fue el 15 de septiembre, dos días después de la operación. Yo estaba con ella. Era la única que estaba con ella. El sacerdote había pasado antes y le había dado la extremaunción. Le cerré los ojos suavemente. Luego me puse un vestido negro y un chal negro sobre los hombros y fui a decírselo a Frida.

En cuanto me vio, mi hermana supo que mami había muerto. «Ya está, ¿verdad? —dijo, y se puso a gritar como una histérica—: ¡Mami! ¡Madre querida! ¡Llévame contigo, mami! ¡Dios mío! ¡Dios mío! ¿Cómo has podido hacerme esto? ¿Cómo has podido llevarte a mi santa madre?» El médico le dio una pastilla, y Lucienne y yo la acostamos. Luego fuimos a decírselo a Maty y Adri, y también a Margarita y María Luisa, porque aunque mami no era su madre, ellas ya le habían perdonado hacía mucho tiempo por haberlas enviado a un convento. A papá no se lo dijimos enseguida, porque estaba muy débil. Temíamos que la noticia le provocara un colapso que lo matara. Esperamos al día siguiente, y se lo dijimos con mucho cariño, con la ayuda del médico y el sacerdote.

«Vaya —le dijo mi padre al cura—. Haga lo que tenga que hacer. Usted sabe lo que hay que hacer.» Eso fue lo único que dijo mi padre, pero vagó por la casa como un alma en el purgatorio durante el resto de su vida.

Inocencia, Margarita (nuestra hermanastra que acabó haciéndose monja) y yo lavamos y vestimos el cadáver. Qué diminuta parecía mami, su cadáver marchito tendido en la cama. En vida había sido una mujer imponente, y muerta parecía tan delicada. Los pechos fláccidos, los brazos descarnados. La edad y la enfermedad habían hecho estragos en su figura, salvo en los muslos y el pubis, que parecían los de una mujer mucho más joven y sana. ¿Cómo podía ser que la enfermedad hubiera dejado intactas algunas partes de su cuerpo?, me pregunté. Era como si fuera dos mujeres, una que ya se estaba pudriendo, y la otra que seguía exigiendo su plato en la mesa.

En el funeral, Frida enloqueció. Interpretó la escena de una película donde Catalina Trueba, cuyo personaje tiene unos quince años, ve cómo entierran a su hermano, asesinado por un terrateniente poderoso. Catalina llora y llora, pero de pronto la imagen se vuelve borrosa y Catalina cae en la tumba de su hermano. Frida no saltó a la tumba de mami, pero lloraba y chillaba como María Magdalena. Sin embargo, mi hermana no bordó la escena como Catalina Trueba.

—Por Dios —le dije—, contrólate, Frida. Todos estamos muy apenados. ¡La gente te está mirando!

—Cerda insensible —replicó ella—. ¡Tú no puedes imaginar cómo me siento! —Y luego siguió gritando—: ¡Mamiiii! ¡Mamiiii! ¡Te quiero! ¡Llévame contigo!

Sí, muérete de una vez, pensé.

Ya sé. Seguro que usted piensa que me enfadé tanto que... que ideé un plan para castigarla, pero se equivoca. Estaba enfadada, eso no lo niego, pero tenga en cuenta que todo aquello me había causado una gran tensión. Cuando muere tu madre, es como si de pronto te convirtieras en huérfano. Aunque seas una mujer adulta, cuando muere tu madre, sobre todo si estabas viviendo con ella en la misma casa, te quedas desconcertada. Te tiemblan las piernas, como si estuvieras aprendiendo a caminar. Todo lo que dijiste que harías cuando muriera (bailar con un indio, tirar aquella espantosa colcha morada, hacer añicos el jarrón de porcelana francesa del salón —el de los dos Cupidos—, tomar para ti su chaqueta forrada de piel, mandar a tu hermana a paseo), todo eso de pronto puedes hacerlo, y sin embargo no te sientes liberada, porque ahora ella te vigila más que antes, te observa, te juzga. Aunque no esté allí, sigue allí. Aunque tenga los ojos cerrados, los tiene abiertos. De modo que todos esos pensamientos rebeldes que has mantenido ocultos en lo más hondo de tu mente se quedan allí. Quizá les dejes salir a jugar un rato de vez en cuando, pero cuando lo haces te sientes incómoda.

Durante las cuatro o cinco semanas siguientes, Frida interpretó el papel de hija devota. Ella se había perdido la parte más difícil. No había tenido que ocuparse del caos provocado por la enfermedad de mi madre como tuve que hacerlo yo. Ella llegó al final de la historia, pero ahora Lucienne y ella eran las salvadoras de papá: le preparaban té, lo llevaban a pasear al parque, le contaban historias de las maravillosas fiestas a que habían asistido en Detroit y Nueva York. Para decir la verdad, eran muy divertidas. Frida me contó que una vez besó a un taxista en la mejilla por enseñarle a cantar los cuatro primeros versos del himno de Estados Unidos. ¡Una canción que habla de un perro! *Oh, say, can you see, by the dog's ears...* Algo así. Yo no la entendía toda, ni ella tampoco, pero cuando la cantaba resultaba muy graciosa. «¿Qué hay de malo en tener un himno que habla de un perro? —decía riendo—. ¡Yo lo encuentro muy democrático! ¡Vivan las orejas del perro!»

En el fondo, Frida estaba muy preocupada. Su rostro denotaba tensión y cansancio, como si tuviera retortijones constantes, y tenía los ojos enrojecidos y húmedos. Muchas veces la oía llorar a solas en su habitación. Yo no ponía en duda su sinceridad. Al fin y al cabo, era verdad que, además de la muerte de mami, ella tenía que superar la reciente pérdida de su hijo. Es cierto, mi hermana sufría, pero lo que digo es que no era la única que sufría.

—Suerte que me traje a Lucienne —me dijo Frida en el trayecto a la Ciudad de México, donde tenía que tomar el tren que la llevaría a Estados Unidos—, porque tú no te has ocupado mucho de mí, Cristi.

Todos los nervios de mi cuerpo se prepararon para atacar.

—¿A qué te refieres? Le dije a Inocencia que preparara mole poblano sólo para ti.

—No necesito que Inocencia me haga mole poblano. Yo lo sé hacer mucho mejor que ella.

—Mira —dije—, últimamente he tenido mucho trabajo. Lo he hecho lo mejor que he podido.

—Ya lo sé, cariño, ya lo sé. Estás agotada, como todos. No importa. Es lógico que, con el trabajo que te dan los niños, ya no tengas tiempo para mí.

No hice caso. No dije ni una palabra. Pero ella siguió insistiendo:

—Lo que pasa es que...

—Es que ¿qué?

—Bueno, ya sabes los problemas que he tenido con Diego y lo delicada que estoy de salud, Cristi. Ya no me queda energía. Al menos podías haber...

—Para montar una escena en el funeral sí tuviste energía —le espeté.

—¿Una escena? ¿Una escena, Cristi? Estaba expresando el profundo dolor que sentía.

—Todos sentíamos un profundo dolor, hermanita, y sin embargo tú fuiste la única que montó un escándalo a lo Catalina Trueba.

—Dios mío, Cristi, qué mala eres.

—No seas tan mala con ella, Cristina —terció Lucienne con aquel horrible acento suizo. Daba la impresión de que tenía la garganta llena de flema.

Frida rompió a llorar.

Me sentí muy mal. Pobre Frida. Al fin y al cabo, estaba enferma. Al fin y al cabo, acababa de perder un hijo. Al fin y al cabo, estaba cansada del viaje. Al fin y al cabo, Diego la trataba a patadas. Y yo lo sabía.

—Lo siento —dije.

Frida me dio la mano. Nos estábamos acercando a la estación.

El tren de Texas arrancó lentamente, una oruga gigante de metal y cristal. Le dije adiós con la mano, y me sentí terriblemente sola.

17

BIFURCACIÓN

Se me ha quedado grabada una frase que me enseñaron en la escuela: «Un árbol bueno no puede dar frutos malos.» Es del Evangelio de san Mateo. He reflexionado mucho sobre esa idea a lo largo de los años, porque yo sí di frutos malos. Al menos, eso es lo que usted piensa. Usted y todo el mundo. Pero... No; tiene usted razón. Di frutos malos. Sí, claro que sí, pero ¿cómo? Eso es lo que quisiera saber. Yo era una niña inocente, no sabía qué estaba pasando, no era un árbol malo. Al menos no lo creo. Está bien, no era ninguna niña: tenía veintiséis o veintisiete años. Pero lo que quiero decir es que no tenía malas intenciones. Ni siquiera sabía lo que estaba haciendo. O quizá sí. Claro que lo sabía, pero no sospechaba a qué podía conducirme eso. No tenía ni idea. No sabía que después nuestras vidas no volverían a ser lo mismo, que aquello lo estropearía todo, que destruiría a Frida. Quizá eso sea precisamente el mal. Es decir, el hecho de que yo ni siquiera me detuve a pensar que tendría que pagar un precio. Porque todo lo que hacemos tiene consecuencias. Debí darme cuenta. No lo sé, quizá esté mintiendo.

Frida regresó a Estados Unidos. Todo iba mal. Los frescos

de Detroit causaron mucha controversia porque eran comunistas. Eran un himno a los obreros. Muchos norteamericanos creían que eran una especie de ataque al estilo de vida norteamericano, al capitalismo. Además, había desnudos, y los norteamericanos son muy puritanos y consideran que los cuerpos son repugnantes. Eso fue lo que me dijo Frida. Decía que a los norteamericanos ni siquiera les gustaba tocarse el propio cuerpo. Por eso utilizan manoplas cuando se bañan. Los sacerdotes y los ministros protestantes condenaron la obra de Diego. Ellos son más puritanos que nadie, y para colmo Diego siempre representaba al clero como cerdos glotones. La gente amenazaba con destruir los murales, pero un grupo de trabajadores decidió protegerlos. Eso a Diego le encantó. Volvía a ser el héroe del pueblo. Su nombre aparecía en todos los periódicos. No sólo defendía una causa, sino que él era la causa.

No, Frida no me escribió; estaba enfadada conmigo. Sin embargo, cuando regresaron a México no hablaban de otra cosa. Él era el héroe, el caballero con armadura, el cruzado, el primer galán; y ella, Frida, la primera actriz. No me resulta difícil imaginar lo que pasó, el escándalo que provocaron.

En Detroit ya no hacían nada, así que se marcharon a Nueva York, donde Diego tenía que pintar unos murales en el edificio RCA. Era tan famoso que vendían entradas para verlo trabajar. ¿Se imagina? Cada día la gente se amontonaba bajo su enorme trasero, que por cierto cada día tenía más delgado, porque Diego hacía dieta, y lo contemplaban con admiración mientras él pintaba imágenes de empresarios avaros explotando a oprimidos peones, campesinos, obreros, maestros, madres... toda aquella gente estaba unida en un paraíso marxista. Esto no lo tengo muy claro, porque como acabo de decirle, en aquella época Frida no me escribía.

Más o menos fue así: Diego estaba teniendo los mismos problemas en Nueva York que en Detroit. Mucha gente se mostraba indignada porque utilizaba el dinero de los Rockefeller para pintar murales en los que los capitalistas norteamericanos estaban representados como cerdos y sinvergüenzas. Los Rockefeller eran los príncipes del capitalismo, y lo que Diego venía a decir en sus murales era que los príncipes del capitalismo vivían del sudor de los demás. La gente decía que la obra de Diego era inmoral y profana, no sólo por los desnudos, sino también porque los comunistas no creen en Dios. Por eso a mami nunca le gustó Diego. Frida trajo artículos de periódico en los que se decía que los murales no eran más que propaganda comunista, porque estaban llenos de banderas rojas, camisas rojas y pañuelos rojos. Yo no podía leerlos, pero ella me los tradujo al español. A Frida se le daban muy bien los idiomas. Era una muchacha muy inteligente. Tenía un gran talento. «¿Por qué no puedes parecerte un poco más a tu hermana?», solía decir mi madre. Y si no lo decía, lo pensaba. No se acordaba de que Frida era una lesbiana y una golfa. No hace falta ser un genio para saber que si contratas a un pintor comunista, lo que te hará será un cuadro comunista. Dicen que Nelson Rockefeller es un mago de las finanzas, pero yo creo que es un estúpido. Decidió utilizar la fortuna de su familia (amasada, según Diego, explotando a unos pobres desgraciados durante varias generaciones) para encargar unos murales que ensalzaran un futuro nuevo y mejor. Veamos, si contrata usted a un pintor comunista para que pinte el Futuro Nuevo y Mejor, ¿qué cree que pintará? ¿Damas de la alta sociedad con vestidos que parecen el edificio Chrysler y con boquillas con diamantes incrustados, o el paraíso de los obreros?

Diego seguía pintando, y Frida... bueno, no estoy segura de qué hacía ella. Lo que sé es que no pintaba. Frida sólo pintaba cuando no tenía nada más que hacer, pero en Nueva York tenía muchas cosas que la mantenían ocupada. Nueva York era una gran ciudad. Había grandes almacenes. Frida iba de compras con Lucienne. Había cines. Frida iba al cine con Lucienne. Diego nunca iba con ella. Él no hacía otra cosa que trabajar, trabajar y trabajar. A Frida le encantaban las tiendas de baratillo. En esas tiendas encontraba todo tipo de tesoros: pendientes con pájaros de cristal, un peine de plástico con flores pintadas de diferentes colores, un cenicero con una sirena sentada en el borde, un pañuelo espantoso (tan espantoso que casi era bonito) con rayas marrones y amarillas, un aparato para pelar naranjas sin romper la piel, un cuadro de Betty Boop, calzones con los días de la semana escritos en inglés. Cuando regresó se trajo todas esas cosas. Algunas las había robado, no porque no tuviera dinero para comprarlas, sino porque se divertía mangando en las tiendas de baratillo. ¿Qué más da?, decía. Al fin y al cabo, los propietarios eran ricos. A mí me regaló algunos de esos objetos. También asistía a fiestas. Tenía muchos amigos de la alta sociedad, a pesar de que era una gran defensora de los obreros y decía que odiaba la alta sociedad. Le encantaba verse rodeada de gente inteligente y poderosa que se inclinaba ante ella sólo porque era la esposa del gran Diego Rivera. Ella se burlaba de aquella gente, pero le encantaba estar con ella. Le gustaba porque la hacían sentirse importante. Compraba telas exóticas y se hacía vestidos inverosímiles para ir a esas fiestas. (De momento había dejado los vestidos de tehuana.) Y conoció a otros artistas: pintores, escultores, fotógrafos. ¿Qué hacían cuando se reunían? ¿De qué hablaban? No lo sé. Supongo que jugaban a ser superiores a todos los demás. Y también jugaban a *cadavre exquis*. ¿Conoce ese juego? A mí me lo enseñó Frida. Hay que doblar un papel en varias secciones, así, y el primer jugador dibuja la cabeza de un cuerpo en la primera sección; luego dobla el papel para que el siguiente jugador no vea lo que él ha dibujado. Entonces el segundo jugador dibuja el tronco del cuerpo en la sección central, y el siguiente jugador dibuja la parte inferior del cuerpo. Al final desdoblan el papel para ver qué ha salido. Lucienne guardó algunos de aquellos dibujos. Son muy graciosos, porque Frida siempre dibujaba algo obsceno: una cabeza que parecía un pene gigantesco, con testículos en lugar de mejillas; unos pechos que rezumaban leche; las piernas abiertas de una mujer con una mano de hombre en medio. Muy graciosos, de verdad. Cuando ella regresó a México, los tres jugábamos a esto.

Frida no podía pasarse el día jugando, porque había problemas con el mural. La gente cada vez se mostraba más hostil, y Rockefeller puso vigilantes por todo el edificio. Y como cabía esperar, Diego, con sus tonterías, empeoró la situación. Estaba tan acostumbrado a que todo el mundo lo adulara que seguramente creyó que conseguiría lo que se propusiera. Rockefeller siguió expresándole su admiración incluso cuando los sacerdotes y los políticos dijeron que Diego se estaba burlando de su generosidad. Seguramente Diego pensó: «Vaya, cuento con el apoyo del pueblo y con el apoyo de los peces gordos. Puedo hacer lo que me salga de las pelotas.» En fin, el caso es que pintó un retrato de Lenin en medio del mural.

Aquello fue demasiado, incluso para don Nelson. Le dijo a Diego que lo cambiara, pero éste se negó. Y ¿qué cree que hizo Rockefeller? ¡Lo despidió! ¡Como si nada! Le pagó lo que le debía y lo echó con viento fresco. A continuación hizo destruir los frescos. Yo no soy muy inteligente, pero creo que no hay que ser ninguna lumbrera para entender que en un país capitalista, el que tiene el dinero es el que manda. La persona que te contrata también puede despedirte. Rockefeller era un poco imbécil, y tardó mucho tiempo en darse cuenta de lo que pasaba, pero cuando por fin se enteró, ¡pam! ¡Cayó el hacha! Diego creía que estaba por encima de todo aquello porque era el gran Diego Rivera, Jesucristo con patines, pero todo el mundo tiene un límite, y Diego llevó a Rockefeller hasta el suyo.

Quizá no fuera tan terrible, porque desde luego Diego consiguió que se hablara mucho de él. Hubo protestas generalizadas, y todos los peces gordos del mundo del arte salieron en defensa del pobre y maltratado Rivera. Lo único que él hacía era defender los derechos de los trabajadores de hacerse con el poder del mundo, y aquellos salvajes mezquinos de Standard Oil querían ponerlo en su sitio. Pero Diego no pensaba rendirse. Qué va. Diego pensaba defenderse. Y no por él, sino por sus queridas masas. Volvía a ser el héroe. Volvía a montar su caballo blanco. Diego era el Cid, y tenía a la devota doña Jimena a su lado.

Quizá esté siendo injusta. Imagínese lo que tiene que ser estar trabajando día y noche en algo, y que de pronto un imbécil que no entiende nada va y te lo destroza. Diego creía en su obra, y que unos norteamericanos estúpidos lo trataran de aquel modo... Frida se desvivía por defenderlo. Volvió a ponerse los vestidos de tehuana y en las esquinas repartía panfletos. Asistía a mítines, concedía entrevistas. Insultó a Rockefeller en público, aunque en cuanto el altercado hubo pasado, volvió a hacerle la rosca. Frida no tenía ni un pelo de tonta. Sabía muy bien lo que le convenía. Si quiere saber mi opinión, creo que a Frida le encantaba. «Los americanos son tan estúpidos —me dijo en una ocasión—. Es tan fácil ganarles. Te haces la pobrecita mexicana, delicada y vulnerable, tan dolida porque todo el mundo se ha puesto en contra de tu maridito, y ellos se lo tragan. Al día siguiente aparece un artículo en el periódico: "La encantadora señora Rivera, joven y hermosa, que afirma estar en deuda con los Rockefeller por lo bien que la trataron en el pasado, no se explica el repentino cambio de opinión del gran filántropo, en quien ella confiaba." Y ¡ya está! Todo el mundo se compadece de ti y se pone de tu lado.» Así hablaba mi hermana de los norteamericanos. «Son muy pudorosos, muy decentes. Siempre quieren hacer lo correcto, y viven atormentados por el sentimiento de culpa: por su éxito, por su riqueza, por cómo tratan a los mexicanos. Sólo hay que encontrarles el punto débil.»

Pero al cabo de un tiempo Frida se cansó de todo aquello. Su pie derecho seguía empeorando, hasta el punto de que a veces ni siquiera podía moverlo. Todos estaban ocupados defendiendo a Diego, y ella tenía que quedarse en casa y sentarse con el pie en alto, o meterse en la bañera, porque había una humedad insoportable. Mi hermana quería regresar a México, pero Diego tenía otro proyecto, no recuerdo cuál. Y cuando no estaba pintando, estaba acostándose con alguna modelo, estudiante o admiradora. De modo que él siempre estaba ocupado y ella se sentía muy sola. Creo que fue por esa época cuando Frida pintó un cuadro titulado *Aquí cuelgo mi vestido*. En ese cuadro están representadas la parte rica y la parte pobre de Nueva York, y justo en medio de los rascacielos está colgado uno de los vestidos de tehuana de Frida. Según me explicó ella misma, el cuadro significa que aunque su vestido estuviera colgado en aquella gran ciudad norteamericana, ella, en el fondo, no estaba allí. Frida le escribía a su amiga Isabel Campos pidiéndole que le contara cosas y burlándose de las norteamericanas que intentaban imitarla poniéndose trajes de tehuana; quedaban ridículas con ellos y con sus rizos rubios y sus cuerpos desgarbados. Isabel me enseñó esas cartas, pero años más tarde. En cambio, a mí no me escribía. No tuve noticias de ella durante meses.

Y entonces regresaron. Diego terminó su trabajo y fueron en barco a La Habana, y desde allí a México.

Sí, claro que me alegré de verla. Echaba mucho de menos a mi hermana. Éramos como los pétalos de una flor: si arrancas sólo uno, estropeas toda la flor. Pero... ¿cómo podría explicarlo? Había cierta tensión entre nosotras. Hicimos las paces, por supuesto. Yo lamentaba lo que había dicho en el funeral de mi madre, y le pedí disculpas a Frida. Ella me besó y dijo que me comprendía, que yo estaba muy nerviosa y por eso había dicho cosas que en realidad no quería decir. «Es que no entiendes que las palabras pueden hacer mucho daño, Cristi. Eres como una niñita. Dices cosas sin pensar, sin tener en cuenta las consecuencias.» Y me sonrió, como si yo fuera una niña traviesa que no había entendido nada de lo que me había dicho.

Eran insoportables. Los dos: Diego y ella. Frida volvía a estar embarazada, y a él eso no le hacía ninguna gracia. Estaba de mal humor por la mala experiencia que había tenido en Estados Unidos y porque no quería regresar a México. Pese a todo, en Estados Unidos él era una gran estrella, y no es lo mismo ser una estrella en un país rico que serlo en un país pobre. Seguía la Depresión, pero la elite se divertía más que nunca, o al menos eso me parecía. El gobierno de México le había encargado varios murales, pero aun así, Diego estaba deprimido. Además, la dieta que había hecho en Detroit lo había dejado cansado, apático y malhumorado. Siempre estaba enfermo. Se había adelgazado demasiado deprisa, y eso lo había descompensado. Le dolía el estómago. Tenía los intestinos hechos polvo. No le funcionaba bien el hígado, ni los riñones, ni nada. Es posible que no fuera verdad, y que Diego fingiese por el placer de refunfuñar. El caso es que no paraba de quejarse.

Y entonces va Frida y lo estropea todo quedándose otra vez embarazada. No bastaba que le hiciera volver a México, decía él, ni que pasara la vida quejándose del pie, sino que ahora, para colmo, se quedaba preñada. ¿Por qué lo hacía, si sabía que él no quería tener hijos? Y sabiendo que no podría llevar a término el embarazo. Diego decía que lo único que Frida quería era que le prestaran atención. Ya lo había intentado dos veces y había fracasado, y aun así insistía en pasar ella y hacernos pasar a los demás por el disgusto de otro aborto. «No es justo —protestaba—. Lo que me hace esa mujer no es justo.»

Yo le compadecía. Era tan inmaduro que no podía ocuparse de sí mismo. Y ahora Frida tenía que ocuparse otra vez de su embarazo, y no le quedaba energía para su marido.

Diego pasó varias semanas sin trabajar. Ni siquiera tenía fuerzas para levantar un pincel. Se pasaba el día sentado, enfurruñado, o se ponía hecho una furia sin motivo alguno. Se ponía a lanzar cosas: pinturas, platos, botas, los juguetes de madera de Antonio. Una vez lanzó una jaula contra la pared, con el periquito dentro. Pero no era culpa suya. Se sentía desgraciado, y Frida lo ponía nervioso quejándose constantemente del pie y las náuseas.

Diego tenía un par de encargos del gobierno, pero no conseguía arrancar y ponerse a trabajar.

—Vamos —le animé—. Haz algo, aunque sea poca cosa. Intenta pintar un par de cuadros pequeños, a ver si vuelves a agarrar el ritmo. Aunque no estés preparado para empezar el mural de la Escuela de Medicina, al menos monta el caballete. —Diego no me contestó—. Si quieres puedo posar para ti —susurré con tono sugerente.

—Ya no sé pintar —replicó—. Nunca he sabido pintar. Todo lo que he hecho hasta ahora es una porquería.

Reí.

—Me alegro de que destrozaran los frescos de RCA. Eran una mierda. Y lo de Detroit también. Era todo una mierda —prosiguió.

—Mira —dije—, ya basta. Te comportas como un niño de dos años.

Diego seguía enfurruñado.

—¿Por qué las mujeres siempre dicen a los hombres que se comportan como niños? —dijo al fin—. Tú no me tomas en serio. Te estoy diciendo que soy un fraude, Cristina. No soy un gran pintor, sólo un fraude, y no volveré a pintar jamás porque me niego a seguir mintiendo. No lo soporto. Me voy a suicidar.

—Anda —dije yo—, cualquier cosilla, algo fácil. No la historia del mundo, sino sólo un mango, o una sandía, o algo parecido. O me pintas a mí con mi traje de cumpleaños.

Pero él no me hacía caso. Me había dado la espalda y estaba sentado de cara a la pared.

—Vamos —insistí con ternura, poniéndole la mano en el hombro—. Inténtalo.

Diego estaba llorando. Las lágrimas corrían por sus mejillas. No fingía. No hacía teatro. Se sentía verdaderamente desgraciado. Pobre Diego. Le sequé las mejillas con la punta de mi chal.

—Si empiezas a trabajar te sentirás mejor —susurré—. Tú sólo eres feliz cuando estás ocupado.

—Puede que tengas razón. —Apoyó la cabeza en mi cadera, hundiendo el rostro en mi falda, y yo le acaricié el cabello.

—Pobre Diego. ¡Pobrecito!

—Con una condición —dijo él sin moverse. Su voz sonó amortiguada. Apenas se oía.

—¿Qué condición?

—Tienes que posar para mí.

—¡Pues claro! Ya te dije que estaba dispuesta a hacerlo, ¿no?

No le di ninguna importancia. Ya había posado muchas veces para él. Había sido su modelo favorita, y estaba deseando volver a serlo. Me encantaba posar para Diego. Me hacía sentir especial, y muy femenina. Además, no tenía nada más que hacer. Mi vida no tenía alicientes. Antonio tenía cuatro años, y ya no me necesitaba constantemente; por otra parte, Polinesta, su niñera, y las otras criadas se ocupaban de él. A mí me encantaba divertirme, ir a fiestas, visitar a amigas, como hacía Frida, pero entre los problemas con Pinedo y la enfermedad de mami, no había tenido tiempo para hacer nada de eso. Posar para Diego sería divertido. Volvería a sentirme como una persona, pensé, una persona con vida propia y con algo que hacer de vez en cuando. Sería como en los viejos tiempos.

—Me encantaría posar para ti, Diego. Dime dónde y cuándo.

—Mañana —respondió él con naturalidad—, en mi casa.

Diego y Frida no vivían en una casa tradicional. En la esquina de Palmas y Altavista, en San Ángel, Diego había hecho construir dos casas cuadradas conectadas por un puente. Él vivía en la más grande, pintada de rosa, y Frida en la más pequeña, pintada de azul. En la de Diego había un estudio enorme. En la de Frida había un estudio en el dormitorio, que tenía mucha luz gracias a un ventanal perfectamente colocado. A Frida le encantaba aquella habitación. Tenía una cama con dosel de madera, de donde colgaban adornos de papel crepé. La colcha floreada la había bordado ella misma. Sus aposentos estaban decorados a la mexicana, con espejos dorados, cerámica indígena, loros de papel maché, coronas de flores y baldosas de colores. También colgaban unos cuantos esqueletos, de esos que venden en la calle el día de los Muertos. La habitación era como Frida: chillona, alegre y hermosa, pero también un poco morbosa. En fin, con aquella distribución doméstica cada uno tenían su espacio privado y su espacio de trabajo. Dicho de otro modo, aquella distribución impedía que se mataran el uno al otro. Muchas veces comían juntos. A veces dormían juntos, aunque no a menudo, porque el médico le había dicho a Frida que no tuviera relaciones sexuales si no quería perder el bebé. A Diego eso le fastidiaba, pero no demasiado, porque las mujeres seguían haciendo cola para acostarse con él.

Aparecí en casa de Diego hacia mediodía. Él llevaba varias horas levantado. Cuando trabajaba en un mural, empezaba a pintar al amanecer, así que estaba acostumbrado a madrugar. Tenía el caballete montado y las pinturas preparadas en el viejo plato de cocina que utilizaba como paleta.

Casi ni me saludó. Estaba ansioso por empezar, así que dejé mis cosas y le pedí instrucciones.

—Estoy haciendo bocetos para los murales de la Escuela de Medicina —dijo—. Empezaremos con la alegoría de la Salud. Eres la modelo perfecta para eso, Cristi. Ya sabes: buena forma, energía, bienestar. Quítate la ropa y quédate ahí de pie.

Lo hice.

Me explicó cómo colocarme. Un brazo levantado, un paso firme. Mientras me lo enseñaba, me rozó un pecho con los nudillos. Me puse en tensión, pero Diego volvió como si no se hubiera dado cuenta. Al cabo de media hora empecé a cansarme. Hacía mucho tiempo que no posaba y había perdido la práctica; además, la postura era difícil de mantener. Le pedí un descanso.

—De acuerdo —dijo—, pero no creas que vas a poder descansar cada diez minutos. Esta tarde tengo mucho trabajo.

Me puse la delgada bata que usaba cuando posaba y fui a la cocina a preparar café.

—Espera un momento —dijo él—. No hagas eso. —Estaba de pie en el umbral, mirándome, y detecté algo extraño en su mirada. Sus ojos traslucían una inmensa ternura. Nunca le había visto mirar a nadie de aquella forma, sólo a Frida.

—¿No quieres café?

—Quítate eso —susurró señalando mi bata—. Quiero mirarte. Quiero ver cómo te mueves. —Hablaba con voz pastosa, y yo supe lo que estaba pensando. Era evidente.

Me volví y lo miré. Me quité la bata y la dejé caer al suelo, sin dejar de mirarlo a los ojos. Él sonrió mientras examinaba mi cuerpo como si lo viera por la primera vez. Centímetro a centímetro. A mí no me importaba. No sentía vergüenza. Hacía mucho tiempo que nadie me miraba así, y yo disfrutaba aquel momento.

Se acercó a mí y yo no retrocedí. Estaba excitada. Todos los nervios de mi cuerpo estaban en guardia. Diego posó suavemente los dedos en mi pecho y describió un círculo alrededor del pezón con el pulgar. Luego me atrajo hacia sí. Sentí un escalofrío desde la planta de los pies hasta la coronilla; cerré los ojos y dejé que me pusiera las manos donde quisiera. Sus caricias eran deliciosas, y su cuerpo era sensible y receptivo. Se quitó la ropa a toda prisa. No, eso no es verdad. Eso es lo que diríamos si estuviéramos describiendo una película de arte, pero no pasó así. Diego no podía quitarse la ropa a toda prisa porque estaba demasiado gordo. Últimamente había engordado, porque su médico le había dicho que si no se inflaba otra vez, se moriría de mal genio. Se puso a retorcer los botones de la camisa, hasta que yo le aparté las manos y se las puse sobre mis caderas, y entonces le desabroché la camisa. Ambos reímos.

—¡Soy un cerdo! —dijo él.

—¡Sí, eres un cerdo! —bromeé.

Su piel era suave y blanca como la de un recién nacido, con unos cuantos pelos canosos esparcidos por el pecho.

—¡Pareces una muchacha!

—Tú también, Cristi. —Me besó en la frente, y añadió—: Una muchacha joven, sensual y hermosa. —Se había pegado a mí y respiraba entrecortadamente—. Te necesito tanto —susurraba—. ¡Te necesito tanto!

—¡No podrás tenerme hasta que te quites los pantalones! —repuse, y le hundí un dedo en la barriga.

—¡Ay, eso va a ser difícil, a menos que me ayudes con esta hebilla!

Luché con la hebilla del cinturón, pero estaba atrapada entre sus michelines.

—¡Mete la barriga! —le decía mientras le golpeaba en el vientre—. Si no no podré sacar el hebijón del agujero.

—¡Ja! ¡Ya te daré yo a ti hebijón!

Le di un beso en la hinchada barriga.

—¿Cómo te desnudas cuando no estoy aquí para ayudarte?

—Lo hace Frida.

Frida. Sentí un golpe en... ¿dónde? ¿En el cerebro? ¿En las entrañas? ¿En la conciencia? Frida, mi hermana. Yo estaba a punto de hacer el amor con su marido. Ah, sí, Frida. Me pareció verla flotando, riendo, llorando. Luego desapareció. Pero seguí oyendo su voz, distante, débil, incorpórea. «¡Cristi! ¡Mi propia hermana!» Un susurro acusador que sólo yo alcanzaba a oír.

¡Frida! Y ¿qué? ¡Frida! A veces ella estaba allí, pero ahora era yo la que estaba allí. A él no parecía importarle, y yo me lo estaba pasando tan bien que no quería interrumpir aquello.

Diego me guió hasta el sofá que había al fondo del estudio. Hacer el amor con Diego era como beber miel. Te dejaba llena, hastiada de placer. Y después te quedaba un regusto dulce. No sé en qué pensaba yo. No lo recuerdo. Creo que en nada.

Así fue como empezó todo, inocentemente. Diego había tenido tantas aventuras amorosas. ¿Qué importaba una más? Frida siempre supo que Diego se acostaba con Lupe, con Tina. Supo que se acostaba con la Wills y con las estudiantes. Mi hermana decía que no creía en aquellas estúpidas ideas burguesas sobre el matrimonio. «Cuanto te casas no te mueres —me dijo en una ocasión—. Sigues viva, respirando, deseando.» Cuando Diego se acostaba con una nueva conquista, Frida despotricaba contra él durante un tiempo, pero al final siempre se conformaba. Siempre acababa aceptándolo, reconociendo que Diego necesitaba variedad y que sus aventuras no significaban nada siempre que a ella la quisiera más que a nadie. Frida se quejaba, sí, pero no dejó a Diego, ¿verdad que no? «Diego es un hombre muy caprichoso —me explicó en una de sus fases de tolerancia—. Nunca tiene bastante de nada. Es un hombre que disfruta del mundo y de sus placeres, sediento de todo tipo de gratificaciones. Si le quitas eso, ¿qué te queda? Un dibujante gordo, aburrido y ascético. ¡Si le quitas eso aniquilas su exuberancia! ¡Matas al artista! ¿Sabes qué significa *ascético*, querida?» Frida casi siempre convertía a sus rivales en amigas y aliadas, y era ella la que se reía al último. Así que, si quiere que le diga la verdad, no me preocupé demasiado por lo que pudiera pensar mi hermana.

Diego era un amante estupendo. No sólo chingaba como un príncipe, sino que además me hablaba. Y me escuchaba. Me contó su época de estudiante en España. Decía que despreciaba a los españoles porque no tenían imaginación. Los pocos españoles buenos, como Picasso y Gris, se marcharon a Francia. Además, los españoles habían diezmado nuestro pueblo. Cuando éramos amantes me decía cosas así. Me tomaba en serio, ¿entiende? Me hablaba de sus viajes a Italia, de los mosaicos de Rávena. «Viajaba con sólo una mochila —me dijo—. Lo único que llevaba eran mis pinceles y mis pinturas, unos cuantos calcetines y calzoncillos. ¡Después de una semana apestaba a tigre!» Eso fue lo que me dijo, y yo le creí, porque a él no le gustaba bañarse. Estuvo en Milán, Verona, Venecia... ¿dónde más? Ha pasado mucho tiempo desde que me contó aquellas historias. Pero recuerdo una cosa que me contó de Picasso. Diego sabía que Picasso era un genio, pero el español no le caía bien. «Aprendí mucho de aquel cabrón», decía, pero Picasso lo ponía muy nervioso. Era demasiado engreído, el gran maestro ante quien tenían que doblegarse los pintores más jóvenes. «El muy imbécil siempre te recordaba que él era el líder y tú el discípulo», me explicó. Pero Diego no tenía vocación de discípulo, y por eso detestaba a Picasso. Se parecían demasiado; ambos tenían una fuerte personalidad. Quizá Diego estuviera celoso de Picasso. Al fin y al cabo, Picasso ya era una estrella, y Diego acababa de empezar y todavía no era nadie. Cuando se marchó de Europa y regresó a México para pintar los murales para Vasconcelos, le dijo a Picasso: «El cubismo ha muerto, viejo. Tus retorcidas *demoiselles* no le dicen nada a la gente. Dices que eres comunista, pero no hablas el lenguaje del pueblo.» «Eres un cabrón y un mentiroso», replicó Picasso sin apartar los ojos del cuadro que estaba pintando. Así fue como se despidieron. Diego me contaba esas cosas. Para mí era educación. Me hablaba del cubismo, de Lombardi, de Franz Hals. Aprendí mucho escuchándolo. Bueno, quizá esté exagerando un poco. No nos tumbábamos en la cama y nos poníamos a hablar de Picasso y el cubismo. ¡Claro que no! Diego era muy corpulento. Hacer el amor le insumía mucha energía. Después se derrumbaba, como cuando pinchas un globo y se desinfla. ¡Fffff! Diego era así: ¡inhalar, correrse y roncar! ¡Inhalar, correrse y roncar! Pero nunca me trató como a una estúpida. Me hablaba mucho, aunque no en la cama sino en otros momentos.

Y también me escuchaba. Yo se lo contaba todo: que la gente se burlaba de nosotras porque papá era alemán y judío, cómo Frida siempre se las ingeniaba para salirse con la suya. Le hablé de Pinedo, y de lo desgraciada que me sentí cuando me abandonó. Aunque Pinedo fuera un cerdo y Frida dijera que estaba mucho mejor sin él, cuando te abandona una persona a la que amas y que crees que te ama es como si te arrancaran un órgano. Y le hablaba de mis hijos, de que a veces tenía la impresión de que Isolda quería más a Frida que a mí, porque claro, la tía Frida era tan sofisticada, con sus amplios vestidos de tehuana y el cabello recogido en trenzas. Pero no le hablaba demasiado de los niños, porque a él no le interesaban, y además el embarazo de Frida era un tema delicado.

Diego era muy generoso. Me regalaba muchas cosas. Al principio cosas pequeñas, cosas en las que Frida no se fijaría. Un alfiler de oro con el dios Chac Mool. Un libro de pintura impresionista francesa. Una máquina de escribir. Y ¿para qué necesitaba yo una máquina de escribir? Entonces yo no sabía que Diego planeaba nombrarme su secretaria. Sí, señor. Me convertí en su secretaria personal. Así podíamos ir juntos a todas partes. Un hombre importante como él no podía vivir sin una secretaria personal, ¿no? Cristi, apunta el número de teléfono del señor Pérez, por favor. Cristi, dime qué tengo en el horario para mañana, por favor. Diego me necesitaba, ¿entiende? Pero cuando me regaló aquella máquina de escribir, pensé que lo hacía sencillamente porque la encontraba bonita, con su gran estructura negra y sus relucientes teclas con las letras pintadas de blanco. Diego decía que era una escultura moderna. Un poema a la tecnología. Le encantaban las máquinas, todas. Después me regaló cosas más grandes, pero de momento eran sólo cosas pequeñas. Cosas que yo podía esconder en mi habitación, en la casa de Coyoacán, donde yo seguía viviendo con mi padre.

Frida iba asiduamente a Coyoacán, a visitar a papá y a jugar con Toñito e Isolda. Le ponía a Isolda unos preciosos vestidos de tehuana y unos tocados espectaculares; luego encendían el fonógrafo y se ponían a bailar en el patio. Pero Frida casi nunca entraba en mi habitación, y nunca vio la máquina de escribir.

¿Cómo se enteró? No estoy segura. Quizá se lo dijera Petronila, la criada de Diego. Petronila entraba y salía a su antojo durante las sesiones de pintura. O quizá se lo dijo Diego. Tenga en cuenta que él no se avergonzaba, al menos al principio. Para él no era una cuestión moral. Para él, el hombre tiene una parte y la mujer otra, y esas dos partes encajan, y cuando les apetece las hacen encajar, y punto. Así que es posible que un día dijera algo como «Oye, Frida, ayer, mientras me tiraba a Cristi, se me ocurrió un buen tema para el panel izquierdo del mural de la Escuela de Medicina». O quizá se dio cuenta ella sola. Frida tenía ojo de lince, y además una especie de sexto sentido.

Resulta que un buen día Frida se presentó durante una sesión. Se presentó sin avisar. Bueno, aquélla era su casa, así que ¿por qué no iba a presentarse sin avisar? Ellos solían comer juntos hacia las dos o las tres de la tarde en la enorme cocina de Diego, y como es lógico, ella tenía acceso a todas las habitaciones. Pero desde hacía un tiempo Frida no iba a los aposentos de Diego ni siquiera para comer. Le habían extirpado el apéndice hacía un par de meses, y todavía le molestaba la cicatriz. Además, el embarazo le estaba causando problemas. Mi hermana siempre estaba cansada, y le dolían mucho la espalda y el pie. Le dolía todo, vaya. A veces ni siquiera podía levantarse de la cama, y se pasaba el día bajo las sábanas compadeciéndose de sí misma. Y siempre tenía náuseas. Pasaba la mayor parte del tiempo en sus aposentos, en la casa azul, al otro lado del puente.

Frida me dirigió una extraña mirada. En ese momento Diego y yo no estábamos haciendo nada. Yo estaba posando y él estaba pintando, sencillamente. O sea que no nos agarró con las manos en la masa, pero sus ojos despedían llamaradas.

No dijo ni una sola palabra. Llevaba unos pantalones grises y una blusa color lila. Estaba deslumbrante. Se plantó delante de mí, tan cerca que creí que me iba a quemar las mejillas. No hizo falta que Frida dijera nada: yo comprendí que lo sabía, y comprendí que le importaba. ¿Qué quiere que le diga? Yo le había hecho daño, eso era evidente. Su mirada estaba llena de ira, y sentí que con ella mi hermana me reducía a unas cenizas.

—Frida... —murmuré.

Se apartó de mí. Diego seguía pintando, como si nada, como si Frida fuera una mosca o un mosquito: pesada pero sin importancia.

Frida se quedó mirándolo.

—Es muy pronto para comer —dijo él—. Todavía no he terminado.

Ella no contestó. Se volvió y me miró de nuevo. Entonces dio un paso atrás y me miró de arriba abajo, como si mi cuerpo fuera un montón de estiércol. Dio una vuelta a mi alrededor, sin dejar de mirarme. Me sentí como una esclava en una tarima, una esclava india desnuda. Me sentí como una prostituta. Así fue como mi hermana me hizo sentir. Luego se marchó.

Esperé a que Diego hiciera algún comentario tranquilizador. «No importa, Cristi», o incluso: «Le hemos hecho daño a Frida. Tenemos que dejar de vernos.» Pero no dijo nada. Siguió pintando como si nada.

Después de aquel día no quise volver a hacer el amor con él. Ni siquiera quise seguir posando. Me inventaba excusas para no ir a su estudio. «Tengo que llevar a Toñito al médico, Diego.» «Tengo que ayudar a mi amiga Ana María Quintano a preparar doscientos burritos para la fiesta de la primera comunión de su hija.»

Diego me suplicaba que fuera. Tenía que terminar los bocetos para empezar el mural de la Escuela de Medicina, y decía que no podía cambiar de modelo a aquellas alturas. «Por favor, Cristi, sólo unos días más. Por favor, Cristi, sólo hasta que me ponga otra vez en marcha. Por favor, Cristi, de lo contrario no podré volver a pintar. Por favor, Cristi, fuiste tú la que me convenció para que empezara a pintar otra vez, y ahora me arrojas por la borda.» Sin embargo, nunca mencionaba a Frida. No dijo ni una palabra de lo que le habíamos hecho. Me desgastó la resistencia. Yo quería mantenerme alejada, pero él no me dejaba en paz.

—De acuerdo —dije al final—. Posaré para ti, pero no volveré a acostarme contigo. No puedo hacerle esto a Frida.

Esperaba que él dijera algo como «Ah, sí. Frida. Tenemos que hablar de Frida». Pero lo que dijo fue:

—Es lo único que te pido, que poses para mí.

Frida se hacía la mártir. Eso se le daba muy bien. Santa Justina agarrada a la cruz mientras las llamas le quemaban los pies. Pero en lugar de ponerse furiosa, que era lo que yo esperaba, adoptó el papel de cachorro maltratado. El pie le dolía como nunca. Tenían que operarla, y ahora el médico decía que no podía seguir adelante con el embarazo porque estaba demasiado débil de salud. Tendría que abortar. Frida no dijo que la culpa de todo la tenía yo, pero eso daba a entender con su forma de mirarme. Por si fuera poco, Diego todavía no había empezado el mural de la Escuela de Medicina, y no tenían dinero.

¡Mierda!, pensaba yo. ¡Llámame puta! ¡Llámame traidora! Pero no me mires con esa cara de víctima.

Ya no podía más. Quería morirme. No lo soportaba. Pero Frida no tenía la culpa; la culpa la tenía Diego. ¿Cómo me había dejado engañar así? Me sentía como una mosca atrapada en una telaraña. Una mosca inocente que de pronto se enreda en un laberinto pegajoso del que no puede salir. Sentía que me asfixiaba. Juré que jamás volvería a dejar que Diego me tocara.

Pero ¿quién podía resistirse al gran Diego Rivera? Al principio él se comportó. Pintaba y no decía nada. Se mostraba cordial pero muy profesional. Se ganó mi confianza, y yo bajé la guardia.

Una noche, cuando estábamos a punto de terminar, me agarró de la mano y me llevó a la cocina. Yo ya me había vestido.

—Quédate un rato y come algo conmigo —me suplicó—. Petronila ha preparado unas empanadas.

—Diego...

Me miró con cara de colegial rechazado, y yo no tuve valor para marcharme.

Comimos en silencio. Me pareció que él no sabía qué decir. Le agarré la mano.

—Pobre Diego —murmuré.

—Me siento tan solo, Cristi.

—Pobre ranita desamparada —dije intentando sonar sarcástica.

—Te necesito, Cristina.

Yo no quería caer de nuevo en su trampa.

—No puedo traicionar a Frida —dije con firmeza—. Le hemos hecho mucho daño.

—Ha abortado.

—Sí, lo sé. Pobre Frida. Está sufriendo mucho.

—Sí. —Hizo una pausa—. Pero ¿por qué se quedó otra vez embarazada? Sabe que no puede llevar el embarazo a término. Lo encuentro ridículo. Ridículo y muy egoísta.

—¿Egoísta? ¿Por qué? Ella quiere tener un hijo.

—Ella nunca podrá tener hijos, y ahora me está dejando a mí de lado. El médico dice que no le conviene tener relaciones sexuales. Tiene que recuperarse, y luego tiene que operarse del pie. Cuando intento acercarme a ella, siempre pasa lo mismo. Ya no puede ocuparse de mí. Está demasiado ocupada con su propio dolor. Le encanta sufrir, Cristi. Por eso se queda embarazada una y otra vez. Para poder sentirse desgraciada y para que los demás nos sintamos desgraciados. Ése es el mayor placer para ella. Pero ¿sabes una cosa? En realidad no importa, porque a quien quiero es a ti. Te necesito, Cristi. Te necesito. Siempre te he querido, desde el principio, desde el primer día que te vi, cuando fui a visitar a Frida a casa de tus padres.

Me besó con ternura. Empezó a desabrocharme la blusa, me la quitó, me acarició las nalgas y me condujo a su dormitorio.

¿Cuánto tiempo duró aquello? Quizá un año, quizá más. Pero le aseguro una cosa: jamás me había sentido tan mujer como cuando Diego y yo éramos amantes. Diego se desvivía por mí. Me hablaba, me pintaba, me llevaba con él a sitios. No se avergonzaba de mí. Cuando tenía dinero, siempre me hacía regalos. Me montó un bonito departamento en la calle Florencia, en el mejor barrio de la Ciudad de México. Me compró un coche. En aquella época no había muchas mujeres mexicanas que supieran manejar. Yo era especial. Cuando arrancaba con mi Packard, la gente se paraba a mirarme. Me soltaba el pelo para que el viento lo agitara. Era todo un espectáculo. Eso decía todo el mundo. Iba a Coyoacán cada fin de semana a ver a mi padre, y lo llevaba a pasear por el campo en el coche. A él le encantaba. Ahora podía considerarme una buena hija. Hasta podía considerarme una hija con éxito, porque era la modelo favorita del gran Diego Rivera. Cuando Diego pintó su mural *México moderno* en el Palacio Nacional, me puso a mí en el centro. Allí estoy, rolliza y sensual, ligeramente inclinada hacia adelante para mostrar la curva de mi cadera, con mis dos hijos al lado. Allí estoy, con un documento comunista en las manos, una declaración de los derechos de los trabajadores o algo así. Yo estoy delante. Frida también está en ese mural, pero detrás de mí, vestida de Joven Comunista.

Frida estaba furiosa porque Diego y yo volvíamos a vernos. De vez en cuando me decía, como si me escupiera veneno: «¡Me has hecho mucho daño, Cristina! ¿Cómo has podido hacerme esto a mí? ¡Eres una víbora!» Sin embargo, la mayor parte del tiempo me hacía el vacío, como si yo no existiera. Entraba en una habitación y besaba a Diego, a papá, a Toñito y a Isoldita; besaba incluso a Petronila, y a mí me ignoraba, como si yo fuera invisible. En las fiestas, si alguien preguntaba por mí, ella se encogía de hombros como si ni siquiera me conociera, aunque yo estuviera en esa misma fiesta. Pero no me importaba, porque tenía a Diego. Ella tenía la espalda destrozada, el pie destrozado y el útero vacío.

Se marchó de la casa en que vivía, junto a la de Diego, y se instaló en un departamento de la avenida Insurgentes, en la Ciudad de México. «Te ayudaré a hacer el traslado», le dije. En lugar de contestarme, se volvió y me dio la espalda. Yo estaba harta de su malhumor, harta de sus ataques de histeria, harta de sus operaciones, de su dolor, de sus lamentos, de sus embarazos y de sus abortos. Yo era la que tenía éxito, eso es lo que quiero que entienda. Yo era la mujer de Diego Rivera. Yo era la favorita, la guapa, la que había tenido hijos. Ella ni siquiera podía concebir un niño y parirlo.

Diego todavía la amaba, y yo lo sabía. Sabía que iba a verla casi a diario, porque él me lo dijo.

—Se encuentra mejor —me decía—. Hoy hemos hecho el amor. Hemos hecho el amor como salvajes. ¡Frida ha estado estupenda!

Decía esas cosas para fastidiarme. Era todo mentira. No podían ser ciertas, porque Frida estaba muy mal. Pero a Diego le encantaba hacerme enfadar. Le gustaba enfrentarnos a Frida y a mí. Le encantaba que las mujeres se pelearan por él, y hacía cuanto podía para avivar el fuego. Me compró unos bonitos sofás de cuero sintético rojo para mi departamento, y luego le compró el mismo juego a Frida, en color azul. Diego sabía que nos enteraríamos, y que nos pondríamos furiosas.

«¡Yo sólo intento ser justo!», se defendía él con aquella sonrisita inocente. Pero lo que hacía era avivar las llamas, enemistar a las hermanas. Era una especie de experimento para ver cuál de las dos acabaría destruyendo a la otra. Pero a mí no me importaba, porque estaba disfrutando.

¿Qué opina usted? ¿Cree que yo era egoísta? ¿Cree que era cruel?

Supongo que sí. Sí, claro que lo era. Pobre Frida. Ella sufría mucho, y me necesitaba. Pero yo estaba muy ocupada paseándome en mi coche nuevo, presumiendo, coqueteando con todos los hombres que se cruzaban en mi camino. Estaba disfrutando de mi nuevo estatus de favorita de Diego Rivera. ¿Acaso no llevaba ella años yendo a fiestas, codeándose con gente importante y comiendo caviar? Pues bien, ahora me tocaba a mí. Conocía a estrellas de cine, a actrices como Dolores del Río. Conocía a políticos famosos. ¡A Lázaro Cárdenas, sin ir más lejos! Y a muchos más. Me acercaba a ellos en las fiestas y hacía comentarios atrevidos, los miraba fijamente y agitaba las pestañas, sin importarme que sus esposas estuvieran delante. Tal como hacía Frida. Al principio, lo único que pretendía era demostrarle a mi hermana que yo era alguien, y que había hombres que me querían de verdad. Sí, le estaba haciendo daño, pero ¿y qué? Quería pagarle con la misma moneda.

Después empecé a darle vueltas al asunto, y comprendí que había traicionado a mi propia hermana. Le había pegado una puñalada. No sabía si algún día podría reparar el daño causado, y pensé que las cosas nunca volverían a ser como antes entre nosotras. Aquella idea me atormentaba. Dejé de ir a fiestas. Me quedaba delante de la ventana, bebiendo y sollozando. A veces me escondía en la bañera. Me metía en la bañera y me quedaba horas allí, hasta que perdía la noción del tiempo. Lo único que tengo que hacer es sumergirme y respirar hondo, pensaba. Así terminaría todo. Yo dejaría de ser un obstáculo para la felicidad de Frida. Imaginaba que me cortaba las venas y la sangre se mezclaba con el agua de la bañera. Imaginaba que caminaba hacia el mar, con los deditos de Isolda en la mano derecha y los de Toño en la izquierda. Caminaba y caminaba, y el agua cubría primero a mi hijo, y luego a Isoldita; por último me cubría el cuello, las orejas, los ojos... Oía a Frida gritar desde la orilla: «¡Cristi, por favor! ¡No te vayas! ¡No me dejes sola! ¡Al menos no te lleves a los niños! ¡Son lo único que tengo!» ¡La muy cerda! ¡Son lo único que tengo! Incluso en mis sueños, Frida sólo pensaba en ella misma.

Por fin comprendía el jaleo que había organizado. ¿Que cómo me di cuenta? En primer lugar, por lo del departamento de Frida. Marcharse de casa de Diego e instalarse en su propio departamento fue una medida muy radical. Era evidente que quería distanciarse de él. Yo no soy psiquiatra, pero me daba cuenta de que intentaba romper los lazos que la unían a Diego. Decía que quería ganarse la vida pintando, sin depender económicamente de nadie; decía que ya no necesitaba a su marido. Pero mentía, por supuesto. Se mentía a sí misma y nos mentía a todos. Porque lo cierto es que Frida veía a Diego constantemente. ¡Cada día! No cortó los lazos, ni mucho menos. Pero no quería depender de él económicamente, y para demostrarlo montó un estudio en su departamento y se puso a trabajar. Hasta fue a ver a un abogado, Manuel González Ramírez, un viejo amigo de la prepa, para que tramitara su divorcio. Yo jamás pensé que ella pudiera llegar tan lejos, y estaba asustada.

Frida estaba cambiando. Lo ocurrido entre nosotras la hizo cambiar. Se volvió más independiente. Era como si no sólo se divorciara de Diego, sino también de mí. Por las noches no podía dormir. Me quedaba tumbada en la cama, despierta, contemplando la oscuridad y pensando en cómo lo había estropeado todo. Me sentía muy desgraciada.

Pero hubo otra cosa que me hizo entender lo mal que me había portado: un cuadro que Frida pintó en esa época, titulado *Unas cuantas puñaladas*. Estaba inspirado en una historia aparecida en el periódico sobre un hombre que asesinó a su querida. La cosió a puñaladas y luego la dejó en medio de un charco de sangre. Cuando la policía lo detuvo, el hombre dijo: «¿Qué pasa? ¡Sólo le he dado unas cuantas puñaladas!» En el cuadro de Frida, el asesino sostiene un cuchillo ensangrentado sobre la mujer, que yace en un camastro, con el cuerpo cubierto de heridas. Es brutal, increíblemente brutal. Y ya sé que es espantoso, pero la primera vez que lo vi me eché a reír a carcajadas. Era tan grotesco que me recordaba a los melodramas mexicanos. Ya sabe usted, esas películas en que el marido deshonrado mata a su esposa, al amante de su esposa, a su madre, a su padre, a su hermana, a los niños y al perro. No podía parar de reír. Intenté controlarme, pero fue inútil. «No pasa nada, Cristi —dijo Frida en voz baja, con una sonrisita de víctima—. Ya sé que en cierto modo resulta gracioso.» En el fondo, Frida estaba muy herida. El asesino de aquel cuadro era yo. Y yo lo sabía. Éramos Diego y yo.

Yo la quería. Y Diego también. Ambos la queríamos. La queríamos más a ella de lo que nos queríamos el uno al otro. Diego la hacía sufrir, pero después se sentía muy culpable. No nos gustaba herirla, y sin embargo seguíamos haciéndolo.

Diego y yo no nos separábamos. Yo había aprendido a escribir a máquina, y seguía trabajando de secretaria para él. También seguía posando. Frida sabía que todavía éramos amantes. ¿Por qué no podíamos evitar herirla? ¿Por qué la trataba yo con tanta crueldad? Era como si estuviera atrapada... poseída por una fuerza que me dominaba y me impedía controlar mis propios actos.

¿Si Frida me perdonó? Ella decía que sí. Finalmente, cuando todo terminó, me dijo que ya lo había olvidado. El amor que sentía por mí y por Diego era más importante que aquello, decía. Pero yo sabía que las cosas nunca volverían a ser como antes.

Frida no llegó a tramitar el divorcio, pero tuvo una aventura con un famoso escultor japonés, y muchos otros amantes. Algunos eran hombres, otros eran mujeres. Un estudiante de arte. Una de las ayudantes de Diego. Un camarero de Sanborn's. Un joven activista político. Una bailarina de una compañía de zarzuela. Una enfermera a la que conoció en el hospital. Frida aliviaba su dolor con sexo, y se resarcía. A Diego no le importaba que tuviera aventuras con mujeres; encontraba interesantes las relaciones lesbianas. Todas las mujeres de su círculo las tenían. Pero lo que no soportaba era que Frida se acostara con otros hombres. No soportaba imaginarse a Frida en la cama con otro hombre. Por eso, cada vez que lo hacía, Frida se aseguraba de que Diego se enterara. En una ocasión convenció a Isamu Noguchi, el escultor, de que se instalara con ella en un departamento. Compraron muebles, pero Frida hizo que se los enviaran a Diego. «¡Oh! —le dijo—. ¡El transportista debe de haberse equivocado y los ha llevado a otra dirección!» Hacía esas cosas para hacerle daño.

¿Por qué las personas que se quieren se torturan de ese modo? Usted es quien tiene que averiguarlo. Lo único que yo sé es que nunca dejé de querer a Frida. Por muchas cosas horribles que hiciera, siempre la quise. Escríbalo: Cristina Kahlo quería a su hermana Frida.

18

⌒⌒

MOMENTO DECISIVO

D olores del Río era la mujer más fabulosa que yo había conocido jamás. Había visto todas sus películas, incluida la primera, *Joanne*, en la que sólo tenía un pequeño papel. Pero incluso en esa breve aparición te dabas cuenta de lo misteriosa y elegante que era. Te dabas cuenta de que estaba destinada a ser una gran estrella. Tenía nuestra edad, más o menos, pero yo la veía mucho más madura, con mucha más experiencia. Poseía un refinamiento especial, fruto de su educación en una selecta escuela privada francesa. Se notaba que se había criado en una casa donde comían rosbif en platos de porcelana y en cuyo vestíbulo había cuadros de bisabuelas con volantes en el cuello del vestido.

Su padre era banquero, ella misma me lo dijo. Era el director del Banco de Durango. Durante la Revolución, huyó de México y se instaló en Estados Unidos. Nosotros habíamos sido zapatistas, pero cuando conocí a Lola (así la llamábamos) aquello ya no importaba. Podíamos reírnos de ello. Podíamos ser amigas, y lo fuimos. Yo la adoraba. Su verdadero nombre era Dolores Asúnsolo y López Negrete. Del Río era el apellido de su marido. Lola se había casado muy joven, con sólo quince años. Su marido era Jaime del Río; bueno, su primer marido. Todo esto no lo leí en las revistas de cine, sino que me lo contó ella.

Imagínese esta escena: estamos en una trajinera en Xochimilco. Diego, Frida y un grupo de amigos han organizado una merienda en los jardines flotantes. Creo que Lola Álvarez Bravo también estaba con nosotros (la famosa fotógrafa que le hizo tantas hermosas fotografías a Frida), su marido Manuel y Lucienne. A ver, ¿quién más? Jean van Heijenoort, el matemático francés que trabajaba de secretario para Trotsky. Mucha gente famosa. Nicolasa Larrubia de la Barca, la bailarina. Y yo también, en medio de todos ellos.

Íbamos en una de esas grandes canoas que hay en Xochimilco, ya sabe, las trajineras. Un adorable y joven remero de tez morena y seductores ojos verdes, seguramente descendiente de un lujurioso conquistador y una princesa india, remaba suavemente por el canal flanqueado de álamos. Los arcos de la barca estaban decorados con todo tipo de flores: orquídeas, crisantemos, amapolas, claveles. El perfume de las flores, mezclado con los penetrantes aromas del chile y la tierra húmeda, nos mareaba. Yo estaba feliz, disfrutando de aquel momento, de las fragancias, de la exuberante vegetación, de la deliciosa y tibia brisa, y de Lola. Lola era una mujer embriagadora. Su sonrisa producía embriaguez. Un par de guitarristas vestidos de charros (vaqueros mexicanos) iban sentados en la popa y tocaban *La paloma*, *La ciudad de Jauja*, *Cielito lindo* y cosas así. Por la mañana había llovido, y todavía había gotas que relucían sobre los pétalos y las hojas. En el canal, la vegetación era tan densa que apenas veías más allá de los álamos, pero sabías que la selva estaba viva. Lo sentías... Oías el concierto de pájaros, grillos y ranas invisibles.

Habíamos preparado una comida espectacular: chile, mole poblano, enchiladas rojas, enchiladas verdes, tamales, frijoles refritos y arroz con azafrán. Había tortillas, tomates, aceitunas negras amargas, guacamole, y botellas de vino, tequila, ron y whisky. Yo había hecho sangría, una sangría dulce y potente con mucha fruta. El alcohol se concentra en la fruta. Puedes emborracharte comiéndote sólo la fruta de una sangría. Yo iba sentada junto a Lola (Dolores del Río), y apoyaba la cabeza en su hombro mientras ella nos hablaba de Hollywood. Resultaba muy extraño oírla hablar. Casi todas las películas suyas que yo había visto eran mudas: *All the Town is Talking*, con Edward Everett Horton, *Upstream*, con Walter Pidgeon, y *What Price Glory?*, en la que interpretaba a una joven campesina llamada Charmaine. ¡Había tantas!

«En Hollywood dicen que no parezco mexicana, sólo extranjera», dijo Lola. Eso fue exactamente lo que dijo. Bueno, algo así. Llevaba los labios pintados de violeta y mientras hablaba parecía que lanzara besos al aire. Tenía unos labios tan sensuales que te daban ganas de tocarlos. «Por eso, hasta ahora, he podido interpretar a jóvenes francesitas. Pero ahora, con las películas sonoras, no sé qué va a pasar.»

No sé qué va a pasar. Todos sabíamos qué iba a pasar. De hecho ya estaba pasando. Lola se adaptaría perfectamente. La harían pasar por española, que quedaba mejor que ser mexicana, y le asignarían papeles en los que su acento no supondría ningún problema. Lola acababa de rodar *Flying Down to Río*, con Fred Astaire y Ginger Rogers. *No sé qué va a pasar.* Pero no; miento. Yo no sabía qué iba a pasar, aunque debí saberlo. Debí verlo venir.

Todos estábamos fascinados por Lola. Era la primera actriz mexicana que se hacía famosa en Hollywood. Otros mexicanos habían estado a punto de conseguirlo, como Ramón Novaro y Antonio Moreno, pero la que de verdad cautivó a los gringos, la que se convirtió en leyenda, fue Lola. Tuvo suerte: como Frida, se lió con un hombre que... No, no quiero decir que ellas carecieran de talento. Tenían un talento fenomenal, pero ayuda mucho tener a un hombre poderoso detrás, eso no se puede negar. Yo nunca tuve esa habilidad. El padre de Lola huyó a Estados Unidos y dejó a Lola y a su madre en México. Lola aprendió francés y baile flamenco, que estaba de moda entre las hijas de las familias adineradas. Su madre estaba deseando casarla, como es lógico. Una muchacha guapa en una casa es como un tarro de miel en una merienda: atrae a los insectos. Así que, cuando Lola tenía quince años, se casó con Jaime Martínez del Río, y así fue como se convirtió en Dolores del Río. Él era casi veinte años mayor que ella; era abogado, terrateniente y un buen partido. Se fueron a Europa de luna de miel. Visitaron Londres, París y otras capitales. Se bañaron en las playas de Cannes. En total estuvieron dos años viajando. Jaime tenía muy buenos contactos. Cuando regresaron a México, su amigo el pintor Adolfo Best Maugard le presentó a unos americanos de la industria del cine, entre los que estaba el director Edwin Carewe, y a partir de entonces todo les fue de perlas. Carewe le dio su primer papel a Lola, la pareja se trasladó a Hollywood, y el resto ya lo sabe usted.

Yo iba sentada en la barca, con los ojos cerrados, escuchando a Lola, su voz de marimba. Lola estaba loca de alegría. Se había divorciado de Del Río y hacía un par de meses se había casado con el director artístico Cedric Gibbons. Habían venido a México de luna de miel, aunque con retraso. La vida de las estrellas de cine no es fácil. Siempre están ocupadas y no tienen tiempo para hacer lo que hace la gente normal, como irse de luna de miel, salir a tomar copas, y esas cosas. Habíamos terminado de comer, y la criada, a la que tratábamos como una más del grupo pero que, aun así, tenía que limpiar, estaba recogiendo los platos. Nos habíamos llevado la vajilla preferida de Frida, unos platos rústicos y pesados con dibujos indios. Se oía ruido de tazas y platillos: otra criada estaba sirviendo un delicioso café. El aroma del café se mezclaba con el del hibisco y las orquídeas. Los pájaros trinaban, los grillos cantaban y todo a nuestro alrededor rebosaba vida. Era divino. El mono de Frida, *Fulang-Chang*, cotorreaba sin parar en su jaula. Frida lo había encerrado para que no saltara a una rama y desapareciera en la selva. Era maravilloso. La trajinera se deslizaba suavemente, rozando plantas y pétalos de flores que había en el agua. Los intensos rosas, morados y verdes se iban oscureciendo a medida que avanzaba la tarde. Y allí estaba yo, en medio de todo aquello, con la cabeza en el hombro de Dolores del Río. Todavía la oigo. Habla de Gene Raymond, su coprotagonista en *Flying Down to Río*. «La película acaba de estrenarse en el Radio City Music Hall. Tienen que ir a verla.»

Frida no sabe dónde posar la mirada. Coquetea descaradamente con Lola, mostrándole sus hermosos dientes, mordiendo un plátano de modo provocativo, bebiendo pequeños tragos de una petaca que lleva consigo a todas partes. Bebe coñac. Constantemente. Ahora Frida bebe constantemente. Al mismo tiempo, está fascinada con la entrepierna del remero, y de vez en cuando lo llama por su nombre para que él cambie de postura y ella pueda verle mejor el bulto. Ahora se ha terminado el plátano y saca un purito delgado, muy elegante. Lo enciende y fuma mientras mira fijamente a Lola.

Diego se desplaza de su asiento junto a Jean van Heijenoort y con cuidado, con mucho cuidado, va hasta el banco que tenemos delante Lola y yo. No llega a levantarse. Si lo hiciera, la canoa cabecearía y Diego saldría despedido por la borda, provocando un maremoto. Así que se agacha y se desplaza con cautela de uno a otro banco; luego instala una de sus enormes nalgas, y por último la otra. Se coloca mirando a Lola. Le lanza una sonrisa perversa, y ella se la devuelve. El marido de Lola no ha venido. Se ha quedado en casa de ella. La venganza de Moctezuma, supongo.

Diego mira a Lola con lascivia. Yo miro al remero, le sonrío, provocadora, y el joven me guiña un ojo y sonríe; luego aparta la mirada. Debe de tener diecinueve o veinte años. Tiene un cuerpo musculoso y carnes firmes, fruto de su trabajo. Su muslo se contrae cuando empuja el remo. De pronto Diego me mira (se mueve a sacudidas, como las ranas), y descubre mi juego con el remero. En realidad no es nada, sólo una sonrisa traviesa. De pronto Diego adopta una expresión cruel, sonríe burlonamente y me da una patada con la bota en el tobillo. El dolor es tan horrible que tengo que apretar los dientes para no gritar. Sube por mi pierna, hasta la cadera, hasta el costado, como una descarga eléctrica. Los ojos se me llenan de lágrimas.

Lola no se da cuenta de nada. Jean le está contando que los estalinistas han interpretado mal a Trotsky y que sería maravilloso que pudiera refugiarse en México. Trotsky siempre quiso venir a México y terminar la biografía de Lenin que había empezado años atrás. Ahora parece posible que lo haga. Por eso está Jean aquí, para prepararlo todo. Inclina su rubia cabeza hacia Lola. Cuando habla de Trotsky es muy intenso, muy apasionado. Lola lo escucha como si estuviera pensando en su próxima película.

Frida lo ha visto todo.

«¡Imbécil!», le susurra a Diego, pero él se limita a sonreír desdeñosamente, y luego se pasa la lengua por el labio.

Frida se sienta a mi lado y me pasa el brazo por los hombros. Luego me besa la mano. Me gustaría apoyar la cabeza en su pecho como una niñita, pero no puedo, así que contengo las lágrimas y finjo escuchar a Jean, que sigue hablando de Trotsky.

A Diego le interesa el tema, porque Trotsky es uno de sus héroes. Le pregunta a Jean dónde piensa alojarse Trotsky cuando llegue a México, y le ofrece la Casa Azul (la casa de papá, la casa de Frida, mi casa) como refugio, suponiendo que encuentren la manera de meterlo al país. De pronto odio a Diego, y quiero a Frida más que nunca.

Cuando regresamos a la ciudad ya ha oscurecido. Diego y casi todos los demás han dormido en el coche y ahora quieren ir a bailar.

«Estoy muy cansada —digo—. Me voy a casa.» Pero nadie me hace caso. Me meten a la fuerza en el coche, mi coche, y me hacen llevarlos a un local de un barrio obrero, una cantina oscura donde los trabajadores beben pulque y cerveza y fuman cigarrillos de serrín. Nos miran con gesto inexpresivo, con el bigote mojado y el sombrero tirado hacia abajo, ocultando sus cejas. Hablan en voz baja, como si conspiraran. De vez en cuando, un diente de oro refleja la luz de la única bombilla. Parece una escena de una película mexicana de bajo presupuesto. En el centro del recinto hay un pequeño espacio que sirve de pista de baile. Pero ningún cliente baila. Son todos hombres.

Diego decide donde tenemos que sentarnos: en una mesa cerca del mostrador, donde hace un calor asfixiante. Lola se sienta enfrente de él, y Diego la mira con ojos de bestia. Es evidente que van a pasar la noche juntos, pienso. Frida me mira como diciendo «ahora ya sabes lo que es», pero yo la ignoro.

¿Por qué me sorprendió? Todo el mundo sabía que Diego se acostaba con todas las mujeres que se encontraba. ¿Por qué pensé que a mí me sería fiel, si nunca le había sido fiel a la mujer que amaba realmente?

Veamos. Jean van Heijenoort estaba sentado al lado de Lola, y yo enfrente de él, junto a Diego. Frida estaba sentada en un extremo. Mi hermana pidió ron, y mientras lo traían, bebió un par de sorbos de coñac de su petaca.

Jean quería bailar.

—Vamos a bailar —le dijo a Lola, y la cogió del brazo. Diego se puso en pie y tiró de mí.

—No tengo ganas de bailar —dije. Le pedí que me dejara en paz, pero él me arrastró hacia la pista.

—¿Verdad que Lola es preciosa? —me susurró al oído. El aliento le apestaba a alcohol.

—Sí, preciosa —repuse.

—¿Verdad que tiene un culo fenomenal?

Yo llevaba horas al borde de las lágrimas, y ahora creí que ya no podría contenerlas; pero conseguí controlarme.

—Sí, fenomenal —susurré.

—Dime, ¿me la tiro esta noche?

No contesté.

—Dime, ¿me la tiro? —insistió él apretándome contra su cuerpo.

—Haz lo que quieras. Diviértete.

—Pues sí, me la voy a tirar. Me lo voy a pasar en grande.

Intenté separarme de él. Me estaba asfixiando.

—A lo mejor Frida también se acuesta con ella. Qué idea tan deliciosa, las dos juntas, ambas tan hermosas, tan sensuales. ¡Dos cuerpos femeninos entrelazados! ¡Qué maravilla!

No dije nada.

—Me alegro de que a Frida le gusten las mujeres. Eso la mantiene ocupada. Para ella es una válvula de escape.

Seguí bailando en silencio, deseando que Diego me dejara volver a la mesa.

—¿A quién miras? —me preguntó de pronto.

—¿A quién miro? A nadie.

—Sí, miras a alguien. Miras a ese chico de allí.

—Estás loco, Diego.

—¡No me hables así, zorra! ¡Me estás humillando delante de toda esta gente! —Estaba borracho, y yo lo sabía.

—Cálmate —dije—. No miro a nadie. No seas tonto, mi amor. Ahora no tengo fuerzas para coquetear con nadie.

—Y encima te burlas de mí —me espetó.

Me separé lo suficiente para echar un vistazo al local. Lola y Jean bailaban alegremente, pero Frida nos miraba con gesto de preocupación.

—No seas tonto —repetí para tranquilizarlo.

—¡Zorra! ¡No me engañes! Le estás haciendo señas a ese pedacito de mierda de la camisa de cuadros.

—No, Diego, te lo juro. —Estaba harta de sus protestas, pero no quería que se alterara más. Temía que sacara su pistola y se pusiera a disparar, porque ya le había visto hacerlo otras veces.

Bailamos un poco más, y luego él empezó de nuevo:

—Estás mirando a ese chico de reojo. ¡Lo sé!

Bajé la voz cuanto pude y dije:

—¿Y a ti qué te importa lo que yo haga? ¿Qué más te da que mire a otros hombres? Al fin y al cabo, tú te vas a tirar a Lola.

El resto lo recuerdo como si hubiera ocurrido a cámara lenta. Vi que la mano de Diego se levantaba, como si fuera un animal, una criatura independiente; luego se detuvo preparándose para atacar. Feroz, cruel. La vi caer con fuerza, pero no relacioné el movimiento con el espantoso crujido ni con el dolor que sentí en la mandíbula. La boca se me llenó de sangre. Notaba su sabor. Pensé que iba a vomitar. Perdí el equilibrio, y de pronto apareció Frida y me sujetó.

—¡Bruto! —le gritó a su marido.

Frida me llevó a su departamento. A partir de ahí las imágenes son muy imprecisas. Me puso compresas, pero no sé si eran frías o calientes. Me dio tequila. Yo no paraba de llorar, y Frida me abrazaba como si yo fuera una niñita.

—Pobre Cristi. Pobrecita Cristinita —decía una y otra vez, mientras me acariciaba las mejillas—. Pobre muñequita. El hecho de que te haya pegado no significa que no te quiera, Cristinita. Tampoco significa nada que se acueste con otras mujeres. Él es así, Cristi. Es un artista, tienes que entenderlo.

Desde mi relación, o mi aventura, con Diego, Frida cada vez estaba más distante. Seguía queriendo a su marido; lo quería más que a nada en el mundo, pero se esforzaba por ser independiente. Diego tenía muchos amigos. Él siempre tenía invitados importantes en su casa, políticos trotskistas, el presidente Lázaro Cárdenas, escritores como el americano John Dos Passos. Y luego estaba toda la gente del cine. Pero Frida estaba cultivando su propio círculo de amistades, y sus cuadros cada vez tenían mayor éxito. Cada vez era más conocida. Ahora en los periódicos hablaban de ella, pero no sólo por ser la esposa del gran Diego Rivera, sino porque ella también era una gran pintora. Eso era lo que Frida quería: controlar su propia vida. No quería ser la consorte de Diego Rivera. Quería ser independiente. Y cuando volvió a instalarse en su casa, la casa azul junto a la casa rosa de Diego, llevaba una vida separada. Ahora ella llevaba las riendas de su existencia. El dolor la había fortalecido. El dolor que yo le había causado liándome con Diego. Fue como un momento decisivo, no sólo para ella sino también para mí, porque cuando todo terminó me dolió tanto, me sentí tan culpable y tan arrepentida, que lo único que deseaba era hacer las paces con mi hermana. Me pasé el resto de la vida intentando hacer las paces con ella.

Pero me estoy adelantando a los acontecimientos.

Creo que Frida quería perdonarme, pero yo le había hecho un daño espantoso. Frida estaba enfadada conmigo. Intentaba disimularlo, pero demostraba su hostilidad de muchas maneras. Sin embargo, aquella noche, en su apartamento, tuve la impresión de que todo se había arreglado entre nosotras. Tuve la impresión de que Frida me había perdonado. A partir de entonces hice todo lo posible para que me quisiera. Me encargaba de sus medicinas. Le preparaba las pastillas que tenía que tomarse, que eran muchas. Analgésicos, antiinflamatorios para el pie, somníferos. Le daba masajes y le preparaba los baños medicinales. La quería tanto y estaba tan arrepentida de mi comportamiento... Aquella noche, mientras Frida me abrazaba e intentaba calmarme y convencerme de que Diego todavía me quería, tuve la impresión de que yo era muy importante para mi hermana. Juré esmerarme para hacerle la vida más agradable y curar la herida que yo le había causado. Y quizá la herida se habría curado, de no haber sido por Trotsky.

Diego adoraba a Trotsky. Era su héroe, una figura romántica que había luchado por un ideal y al que su propia gente había rechazado. Los estalinistas lo odiaban, y creo que Diego, que también había sido rechazado por los comunistas ortodoxos, se identificaba con él. Había pintado retratos suyos: uno en Nueva York, en la delegación trotskista de esa ciudad, y otro en el mural del Rockefeller Center. Ahora que Jean y la Liga Internacional Comunista estaban intentando sacar a Trotsky de Europa, Diego vio una oportunidad para convertirse en su salvador.

Trotsky no podía quedarse en Europa porque allí tenía demasiados enemigos. En México, los estalinistas estaban contra él, y Siqueiros, que era un enardecido seguidor de Stalin, lo criticaba siempre que tenía ocasión. Y no sólo despotricaba contra Trotsky sino también contra Diego. Lo acusaba de vender sus cuadros a los turistas americanos ricos, y de venderse a los gringos. Cuando metieron a Trotsky en México, en... déjeme pensar, debió de ser en 1937... Diego se los llevó a él y a su esposa, Natalia, a la Casa Azul de Coyoacán. Dar refugio a Trotsky era peligroso, y eso hacía que Diego aún tuviera más ganas de hacerlo. A él le encantaba el alboroto. ¡Le encantaba el riesgo! Pobre papá, estaba tan confuso. Él no sabía quién era Trotsky. No hacía más que repetir: «¿Anda ese pobre hombre metido en política? ¡Hoy en día la política es muy peligrosa!»

¿Qué voy a decirle de León? Tenía unos ojos increíbles, que parecían lagos inmensos e insondables. Uno podía perderse en aquellos ojos. Podías desaparecer en su color azul. Aquellos ojos te tragaban y te hacían olvidar cuanto te rodeaba. Trotsky llevaba anteojos, y su montura de carey parecía una ribera, donde todo se vuelve marrón y dorado. Hay gente a la que no le quedan bien los anteojos, pero los anteojos de León te atraían y te arrastraban hasta el fondo de sus misteriosos ojos. Te seducían y paralizaban. Luego te absorbían y consumían. Trotsky era un hombre de mucha intensidad. Caminaba como un soldado, con la mirada al frente, con pasos calculados, todos igual de largos. Con la cabeza levantada, la barbilla sacada. A veces tenías la impresión de que ni siquiera te había visto, y de pronto se volvía y te guiñaba un ojo, y su barba blanca y las puntas de su bigote temblaban ligeramente. Era obsesivo con todo. Trabajaba constantemente. Estaba preparando una biografía de Lenin, y se pasaba horas sentado, dictándoles a sus secretarios. También preparaba una declaración para una especie de juicio simulado en el que él se defendía de los cargos presentados en su contra por los estalinistas. Cuando escribía, nunca levantaba la cabeza. La única que podía molestarlo era Frida.

Trotsky fue quien volvió a unir a Frida y Diego. Trotsky, y la guerra civil española. El conflicto español era algo que nos interesaba a todos. Los republicanos y los comunistas se enfrentaban a los fascistas. Frida participaba en la propaganda, y también consiguiendo ayuda para los huérfanos de guerra y los hijos de los soldados antifascistas. La guerra hizo que Frida volviera a interesarse por la política, algo que Diego y ella tenían en común. Cuando Trotsky vino a México, Diego necesitaba a Frida más que nunca. Había estado gravemente enfermo por culpa de las dietas alimenticias. Tenía problemas de riñón, de vista y no sé qué más. A Frida le molestaba el pie, pero estaba en mejor forma que él, de modo que ella tuvo que encargarse de atender a los Trotsky.

Frida no tenía ningún inconveniente. ¡Frida la encantadora! ¡Frida la ingeniosa! La elegante anfitriona, la gran conversadora. Volvía a acaparar la atención de todos, y eso le encantaba. En cuanto los periodistas se enteraron de dónde se alojaba Trotsky, los fotógrafos no pararon de retratarla con sus recargados vestidos de tehuana. Frida se desvivía por Trotsky. «¿Necesitas más papel, camarada? ¿Necesitas más frazadas, camarada? ¿Quieres que la cocinera te prepare una infusión y unos pastelitos de almendra, camarada?» Como la seguridad era muy importante, Frida tenía que ser muy prudente con el servicio, y se llevó a sus propias empleadas a servir a Trotsky. «Eusebia te ha preparado unos deliciosos chiles rellenos, camarada. Los ha hecho especialmente para ti, porque sé que te gustan.» Natalia tenía malaria, de modo que le correspondía a Frida entretener al camarada Trotsky. Qué oportuna, ¿verdad? Frida podía hablar con él de política. Hablaban en inglés, porque Trotsky no sabía español. Yo no me enteraba de nada, porque no entendía el inglés. De hecho, Frida me trataba como si yo ni siquiera estuviera allí. Sólo me traducía las cosas más insignificantes. «No te preocupes, Cristinita, que no estamos hablando de ti. Sólo le he preguntado a León si desea una taza de té.» Era como si Frida estuviera sola con él, y yo me sentía ofendida. Después de aquel incidente con Lola, yo creía que Frida me había perdonado y que las cosas volverían a ser como antes. Pero ahora volvía a las andadas, comportándose como una princesa azteca y tratándome como su esclava. No obstante, yo no me acobardé ni me quedé escondida mientras ella hacía su numerito. Verá, yo era el chofer de Trotsky, de modo que pasaba muchas horas en el coche con él.

Él se enamoró de mí primero. Sí señor, aquel viejo cachondo de hermosos ojos. Tendría que haber visto usted cómo me sonreía cuando se subía al coche y se sentaba a mi lado. Verá, no se sentaba en el asiento trasero como un magnate o una estrella de cine, sino que se sentaba a mi lado, muy cerca de mí. Yo arrancaba, y de pronto, cuando íbamos circulando por la carretera, sentía una mano en la rodilla. Una vez me dio un apretón en el muslo, aquí, justo debajo del pubis. ¡Virgen santa, menudo susto me dio! Perdí el control del volante, y creía que íbamos a estrellarnos contra un cactus del tamaño de un poste de teléfonos. Pero logré reaccionar a tiempo y frené. Yo estaba como un flan. Fue espantoso, pero en cierto modo también gracioso.

Trotsky era muy descarado con las mujeres. Ya sé que era prácticamente un dios para la Liga Internacional Comunista, pero era francamente brusco. Si quiere que le diga la verdad, su esposa me daba mucha lástima. La pobre Natalia casi siempre estaba enferma. Tenía cincuenta y tantos años, y para mí, que todavía no había cumplido treinta, era una anciana. Natalia tenía muchas arrugas. Cuando se contemplaba en el espejo se le llenaban los ojos de lágrimas. Entonces me miraba con profunda tristeza, como si fuera a morir de desesperación. «Qué joven eres —decía con un suspiro—. No me extraña que él...» Y no terminaba la frase. Frida siempre decía: «Las personas deberían hacer siempre lo que quieren. Tú también, Cristi. Haz lo que quieras y no te preocupes por lo que piensen los demás.» Con todo, a mí no me parecía bien que Trotsky me pellizcara el trasero o me hiciera gestos lascivos delante de su esposa.

Yo no sabía qué hacer. Por una parte, yo no quería hacer el amor con él. Pero por otra, él era tan importante, tan inteligente, tan famoso. He de reconocer que la idea de acostarte con un hombre al que adoran millones de personas resulta emocionante. ¡No es nada fácil rechazar a un hombre así!

Trotsky tenía ideas descabelladas. Un día, de repente, dijo: «Oye, en caso de incendio no sabría cómo reaccionar. Deberíamos hacer un simulacro.» Lo dijo en inglés. Frida lo tradujo y se echó a reír a carcajadas.

—¡Un simulacro de incendio! ¿Qué estás tramando, León?

Todo el mundo se reía, menos Natalia y León.

—Lo digo muy en serio —dijo él—. En Rusia estuve a punto de morir en un incendio. Los hombres de Stalin intentaron quemar mi casa estando yo dentro. Si pasó allí, también puede pasar aquí. Tengo muchos enemigos. Deberíamos estar preparados.

—No creo que sea conveniente, Leo —terció Jean—. No puedes salir corriendo a la calle en pleno Coyoacán. Eso sería tan peligroso como un incendio.

Pero Trotsky era muy testarudo, y siguió insistiendo. Como la gota de agua que cae sobre la piedra: cling, cling, cling. Insistía hasta que te agotaba. «Miren —decía—, deberíamos intentarlo aunque sólo fuera una vez. Sólo para asegurarnos de que todos sabremos qué hacer en caso de emergencia.»

El plan era que escaparíamos saltando el muro del jardín.

Una noche, pasados unos días, León echó a correr por la casa, gritando: «¡Fuego! ¡Fuego!»

Salimos todos al patio. Estaba oscuro y no veíamos por dónde íbamos. Frida iba dando traspiés, hasta que se agarró a Diego y él la pasó por el muro.

Cuando estuvimos todos al otro lado, León me cogió de la mano.

—¡Vamos! —murmuró. Era una de las pocas palabras en español que había aprendido.

—¿Cómo? ¿Adónde?

—¡Vamos! —insistió él—. ¡Vamos, vamos! —Me hacía señas para que yo siguiera corriendo, pero me paré en medio de la calle.

—Espera un momento —dije—. ¿Qué está pasando?

—A tu casa —dijo él, jadeando—. ¡Vamos a tu casa!

Entonces hizo un gesto y yo comprendí lo que pretendía. El simulacro de incendio no era más que una artimaña para que pudiéramos separarnos de los demás. Trotsky quería que lo llevara a mi casa de la calle Aguayo para acostarse conmigo.

Me quedé allí plantada, riendo. Pero él no le veía la gracia e intentaba que le siguiera. «Vamos —repetía una y otra vez—. Vamos a tu casa.» Me daba palmaditas en el trasero, como si yo fuera una mula que se niega a andar.

No sabía qué hacer. No puedo negar que la idea me seducía. Al fin y al cabo, me sentía muy mal por cómo me había tratado Diego últimamente. A pesar de que Lola ya había regresado a Estados Unidos, y de que yo creía que no habían llegado a acostarse, que no había habido más que estúpidos coqueteos, las cosas habían cambiado entre Diego y yo. Yo había dejado de ser la mujer de Diego, y ahora no era más que otra de las muchas mujeres con las que Diego había tenido relaciones. Acostarme con Trotsky sería un buen golpe, y además divertido. Yo era una mujer joven y libre, y me gustaba divertirme. ¡Y Trotsky era todo un personaje! Además, era encantador. Pero por otra parte estaba la pobre Natalia. Yo ya había traicionado a mi hermana, y ahora no podía traicionar a Natalia. Titubeé en medio de la calle.

Pero ya era demasiado tarde. Jean y los guardas de seguridad se estaban acercando. Corrían hacia nosotros con linternas.

—¡León! ¿Eres tú?

—¡Camarada Trotsky!

Ya lo ve usted, no tuve que tomar ninguna decisión, porque Frida la tomó por mí. A la mañana siguiente, mi hermana revoloteaba alrededor de Trotsky como un colibrí alrededor de una madreselva. «León esto», «León lo otro». Le mostraba sus dientecillos de gata y meneaba el trasero. Le llevaba té y tortillas con aguacate triturado, un plato que a él le encantaba. Le llevaba fruta y dulces. Se desvivía por él. Hablaban constantemente en inglés, y yo me sentía excluida, como es lógico. Frida quería que yo me sintiera excluida. Natalia y yo nos limitábamos a observar; ambas sabíamos a dónde conduciría todo aquel coqueteo.

Frida se estaba vengando de mí y de Diego. Yo creía que me había perdonado, cuando en realidad lo único que había hecho era esperar que llegara el momento adecuado para clavarme el puñal. Quería castigarme por haber tenido relaciones con Diego, y la mejor forma de hacerlo era alejar a Trotsky de mí. Ella iba a ser la amante de Trotsky, no yo. Ella tenía que ser la estrella. ¡El lugar de honor le correspondía! Y también quería castigar a Diego. Podía perdonarle sus otras aventuras, pero jamás que se hubiera enamorado de mí. Y ¿qué mejor forma de hacerle daño que engañarlo con su ídolo?

Frida y León eran como dos colegiales. Él le pasaba notas; las ocultaba entre las páginas de un libro y se lo entregaba a Frida cuando se daban las buenas noches. Pero Frida empezó a ponerse descarada, increíblemente descarada. Coqueteaba con León y le lanzaba besos en la mesa, mientras comíamos. Hasta se cogían de la mano y se besaban, con lengua y todo, delante de las narices de Natalia. Él le pellizcaba el trasero; ella lo llamaba «mi amor». Y entonces mi hermana me preguntó si podía dejarle mi casa para acostarse con él. ¡Mi casita de la calle Aguayo! ¿Qué quería que dijera yo? Nunca le había negado nada a Frida, aunque esta vez titubeé.

—Así nos vengaremos de Diego —me dijo—. Por el daño que te hizo enredándose con Lola.

Me quedé mirándola. Yo creía que entre Diego y Lola no había pasado nada. Diego se había burlado de mí con Lola aquella noche en la cantina, pero Jean me dijo que cuando Frida y yo nos marchamos, él acompañó a Lola a casa de su madre.

Frida se dio cuenta de que no iba a conseguir nada, así que cambió de táctica.

—Te pegó, Cristi —dijo—. ¡Es un grosero! ¿Por qué vamos a aguantar sus rabietas, Cristi? Le vamos a demostrar que no puede dominarnos.

Acabé cediendo. Eso fue lo que pasó, que acabé cediendo. Accedí a llevar a Frida y a León a dar un paseo en coche, y a dejarlos después en mi casa para que estuviesen a solas. Igual que cuando éramos niñas: yo hacía cualquier cosa que Frida me pidiera. Me senté en el coche y me imaginé a Trotsky haciendo el amor con Frida, igual que me había imaginado a Alex haciendo el amor con Frida. ¿Cómo sería aquel hombre en la cama? Aquella historia tenía un matiz perverso; Trotsky era un anciano, y Frida todavía no había cumplido los treinta. Sin embargo, la idea de acostarse con un hombre cuyas ideas habían conmocionado el mundo resultaba fascinante. Me lo imaginaba acariciándole los pechos a mi hermana, acariciándole la espalda, la curva de la cintura, las caderas... Podía haber sido yo.

¿Cuál era mi papel en aquel melodrama? Yo era el chofer, el extra.

La aventura no duró mucho; en julio ya había terminado. Frida no quería a Trotsky; sólo quería demostrar de lo que era capaz. Quería seducir al gran Trotsky para castigar a su marido y a su hermana, pero su relación no tardó en hacerse aburrida, y Frida perdió interés. Después de la emoción inicial, ¿qué gracia tiene acostarse con un abuelito con artritis y con el aliento rancio? *

«Me marcho, León —le dijo. Así, tal cual—. Me marcho. Tengo que irme. Unos amigos de Veracruz me han invitado a su casa.» Ni siquiera se lo dijo con delicadeza; se limitó a decirle adiós muy buenas. Frida no quería saber nada más de él. Es más, de momento no quería saber nada de ninguno de nosotros.

¿Si se disgustó él? No lo creo. Yo pensé que quizá él volvería conmigo, pero no fue así. Y a mí no me importó. Yo ya estaba harta de Trotsky y de la Liga Internacional Comunista, de las investigaciones, de las comisiones, de los periodistas que rondaban la Casa Azul. Estaba harta de todo. León echaba de menos a Natalia, y cuando Frida se marchó, yo lo veía paseando con ella, cogidos de la mano, por el jardín. ¿Sabe qué pienso? Que Natalia era la única mujer a la que León había amado de verdad.

Diego se enteró de la aventura de Frida y León; eso era precisamente lo que ella pretendía. Se marchó de Coyoacán para que no quedara ninguna duda. Diego se puso furioso con Trotsky. Lo llamó Judas, canalla y «chingado de mierda». Pero en el fondo no podía permitirse el lujo de enfadarse con Trotsky, porque ya tenía problemas con los estalinistas, y sólo faltaba que se enemistara también con León Trotsky. Al final no pasó nada, aunque no quedaron precisamente como amigos. En noviembre Frida le envió un regalo a León: un autorretrato en el que representaba todo el descaro de que había hecho gala en la Casa Azul. La hermosa Frida. La seductora Frida, con los labios y las uñas pintados de rojo, un clavel morado y un lazo rojo en el cabello. Un recuerdo, quizá, de la pasión que habían sentido el uno por el otro. O quizá sólo una broma.

19

MI HERMANA LA ARTISTA

El corpiño, desgarrado desde el hombro hasta la cintura, deja al descubierto... ¿un pecho exquisito y seductor? No. ¿Qué se ha creído que es esto? ¿Una novelita rosa? Deja al descubierto las entrañas de la mujer, sus vísceras. Porque la piel también está desgarrada, y muestra un corazón vivo, que palpita. Palpita bombeando sangre a pesar de que las arterias están cortadas: tubos o mangueras cortadas por la mitad, orificios abiertos, bocas sin lengua, tuberías que no llevan a ninguna parte, excepto una: una larga vena que se le enrosca por la espalda, deslizándose hacia la parte externa de la blusa con volantes, y luego hacia la falda, donde cae elegantemente por debajo de su codo como una delgada cinta roja. Después se extiende por debajo de su muñeca y continúa hacia los pliegues de la tela, donde ella la atrapa con unas pinzas quirúrgicas y la corta. ¡Zas! Y la sangre se derrama sobre la tela y forma un charco. Las fibras absorben parte de la sangre, pero la otra fluye formando riachuelos que llegan hasta el suelo. Pegotes que parecen latir todavía, pequeños arroyos que avanzan al ritmo de los latidos del corazón, sólo que ahora ese líquido viscoso no tiene adónde ir, así que se acumula en un pliegue de la ropa y gotea hacia el dobladillo, manchando la tela. Las manchas se confunden con las flores bordadas de la falda. Apenas puedes distinguir las flores carmesí de las manchas de sangre. Pétalos, gotas, lazos, tallos, hojas: todo forma parte del estampado delicadamente bordado.

¿No quería que le describiera mi cuadro favorito? Es curioso que no me lo haya pedido antes. No hemos hablado mucho sobre la obra de Frida. Me cuesta decir si me gusta un cuadro de Frida, porque sé cuándo pintó cada uno de ellos, por qué los pintó, qué significaban. Son todos maravillosos, pero hay muchos que no me gusta mirar. El que le he descrito se titula *Las dos Fridas*. Es un cuadro de gran tamaño, cuadrado. Lo pintó sobre la época de la que estamos hablando, en 1939 quizá. Antes de la muerte de León.

En él vemos dos imágenes de Frida. Frida está sola; una Frida le coge la mano a la otra Frida, porque Frida sólo puede darse la mano a sí misma. No sé si me explico. En aquella época, mi hermana y Diego habían empezado a distanciarse, aunque Diego valoraba mucho la obra de Frida. «Es la mejor retratista del mundo», decía, pero la trataba a patadas. No le dirigía la palabra durante días, o iba a casa de Frida y se escondía en el cuarto de baño. Ella le preparaba una comida maravillosa, y él se negaba a comer. Ensalada de nopales, cerdo asado, guacamole con chipotles, y de postre, lenguas de gato. A Diego le encantaba todo aquello, pero se sentaba en el retrete y se negaba a salir.

En ese cuadro, las dos Fridas están sentadas con la espalda muy erguida, pero esos rostros inexpresivos no son más que máscaras que ocultan el dolor. A ella le gustaba mostrarse así, fuerte. Le gustaba demostrar que luchaba contra la adversidad y salía adelante. ¡Frida la invencible! Pero está partida en dos, y eso significa que sufre. Una Frida lleva un vestido de tehuana con encajes; ésa es la Frida mexicana, su auténtico yo. En esa imagen, su corazón está entero. «Ésa es la Frida que Diego adoraba», me dijo. La otra Frida, la que tiene el corazón al descubierto, lleva un vestido pasado de moda, quizá un traje de novia. «Ésa es la Frida que Diego abandonó.» La Frida tehuana tiene en la mano un pequeño retrato de Diego del que sale una vena que une los corazones de las dos Fridas; pero la Frida abandonada la corta. Esa Frida intenta liberarse, cortar el lazo que la une con Diego. Pero aunque logra cortar la vena, ésta sigue sangrando, porque el amor de Diego no puede contenerse.

A veces pienso que *Las dos Fridas* no habla sólo de ella, sino de nosotras dos. Yo soy la otra, la abandonada, la hermosa (porque una de las figuras es más hermosa que la otra). Ella me coge la mano, y yo estoy allí sentada, fuerte y valerosa. ¡La invencible Cristina! Creo que mi hermana no pintó el cuadro que creía estar pintando. ¿Es eso posible?

¿Que por qué es mi cuadro favorito si me causa tanto dolor? Yo no he dicho que fuera mi cuadro favorito. Ah, ¿sí? Bueno, supongo que será porque en él veo retratados mis propios sentimientos. Lo que quiero decir es que ese cuadro no sólo expresa el dolor de Frida, sino también el mío; expresa la lástima que siento por mi hermana, pero también la sensación de abandono que yo experimentaba en aquel momento. Ese cuadro me entristece, como las fotografías de personas que ya han muerto, tanto si las querías como si no, porque me ayuda a revivir aquellos días en que vivía la vida intensamente. Me duele, es cierto; pero la espina que esas imágenes me clava en el corazón me recuerda que hubo un tiempo en que yo estaba viva.

La carrera de Frida empezaba a tomar vuelo. Después de la aventura con Trotsky, era como si tuviera que pintar para olvidar. Y aunque Diego la trataba muy mal, la animaba a exponer. Ella nunca había querido exponer sus cuadros, o al menos eso decía. Sin embargo, Diego empezó a hacer contactos con varias galerías de arte, y antes de que Frida se diera cuenta, ya le habían montado una exposición aquí mismo, en la Ciudad de México. En eso tuvo suerte, porque tenía a

Diego. Pese a haberlo traicionado con Trotsky, seguía teniéndolo.

El pie la torturaba; lo llamaba «la pezuña del diablo». «El demonio me está haciendo pasar las de Caín otra vez —decía—. Me dio una pezuña suya para castigarme. Una noche entró en mi dormitorio y me la puso en la pierna atrofiada. ¡Lástima que, aprovechando la ocasión, no me hubiese chingado! ¡Menuda chingada!, ¿no, Cristina? ¡El muy guarro, con esos cuernos! Debe de chingar como un... ¡como un demonio!» Y luego reía a carcajadas. Pero era una risa forzada, porque Frida quería que supieras que, aunque le echara valor, estaba sufriendo.

Mi hermana se quejaba constantemente, pero aun así no paraba de pintar.

«No entiendo a quién puede interesarle comprarme un cuadro —decía—. Seguro que cualquiera preferiría tener un cuadro de Diego. Pero los cuadros de Diego son tan caros que se conforman con comprarme uno a mí.»

La esposa devota que se contentaba por pintar para divertirse. El arte por el arte, no por dinero. Pero no era más que una pose. Porque ¿qué pasaba si de verdad no podía vender sus cuadros? Ella siempre podía decir: «Yo nunca me he tomado en serio la pintura. Para mí pintar siempre ha sido un hobby.» A mí no podía engañarme; no soy tan tonta como cree la gente. Yo conocía a Frida como la palma de mi mano, y sabía que aquello era una pose para proteger su orgullo, por si acaso. Qué tontería, ¿no? ¿Cómo no iba a vender Frida sus cuadros? ¡Pero si era la esposa del gran Diego Rivera!

Diego culpó a Trotsky por la aventura que Frida tuvo con él. Depués, Frida y Diego volvieron juntos, al menos durante un tiempo, y Diego le vendió cuatro cuadros de Frida al actor americano Edward G. Robinson. ¿Lo vio usted en *Little Caesar*? Yo sí, pero no llegué a conocerlo en persona. El verdadero nombre de Robinson era Emmanuel Goldenberg. ¿Lo sabía usted? Goldenberg es un nombre judío. ¿Por qué las estrellas de cine siempre se cambian el nombre? Supongo que porque en Estados Unidos la gente tiene muchos prejuicios. En fin, la prensa se hizo eco de la venta de los cuadros y la gente empezó a prestarle más atención a la obra de Frida.

Por aquella época André Breton, el poeta francés, vino a México. A Breton sí lo conocí. Era un personaje importante, el padre del surrealismo. Frida y Diego lo llevaron a todas partes, y Breton dijo que los cuadros de Frida eran la esencia del surrealismo. Así lo dijo exactamente: la esencia del surrealismo. Dijo que su forma de combinar los motivos del folclore mexicano con la fantasía la convertían en una auténtica surrealista.

Pero Frida odiaba a Breton. Decía que era un engreído, y que iba por ahí soltando frases que parecían muy profundas pero que en realidad no eran más que paparruchas. «El surrealismo une el reino consciente y el reino inconsciente de la experiencia hasta tal punto que los sueños y la realidad cotidiana se hacen indistinguibles. La realidad se vuelve surreal.» Cosas así. Le oí decirlas tantas veces que me las sé de memoria. «El surrealismo une el reino consciente y el reino inconsciente...» ¿Qué significa eso? Para nosotros, los mexicanos, la muerte, los fantasmas y los sueños forman parte de la vida cotidiana. ¿Dónde está la novedad? La Virgen de Guadalupe es tan real como la florista de la esquina. Los esqueletos que bailan el día de los Muertos son tan reales como el funcionario que te pone el sello en el carnet de identidad. Frida decía que Breton era un pedante, y tenía razón. En cambio, ambas adorábamos a su esposa, Jacqueline, una mujer coqueta, inteligente y cariñosa. Y era pintora, como Frida.

—¡Cristina, *chérie*, tienes que venir a París con tu hermana! —me dijo, porque André había acordado organizarle una exposición a Frida en Francia.

Pero yo no podía ir. El plan era que Frida viajara primero a Nueva York, donde expondría su obra en la galería de Julien Levy, un amigo de Diego. Y de ahí viajaría a Europa.

Aquél era el gran acontecimiento de la década. Maty, Adri

y yo habíamos organizado una fiesta de despedida, pero Frida no quería ni oír hablar de ella.

«Diego quiere algo fastuoso, queridas. Hemos invitado a todo el mundo, desde los Trotsky hasta el presidente Cárdenas.» Lázaro Cárdenas era el nuevo héroe de Diego. En lugar de vivir en la mansión presidencial de Chapultepec, vivía en su modesta casita. Decía que no pensaba obedecer más órdenes de los jefes políticos, y que iba a escuchar al pueblo. Devolvería a México sus ideales revolucionarios. Pero ¿se puede hacer caso a los políticos? No lo sé, pero el caso es que Cárdenas se ganó la confianza de Diego. Y lo cierto es que tuvo el valor de nacionalizar las compañías petroleras, y para hacerlo tuvo que enfrentarse a los americanos. Ya sé que usted verá esta parte de la historia desde otra perspectiva, pero Cárdenas se convirtió en el nuevo héroe de México, el nuevo dios. Todos lo adorábamos, incluso yo. En aquella época yo me creía todo lo que me contaban. En fin, no puedes invitar al presidente de la República a una fiesta y ofrecerle enchiladas hechas por tu hermana, aunque el presidente de la República diga que no es más que un campesino. Así que Diego y Frida dejaron el asunto en manos de Lupe Marín, la organizadora de fiestas más aclamada al sur de Río Bravo. Lupe contrató a una cocinera profesional con su propio personal de cocina, lo cual a mí me pareció estupendo.

Lupe y sus empleadas se superaron a sí mismas. Bandejas de chayotes rellenos, pollo con salsa de cacahuete, enchiladas verdes, enchiladas rojas, cerdo estofado con pulque, mole poblano, banderas mexicanas hechas de arroz verde, blanco y rojo, toda clase de postres que uno pueda imaginarse (membrillo, galletas de almendras, bolas de coco, fruta, quesos)... ¿Qué más? Tequila, ponche, sangría, vino. Yo fui a la fiesta de Frida, aunque me encontraba muy mal y todavía no podía comer de todo, porque acababan de operarme de la vesícula. «La verdad, querida, estás más mustia que un pene fláccido», me susurró mi hermana al oído. Y yo le contesté: «Y tú estás más descompuesta que una escultura modernista, con tu pierna deforme y tu espalda torcida.» O quizá no llegué a decírselo, quizá sólo lo pensé.

Las damas de la alta sociedad y los políticos se peleaban para acercarse a la homenajeada. También había muchos actores y actrices: Armendáriz, que había coincidido con Lola en *María Candelaria* y *Flor Silvestre*; María Félix, Sara García, Carlos López Moctezuma, que había hecho *El gendarme desconocido* con Cantinflas; Paulette Godard... (Paulette no tardaría en convertirse en un problema, igual que María Félix.) Y allí estaba yo, compartiendo recetas de mole poblano con Sara García. Imagínese, la casa estaba llena de periodistas que revoloteaban alrededor de Frida. Frida, la gran estrella. Había redactado una larga lista de personas a las que quería invitar a la exposición de Nueva York: los Rockefeller, los Luce, Alfred Stieglitz, Lewis Mumford. Iba soltando nombres como un caballo va soltando excrementos.

«En Nueva York voy a hacer un retrato de Clare Boothe Luce. Y el pintor George Grosz me ha prometido enseñarme su estudio. No, Diego no le guarda rencor a nadie. Ambos queremos que vengan John y Nelson. ¡Oh, el Fallingwater! He aceptado una invitación de Frank Lloyd Wright y Edgar Kaufman para verlo. Nikolas Muray, el fotógrafo, bla, bla, bla, Meyer Schapiro, el historiador de arte, bla, bla, bla (tener sangre judía tiene sus ventajas, querida); Conger Goodyear bla, bla, bla; Dorothy Hale bla, bla, bla (voy a hacerle un retrato, querida); Sigmund Firestone bla, bla, bla.»

Diego y Frida montaron un numerito en la estación. Se pusieron a hablar como niños pequeños.

—Ranita bonita, ¿qué vas a hacer sin mí?

—Mi niñita chiquitita. Si necesitas algo, lo que sea...

No paraban de llorar.

—Dieguito, cariñito. Pobre bebito, pobre ranita.

—Fridita. Friduchita. Vas a tener mucho éxito, mi bebita linda.

Éramos pocos los que sabíamos que aquellos dos bufones estaban al borde del divorcio. Cuando no eran el centro de atención, cuando no había periodistas mirando, se bufaban el uno al otro como gatos callejeros.

Finalmente Frida se marchó. Durante este viaje tampoco me escribió, ni una sola vez, aunque sí escribió a Maty y Adri. ¿Qué podía hacer yo para complacerla?, me preguntaba una y otra vez. ¿Qué podía hacer para que mi hermana me perdonara?

20

FRAGMENTOS

Dorothy Hale está muerta, hecha pedazos delante del Hampshire House, su lujoso edificio de apartamentos de Nueva York. Con las horquillas en su sitio, las costuras de las medias rectas, el prendido de diminutas rosas amarillas en el vestido de terciopelo negro, el lado derecho del cráneo aplastado: un pegajoso amasijo de sangre, huesos y porquería. Hay astillas de cráneo esparcidas por la mejilla, el vestido, el asfalto, las piedras del elegante edificio donde vivía. ¿Qué se debe de sentir al saltar desde una ventana y caer al vacío? ¿Se arrepentiría ella e intentaría rectificar? ¿Agitaría los brazos y las piernas? ¿Intentaría sujetarse a un resalto o un balcón? ¿Rezaría? *Venga a nosotros tu reino, hágase tu voluntad, así en la tierra como en el cielo...* ¿Hágase tu voluntad? ¿Se preguntaría si aquélla era la voluntad de Dios? Los comunistas no creen en Dios. Dicen que la religión es el opio del pueblo, aunque una vez un sacerdote jesuita me dijo que eso no era correcto, y que el comunismo era el opio de los intelectuales. ¿Si Dorothy era comunista? No lo creo. Los amigos que Frida tenía en Nueva York no eran comunistas, sino todo lo contrario. Eran potentados que se pasaban la vida de fiesta en fiesta. Quizá se las daban de comunistas; hablaban de la explotación del proletariado. Pero no eran más que comunistas de salón. Creo que Dorothy no era más que una niña bien acostumbrada a tener dinero, y que cuando murió su marido se vio perdida. Su marido, Gardiner Hale, era pintor. Hacía retratos de gente adinerada, y les cobraba un ojo de la cara por ellos.

Dorothy era guapísima. La conocí cuando estuvo en México. Había sido corista del Ziegfeld Follies; por eso Gardiner se casó con ella. Era espectacular; tenía el cabello negro, la piel como batido de vainilla, y las facciones elegantemente esculpidas. Se compraron una casa en el sur de Francia, en la playa, y recibían a sus amigos por todo lo alto. Todos los peces gordos iban a visitarlos; todos aquellos tipos que Frida llamaba las «cacas grandes». Pero Gardiner se mató en un accidente de coche y Dorothy se quedó sola, con su hermosa cara, su espléndida figura, pero sin dinero. Y después de haber invitado a Picasso y a los otros divos del arte en la Riviera, no pudo soportarlo. Su marido desapareció de la noche a la mañana. Ella no quería trabajar, pero tampoco quería ser pobre, así que renunció a todo y fue a buscar a la pelona. ¿Cerró los ojos o los mantuvo abiertos? ¿Acabó tendida en la acera con los ojos abiertos y sangrando por la oreja, tal como la pintó Frida? ¿Qué debe de sentir uno mientras se precipita hacia la calle, sabiendo que se va a estrellar y se va a hacer pedazos como un jarrón de cristal? Sabiendo que su cráneo se va a hacer añicos, que su sangre se va a esparcir por la acera, manchando los zapatos y los dobladillos de los transeúntes. ¿Se apartan los transeúntes para que no les salpique tu sangre y les manche la ropa? ¿Huyen despavoridos? ¿O ni siquiera se estremecen? ¿Intenta alguien recoger los pedazos?

Dorothy Hale celebró una fiesta la noche antes de suicidarse. Invitó a todo el mundo: a Bernard Baruch, a Isamu Noguchi, a Constantin Alajalov, que hacía portadas para el *New Yorker*... a todo el mundo. Frida se marchó pronto porque al día siguiente tenía que empezar el retrato de Dorothy. Se habían conocido en México un par de años atrás, y Frida le había prometido retratarla algún día, cuando fuera a Nueva York. Y ahora Frida estaba en Nueva York, y habían quedado en empezar aquel día de octubre de 1938, el día después de la fiesta. No obstante, había un problema: Dorothy no podía pagar a Frida. Como Gardiner la había dejado sin un centavo, ella les pedía dinero a los amigos, y pagaba el alquiler de su lujoso apartamento con el dinero que le daba Clare Boothe Luce a regañadientes. Al principio Frida pensaba dejar plantada a Dorothy. «Es tan pesada. Siempre se está quejando de la mala suerte que tiene.» A Frida no le interesaba que los demás le contaran sus penas. Pero Bernie Baruch dijo que pagaría el retrato, y como Frida estaba deseando entrar en aquel círculo social, de pronto recordó que era una buena comunista y que el dinero le tenía sin cuidado. «No te voy a cobrar, querida.» «De ninguna manera. Insisto.» «Que no, cariño.» «¡Insisto!» «De acuerdo, pero sólo porque necesito el dinero.» Frida intentaba independizarse económicamente, porque no le gustaba tener que pedirle dinero a Diego. Frida y ella lo tenían todo preparado. Casi puedo ver a Dorothy apartando la cortina, abriendo la ventana de su elegante ático de Nueva York. Frida llama a la puerta.

—¿Puedo pasar? He venido a hacerte el retrato.

—Lo siento, querida, pero ahora me estoy suicidando.

Dorothy está subida a una silla, con sus zapatos de tacón. Desde el alféizar, contempla la ciudad, los rascacielos, las ventanas de las oficinas, la neblina; y abajo, los coches, los taxis, los vendedores ambulantes, los atareados compradores y oficinistas, todo en miniatura. Respira hondo, se lanza al vacío, cae, cada vez más deprisa... Se rinde a la dulce oscuridad de la muerte, a su dulce, dulcísima oscuridad.

¿Si he pensado yo alguna vez en el suicidio? Sí, claro que sí. Todo el mundo piensa alguna vez en el suicidio. Frida pensaba constantemente en él. Todavía no se había recuperado de la separación de Diego, y el pie seguía atormentándola. Sufría mucho, y de vez en cuando se preparaba un coctel de licor y analgésicos, para olvidar sus problemas durante unas horas.

«Un día voy a meter todos estos caramelitos en un vaso de vodka y me lo voy a tragar todo de golpe —me decía a veces—. ¡Adiós, Frida! Adiós, desgraciada. Nadie lamentará excesivamente mi pérdida. Al fin y al cabo, ni siquiera sé pintar.»

Después de la muerte de Dorothy Hale, Clare Boothe Luce pidió a Frida que aun así pintara su retrato y le proporcionó un par de fotografías. Clare lo pagaría; quería regalárselo a la madre de Dorothy; quería regalarle algo hermoso para recordar a su hija. Pero Frida hizo algo francamente escandaloso y cruel, muy propio de ella: pintó el suicidio de Dorothy Hale. Sí, a Dorothy en el acto de suicidarse. Primero muestra la cabeza de Dorothy cayendo, de cabeza, rodeada de un torbellino de nubes que se extiende hasta el marco; un zapato que sale despedido de su pie, los brazos extendidos como si quisiera impedir la caída. Y luego, en primer plano, muestra otra imagen de Dorothy, ya muerta. Está tendida en el suelo, con el vestido enrollado en las piernas, los ojos abiertos, la sangre derramándose por la acera y hacia el marco, sangre por todas partes, salpicando la leyenda que bordea la escena, la leyenda según la cual en un principio la señora Luce había encargado aquel cuadro —luego la señora Luce obligó a Frida a cambiar esa leyenda—; y da la impresión de que la sangre salpica el suelo donde tú estás. Es como si estuvieras dentro del cuadro, donde está Dorothy; casi puedes oler las flores prendidas en su vestido, casi puedes estirar un brazo y cogerle un pie.

Salió en todos los periódicos mexicanos. No, no me refiero al suicidio, eso no le importaba a nadie; me refiero al cuadro de Frida. Yo estaba muy abochornada. ¿Cómo había sido capaz mi hermana de hacerle algo así a una pobre madre que acababa de perder a su hija, una hija que era una preciosidad? ¿Por qué lo has hecho, Frida?, pensaba yo. ¿Por qué has pintado ese cuadro? ¿Ha sido un simple acto de crueldad, o lo has hecho para llamar la atención? Como cuando éramos pe-

queñas y me robaste aquella muñeca con la cara de porcelana y el cuerpo de trapo, y la dejaste sobre la cama de mami,
desnuda, con las piernas abiertas. Y luego pusiste mi burrito
de trapo encima de la muñeca, con su boca entre sus... tú sabes... Quizá aquel cuadro no tuviera nada que ver con Dorothy; quizá tuviera que ver contigo. Tú siempre fuiste la estrella de tu propio drama, la heroína trágica, la víctima.
¿Quién es esa mujer que se precipita a través de un torbellino de nubes, Dorothy Hale o Frida? El dolor de Frida, la desesperación de Frida... la... la... Lo siento, no sé qué me ha
pasado. Espere, creo que aquí tengo un pañuelo... Es que...
Frida no me escribió ni una sola carta. Ni una sola postal.
¿Por qué no me enviaste ni una postal, Frida? Ya sé que todavía estabas furiosa conmigo por lo de Diego, pero yo te quería muchísimo, Frida. Te echaba tanto de menos, y me sentía
tan sola aquí. ¿Por qué no quisiste perdonarme? Adri y Maty
recibieron varias cartas, y me las enseñaron. En ellas les hablabas de tu nuevo amante, el húngaro Nikolas Muray. Decías
que era fotógrafo, y que era muy guapo. Pero a mí no me interesaba para nada, no me interesaba conocerlo. No quería volver a competir con Frida. Además, la verdad es que no pude
competir con ella jamás.

Frida iba a exponer en la galería de Julien Levy, en Nueva
York, a finales de 1938, un año antes de que estallara la guerra en Europa. Se marchó a Nueva York en octubre, y pensaba viajar a Francia desde allí. Recuerdo que la gente estaba
nerviosa porque nadie sabía qué iba a pasar con los alemanes.
Circulaban muchos rumores. Papá tenía parientes judíos en
Alemania, y contaban historias de familias a las que habían
puesto bombas en el salón. En aquella época muchos judíos
venían a México, porque no los dejaban entrar en Estados
Unidos. A mi padre le contaron que a una prima suya unos
soldados alemanes le habían arrancado a su hijita de los brazos y la habían lanzado por los aires para hacer prácticas de
tiro con ella. La lanzaban y disparaban, una y otra vez. Me lo

imagino: la niña llora, y también la madre, y los soldados lanzan al bebé por última vez, muy alto. La niña se queda flotando a cámara lenta, y entonces uno de los nazis desenfunda una pistola y apunta al bebé. La madre lo ve todo e intenta sujetarle el brazo al soldado. Pero éste la tira al suelo de un empujón. La madre está en el suelo intentando levantarse, y el soldado le pega un tiro. La madre muere al instante. La niña ya no flota a cámara lenta sino que se precipita a toda velocidad. Se estrella contra el suelo y se destroza la cabeza. Y Frida iba a ir a donde estaban pasando esas cosas. De todos modos, ella no corría peligro, porque como nuestra madre era católica, y el judaísmo lo transmiten las madres, a Frida no podían considerarla judía. Además, Frida era una pintora famosa, una celebridad, y cuando eres famoso nadie se mete contigo.

Frida se marchó a Nueva York en octubre. Recuerdo que fue en octubre porque nos estábamos preparando para celebrar el día de los Muertos, la festividad en que los mexicanos recordamos a nuestros difuntos. Estábamos preparando los clásicos caramelos: calaveras y esqueletos de azúcar decorados con flores de colores. A mis hijos les encantaba chupar aquellas pequeñas calaveras, aquellos dedos, costillas y fémures de azúcar. ¿Le sorprende que conozca la palabra «fémur»? ¿Cómo no iba a conocerla, teniendo una hermana coja?

Frida estaba preparando su viaje. Su matrimonio se tambaleaba escandalosamente, y yo no creí que Diego se interesara por la exposición de mi hermana. Al fin y al cabo, ambos llevaban meses saliendo con otras personas. Pero de pronto Diego se volcó en ella. Todo tenía que estar perfecto para su querida Frida. La puso en contacto con gente importante y la ayudó a redactar la lista de invitados para la inauguración. André Breton escribió un texto para el folleto, y la galería realizó una gran campaña publicitaria, como si Frida fuera una estrella de cine. Artículos en los periódicos, un anuncio en la revista *Vogue*. Frida estaba en todas partes, como el Espíritu Santo. Frida con un vestido de tehuana delante de *Lo que me dio el agua*. Frida disfrazada de estrella de cine junto a *Fulang-Chang y yo*. Frida con una larga y elegante boquilla en la mano, bebiendo champán junto al autorretrato que pintó para Trotsky. Frida riendo y señalando a papá en *Mis abuelos, mis padres y yo*. En cada cuadro había un retrato de Frida, y además, en cada anuncio había dos retratos de Frida, la fotografía y el cuadro que aparecía en ella. Dos Fridas por el precio de una. ¡Fridas por todas partes!

Mis abuelos, mis padres y yo incluía un retrato de papá. Pero en aquel momento era oportuno exhibir a nuestro padre, porque en Nueva York, y en aquellos círculos, estaba bien visto ser judío. Debido a la situación en Europa, los judíos se habían convertido en la nueva causa política. Les estaban pasando cosas terribles, y Frida sabía sacarle partido a esas situaciones. Muchos izquierdistas americanos eran judíos, así como mucha gente que formaba parte del mundo del arte, gente que compraba cuadros, gente con dinero, gente a la que Frida necesitaba tener como aliada. Así que de pronto Frida se convirtió en uno de ellos. Seguía siendo muy exótica y muy mexicana, y sin embargo era uno de ellos. Ella combinaba lo mejor de los dos mundos. Y a ellos les encantaba contar con aquella criatura, aquel ave de espléndido plumaje, tan familiar y sin embargo tan extraña. Y de ese modo, resultaba mucho más fácil venderles cuadros. Mi hermana era muy inteligente; sabía venderse. Por todas partes había letreros y anuncios que rezaban «Frida Kahlo (Rivera)».

Le pregunté por qué utilizaba el apellido de Diego en los anuncios.

—Siempre dices que quieres que te valoren por tu propio trabajo, que no quieres ser «la señora de Rivera».

—Fue idea de Levy —me contestó—. De Levy y de Breton. —Eso me dijo cuando regresó a casa—. Ellos insistieron en que debía incluir el apellido de Diego en los anuncios.

—Ah, ¿sí? Y ¿no pudiste impedirlo? ¿Por qué no les dijiste que se trataba de una cuestión de orgullo profesional?

—Claro que no, querida. El trabajo de Julien es hacer dinero, y el apellido Rivera vende.

—Sí, pero tus cuadros son buenos. Diego dice que pintas mejor que él. ¡No tenías por qué vincularte a él!

Me miró como si creyera que yo intentaba robarle las medias de seda.

—Ya sabes como son esos gringos, querida —dijo al fin—. Lo único que les importa es el dinero.

—¿Y la exposición de la Ciudad de México, Fridita? La que celebraste antes de marcharte a Nueva York. En todos los anuncios se mencionaba que eras Frida Kahlo de Rivera.

Frida empezaba a ponerse nerviosa, así que no insistí. ¿Qué sentido tenía insistir? Lo que más deseaba yo era hacer las paces con ella.

En una carta que le escribió a Maty, Frida decía que la exposición de Nueva York había sido un gran éxito y que había vendido todos los cuadros. «¡Mira! —exclamó Maty, que acababa de irrumpir en mi casa con la carta de Frida en la mano—. ¡Nuestra hermana pequeña ha cautivado al público neoyorquino!»

De hecho, la hermana pequeña de la familia era yo, pero no le di importancia. Leí la carta, escrita con tinta de color turquesa en una hoja que Frida había decorado con frutas, flores y hojas de cactus.

Querida Maty, no te lo vas a creer, pero todo el mundo adora a tu Friducha. Me quieren tanto que me lo han comprado absolutamente todo. Alfred Stieglitz quería comprarme un mechón de pelo, y la señora Rockefeller, el vestido que yo llevaba puesto. Eso, ni hablar, le dije yo. ¡Mis vestidos de tehuana no están a la venta! No soporto a las gringas que se ponen vestidos de india. Ellas no entienden el significado, el simbolismo de nuestros diseños. Le quitan valor a nuestra cultura nativa, ¿no crees, querida? Pero al final me ofrecí a regalarle uno. No tuve más remedio, querida; ella se ha portado muy bien conmigo.

«¡Lo ha conseguido otra vez!», dije riendo. Pero pensé: quizá sean exageraciones. No sería la primera vez que Frida miente. De todos modos, si uno de sus objetivos era distanciarse de Diego, el viaje, desde luego, había sido un éxito.

He seducido a todos los hombres de Nueva York, querida. Bueno, quizá se me haya escapado algún policía, algún carnicero o algún estudiante. ¿Sabes qué me pasó en la Fallingwater? Has oído hablar de la Fallingwater, ¿verdad, Maty? Es una casa espectacular diseñada por el famoso arquitecto americano Frank Lloyd Wright.

El mundo de Frida estaba lleno de famosos. Un fotógrafo famoso, un actor famoso, un filántropo famoso, un arquitecto famoso.

Está en Pensilvania, en un lugar maravilloso llamado Bear Run, lleno de árboles, arroyos y animales (¡incluso racionales, cariño, ya verás!). El propósito de Wright era unir la naturaleza y la arquitectura (estoy segura de que lo entenderás, Maty; Cristi no podría entenderlo, porque es demasiado lenta, ¿no crees?), así que construyó la casa en lo alto de un acantilado, sobre una cascada. La casa la forman varias terrazas voladizas (es decir, colgantes) sobre el saliente del acantilado. Está en medio de un bosque, y ya te puedes imaginar lo impresionada que estaba tu pobre Friduchita cuando Eddie Kaufman, el propietario, la invitó a la casa. Estás allí en medio, y las ardillas corretean por todas partes; salen zorros de detrás de los matorrales, y te juro, Maty que hasta oyes chingar a los conejos desde la habitación de invitados. [Aquí Frida dibujó un conejo montado encima de otro.] Por la noche te duermes escuchando el canto de los grillos, el susurro de la brisa acariciando las hojas de los árboles y, lo mejor de todo: el ruido de la cascada. Por la mañana te asomas a la ventana y de pronto tienes la sensación de que estás viendo el mundo por primera vez: una rama retorcida formando una escultura exótica, una gota de lluvia destellando sobre un pétalo tembloroso, un árbol que parece un sacerdote con los brazos extendidos señalando un cielo perfecto. Lo que llama la atención es cómo Wright combinó el cemento, el cristal y el acero para crear una escultura en la que se puede vivir. Los bloques voladizos se aferran a las rocas produciendo una intensa sensación de fuerza, y te sientes protegida. Es como estar abrazada a un hombre al que amas de verdad.

A continuación describía varias partes de la casa, el entrepaño de hormigón, las terrazas, el salón con sus enormes ventanales, la traicionera y enredada escalera. Mire, le leeré otro párrafo:

No te vas a creer lo que te voy a contar, querida hermana. Primero déjame decirte que Edgar Kaufman, su hijo (que también se llama Edgar) y Julien están locamente enamorados de mí, y que yo coqueteo descaradamente con los tres a la vez. Pues bien, una noche Julien y Edgar padre decidieron aclarar la situación de una vez por todas. Ambos estaban esperando a que el otro fuera a acostarse para poder colarse en mi habitación por la escalera doble. Yo estaba tranquilamente tumbada en la cama, intentando adivinar cuál de los dos ganaría. Fue divertidísimo, Maty. Primero oí a Eddie abrir la puerta de su habitación y subir sigilosamente por la escalera. Entonces Julien abrió la suya, y Eddie tuvo que volver corriendo a su cuarto, pero en lugar de entrar, se quedó en el pasillo para que su rival supiera que lo estaba observando. Así que Julien volvió sobre sus pasos y cerró la puerta, y al cabo de un rato la comedia empezó de nuevo. Finalmente Julien arrojó la toalla. Pero ¿sabes qué pasó cuando volvió a su dormitorio? ¡Que yo lo estaba esperando dentro! Mientras él intentaba burlar la vigilancia de Eddie en la escalera, yo me colé en su cuarto, me quité la ropa y me metí en su cama.

Pronto me marcharé a París. Créeme, Matita, me lo estaría pasando en grande si no fuera por mi espalda. Es como llevar al demonio a cuestas todo el santo día. Se sujeta a mí con las zarpas y cada vez me las clava más hondo.

Te escribiré desde París. ¿Quieres que te compre perfume?

Y ahora, doctor, lea esto:

Hospital Americano
París, 5 de febrero de 1939

Querida Maty:

Llegué aquí, al infierno, el mes pasado, y Satanás (disfrazado de Breton) me ha estado exhibiendo ante todos sus íncubos y súcubos (me refiero a sus amigos surrealistas, por supuesto), como si yo fuera un juguete nuevo. No es que no me quieran. Al contrario: me adoran, pero sólo porque creen que soy como ellos. André dice que soy la surrealista por excelencia, la surrealista por antonomasia. Por antonomasia; ¿te imaginas? Cree que porque me abrí y mostré mi dolor estoy influenciada por su estúpida doctrina. El cuadro que más le gusta es *Lo que me dio el agua*. Cree que está lleno de símbolos de nacimiento y vida que se me aparecieron en sueños, cuando en realidad no es más que un reflejo de cómo veo yo las cosas: flotando en el estanque de mi realidad, ¿qué es lo que veo? Mi pie enfermo. Mamá y papá. Amantes y cadáveres. Esqueletos y embriones. Mi cuerpo. Chac Mool. Un rascacielos que sale de un volcán. Mis vestidos de tehuana. Árboles retorcidos. Estos imbéciles no entienden que nosotros los mexicanos vemos las cosas de otra manera. Para nosotros, la vida y la muerte son una misma cosa. Este pequeño planeta lleno de basura y este nirvana, querida. Son una sola cosa. Pero ellos no lo entienden, mientras que para nosotros es completamente normal. Las grandes cacas del surrealismo no entienden que nosotros nos movemos entre lo material y lo etéreo con la misma facilidad con que una rana salta de la tierra al agua.

No te puedes imaginar lo emocionados que están conmigo, y aunque yo pienso que son unos imbéciles, querida, debo admitir que me lo estoy pasando muy bien. Pablo ha estado fenomenal; me ha colmado de regalos y me ha llevado a todas partes. En primavera va a celebrar una gran exposición, y quiere que me quede, pero yo estoy deseando volver a Nueva York para ver a Nick, así que seguramente me iré antes de que la inauguren. De todos modos, he conocido a gente fascinante: al poeta Paul Eluard y al pintor Max Ernst (seguramente no habrás oído hablar de ellos, pero aquí son muy famosos); y, por supuesto, a Elsa Schiaparelli, la diseñadora. Le gustaron tanto mis vestidos de tehuana que va a diseñar una versión para las damas parisinas. Ya he visto los bocetos. El vestido es precioso, desde luego, pero la verdad es que no me imagino a las parisinas vestidas de tehuanas. He ido a algunos mítines del grupo de Trotsky (no se lo digas a Diego, por favor, porque está muy enfadado con León). Pero apenas he tenido tiempo para las actividades políticas, querida Maty, porque mi exposición se inaugura en marzo. Y ahora ni siquiera de eso puedo ocuparme, porque vuelvo a estar enferma. Esta vez tengo una infección de riñón. Así que aquí me tienes, atrapada en este hospital americano. Es el mejor hospital que hay en París, y los médicos son maravillosos y me cuidan mucho, pero yo estoy deseando salir de aquí.

La verdad es que echo mucho de menos a Nick. Te acuerdas de él, ¿verdad? Nikolas Muray, el fotógrafo. Pues bien, nos hemos hecho *muy* amigos. Es el hombre más guapo y dinámico que he conocido jamás, con esos volcánicos ojos húngaros. ¡Qué gran amante! Y qué gran artista, Maty. Tendrías que ver las fotografías que me ha hecho. Él me comprende como ningún hombre me ha comprendido hasta ahora, y capta mi verdadera esencia en sus fotografías, mi verdadera alma. Capta lo más profundo de mí, mi dolor, mi pasión. Sabe cómo mirarme. Oh, querida Maty, dulce hermanita, ¿te imaginas lo impresionante que es posar para un hombre como él? Diego se pondría muy celoso si supiera cómo quiero a Nick.

Maty, querida, perdóname, pero no voy a poder comprarte ese perfume que querías. En primer lugar, tengo muy poco dinero. Tuve que marcharme del apartamento de Breton e instalarme en un hotel porque necesito una enfermera, y allí no había sitio para nadie más. Estaba tan enferma que ni siquiera podía levantarme de la cama, y mucho menos ir de compras; y cuando salga del hospital necesitaré ayuda. Lo entiendes, ¿verdad, Maty? No puedo gastar mucho. No me he comprado nada, salvo dos muñecas para mi colección. Son una maravilla. Una tiene los ojos azules y el cabello rubio; la otra es morena. Eso es lo único que me he comprado, querida Maty, dos muñequitas para que me hagan compañía. Tu pobre hermanita va a estar muy sola en México sin su querido Nick.

Da besos a todos de mi parte, y no sufras mucho por tu perro. Es mejor estar muerto que sufrir como sufría él. Pobre animal. Si te compras otro, no dejes que Isolda arme mucho jaleo con él. Los escuincles tienen los huesos muy frágiles.

Besos y abrazos,

FRIDA.

A mí no me mencionó ni una sola vez. No dijo «dale recuerdos a Cristi», ni «le mando un beso a Cristi»; ni siquiera «no le digas a la idiota de Cristi que te he escrito». Ni una sola palabra para la hermana que la mimó, la cuidó y la quiso. Ni una sola.

Adriana recibió otra carta de Frida escrita en París. No tengo la copia, pero Frida la envió en el mes de marzo. En esa carta Frida hablaba de su exposición, que ya había terminado. Por lo visto, expusieron otras cosas además de los cuadros de Frida, «cachivaches», según ella. Daba a entender que ella se había convertido en una gran estrella; sin embargo, yo ya empezaba a sospechar que el público no estaba tan enamorado de Frida como ella aseguraba. ¿Por qué? Porque Frida siempre exageraba su éxito, y porque en la prensa mexicana ya habían aparecido artículos sobre la exposición de Frida en Nueva York. No había vendido todos los cuadros, como ella decía. De hecho, la exposición no había tenido mucho éxito desde el punto de vista económico. Y más adelante se supo que la exposición de París había sido un fracaso estrepitoso. Breton la tituló «Méxique». Según las *Novedades Mexicanas*, los franceses son tan estúpidamente nacionalistas que miran con desprecio a los artistas extranjeros. Si se hubiera tratado de un pintor italiano o alemán, quizá habría sido diferente, pero ¿una pintora mexicana? La mayoría de los franceses ni siquiera saben dónde está México. Serían incapaces de señalarlo en el mapa. Bueno, eso era lo que decían en las *Novedades Mexi-*

canas, pero quién sabe si es cierto. A lo mejor, allí no significa nada ser la señora de Rivera. O quizá la obra de Frida no sea tan... También hay que tener en cuenta que estaba a punto de estallar la guerra y la gente estaba nerviosa. Es lógico que no te interese ir a ver cuadros de dioses aztecas y pájaros muertos flotando en la bañera cuando estás muerto de miedo porque los alemanes pueden lanzar una bomba contra tu casa en cualquier momento y hacerlos pedazos a ti y a tus hijos. Frida tenía que exponer en Londres después de la exposición de París, pero decidió no hacerlo. Estaba convencida de que Europa iba a saltar por los aires en el momento menos pensado y, por otra parte, se moría de ganas de ver a Nick. Eso fue lo que nos dijo cuando llegó a casa. A finales de marzo regresó a Nueva York.

Cierro los ojos y ¿qué veo? Veo una amplia y bonita cocina. Veo paredes azules y azulejos blancos mexicanos. Veo ollas, unas ollas enormes, que borbotean en el fuego. Oigo el borboteo y huelo el aroma del mole, de las albóndigas con chipotle, del caldo de camarón. Veo una gran mesa de madera cubierta de cuencos rojos y blancos de Guanajuato pintados a mano, bandejas rojas y amarillas de Puebla, vasijas festoneadas de Oaxaca. Ensalada de aguacate. Nopal con tomate. Chilaquiles, chicharrón de cerdo, montones de tortillas envueltas en servilletas rojas con bordados azules, amarillos y verdes, con complicados estampados indios. Veo a dos mujeres, jóvenes, delgadas, casi idénticas. Parecen gemelas. Trabajan juntas en silencio. Una corta los chiles, la otra remueve la salsa de pipián. Ambas están serias, y se dan la espalda. Una ha traicionado a la otra. Una sombra ronda por esa cocina, donde no tiene cabida la risa.

Pero de pronto, cuando la cebolla empieza a crujir y el periquito del patio se pone a piar, cuando la mantequilla se funde al baño de María y una mosca vuela, medio aturdida, de la ventana a la mesa, una hermana empieza a tararear una canción, y la otra escucha con una sonrisa en los labios. Ha llegado la hora de preparar los postres. Ha llegado la hora de la dulzura. Una hermana mezcla la masa en un gran cuenco enharinado, y la otra remueve el chocolate, al ritmo de la canción. La sombra desaparece. El azúcar se disuelve y forma el jarabe mientas las hermanas cantan una canción de cuna:

Arroz con leche
me quiero casar
con una señorita
de este lugar...

Una hermana ríe; es una risa aguda, de campanilla. La otra hermana ladea la cabeza, la mira y sonríe.

Arroz con leche
me quiero casar
con una señorita
de este lugar,
que sepa coser
que sepa bordar
que sepa la tabla
de multiplicar.

La primera hermana deja la cuchara y se vuelve para mirar a la otra. Esboza una sonrisa tierna, indulgente. Tiende una mano, y su hermana se la toma. Se quedan así un momento, apretándose las manos. La primera hermana tira de la segunda y la abraza con firmeza. La otra hermana apoya la cabeza en su hombro. Una lágrima asoma a sus ojos. La sombra se ha esfumado. La cocina se llena de luz.

Pero eso nunca ocurrió, ¿verdad, Frida? No es más que una fantasía. Un fragmento del sueño que me ha acompañado toda la vida. Ahora ha llegado el momento de soltarlo.

21

AMA Y ESCLAVA

Yo era la esclava de mi hermana. Ni el criado más fiel había servido a su amo más devotamente que yo. Era su asistenta, su bestia de carga, su secretaria, su chofer, su enfermera. Yo lo hacía todo. Déjeme contarle lo que ocurrió cuando Frida se marchó de París, y así lo entenderá.

Imagínese a Frida sola y enferma, en un país extraño, en una ciudad que odia, donde no conoce el idioma y la gente es pesada. Hace un gran esfuerzo y sale de su habitación. Al fin y al cabo, es una gran estrella, y su público la está esperando, pero se siente tan débil que le cuesta mucho trabajo ponerse la ropa y una flor en el pelo. Le han preparado una fiesta, y ella tiene que ir. Se trata de la inauguración de su exposición, Méxique. Se mete en el coche y deja que la lleven a la galería. Allí están todos los famosos: los intelectuales, las damas de la alta sociedad, las estrellas de cine, los políticos; todas las cacas inmensas de las que depende tu éxito. Artistas consagrados y artistas en ciernes se pasean entre el gentío, esbozando sonrisas ensayadas, comiéndose con los ojos a los peces gordos que quizá accederían a financiarles una exposición. Ella se retira a un rincón. Se encuentra mal, y no domina el francés. Sabe decir *salaud, conasse, ta gueule*, sus palabrotas favoritas; pero no es capaz de mantener una conversación, así que ni lo intenta. Se queda absorta en sus pensamientos. Pronto se marchará de esta ciudad asquerosa. Se irá a Londres, y de allí rápidamente a Nueva York.

Él está en Nueva York. Frida ya no es tan joven, tiene treinta y dos años, y quizá no llegue a los cuarenta. ¡Hay que vivir el presente! ¡Tiene que reunirse con su amante! Es un hombre exquisito, fogoso, apasionado. Ella cierra los ojos y evoca su angulosa mandíbula, su amplia frente, su colonia, su penetrante aliento. Piensa en él, y su cuerpo se convierte en cera líquida. Se lo imagina susurrándole al oído en húngaro: *Jódeme, cariño. Jódeme*. A ella le suena como un poema exótico, o un canto ancestral. Pese a la enfermedad, o quizá precisamente debido a la enfermedad, el recuerdo de los dedos de él deslizándose por sus muslos enciende una hoguera.

Hace tres meses que no ve a su hermoso gitanillo. Pero no ha dejado de abrazarlo y acariciarlo mentalmente.

Y ahora, por fin, va a cruzar el Atlántico y va a reunirse con él. No importa que tenga la espalda hecha pedazos, ni que unos diminutos demonios se aferren a su cadera con unas garras afiladas como cuchillos; su espíritu es libre y vuela hacia él.

Y entonces llega al departamento de su amante, rebosante de amor y de pasión. Todo está tal como ella lo recordaba. El cenicero de Laligue en la mesa del salón. Las cortinas verdes, ligeramente desteñidas por el sol. La fotografía en que salen ellos dos, colgada en la pared. Su medalla de sable olímpico en la vitrina. Las paredes están llenas de fotografías de amigos: Martha Graham, Edna St. Vincent Millay, Eugene O'Neill, T. S. Eliot. En el suelo hay montañas de ejemplares de *Dance Magazine* y *Vanity Fair* donde aparecen artículos suyos. Todo está exactamente como antes; sólo ha cambiado una cosa: él ya no la quiere.

Él ya no la quiere.

Frida es una inválida; tiene la espalda destrozada, una pierna atrofiada y un temperamento insoportable. El dolor la vuelve irascible. Encuentra defectos en todo. Provoca peleas. Es frágil. No puede hacer el amor como una acróbata. Nick quiere una mujer joven y sana, una potranca ágil que pueda experimentar y jugar con él. Se va a casar con otra mujer. Adiós, Frida.

Ella no se lo esperaba; aquello la tomó desprevenida. Nick estaba comprometido, y quería que Frida desapareciera de su vida. Frida no tuvo más remedio que hacer las maletas y volver a casa.

Frida regresó a México en abril de 1939.

—No podía quedarme más tiempo en Nueva York —me dijo—. Los echaba mucho de menos a todos.

Mentía. No nos echaba de menos a todos. Como mucho, echaba de menos a Diego. Pero mi hermana tendría que afrontar otra decepción, porque Diego no se alegró nada de su regreso. Diego había vuelto con Lupe Marín, y no tardaría en liarse con Paulette Goddard.

Sí, con Paulette Goddard, la estrella de cine. Pero espere, me estoy adelantando otra vez a los acontecimientos.

Estábamos en la cocina de la Casa Azul, sentadas a la mesa donde, de niñas, comíamos tortillas con guacamole. Ella lloraba y se secaba las lágrimas con un pañuelo bordado de mi madre. Frida se había puesto muy melodramática, pero yo la dejaba hacer, porque ella me necesitaba. Y yo estaba en deuda con ella; me había portado muy mal con Frida, y quería recuperar su cariño y su confianza.

¿Por qué no me escribiste ni una sola carta?, me habría gustado preguntarle. Pero no se lo pregunté.

«Cuando estaba con Nick —iba diciendo Frida—, siempre pensaba en Diego. Estaba enamorada de Nick, lo reconozco, pero Diego siempre estaba en mi mente. Nunca he dejado de quererlo, Cristi.»

Yo sabía que eso era verdad, porque yo también seguía

enamorada de Diego. Pensaba en él constantemente, mientras le preparaba las medicinas a mi padre, mientras le arreglaba una falda a Isolda, mientras jugaba a las cartas, mientras mecanografiaba una carta. Si alguna vez me despertaba a medianoche, en lo primero que pensaba era en Diego. Pensaba en él incluso cuando estaba meneando el trasero en la pista de baile de algún bar de mala muerte (algo que en aquella época no hacía a menudo).

De vez en cuando me lo encontraba en casa de Lola Bravo, o Maty me pedía que le llevara unos recortes de periódico que Frida le había enviado desde Nueva York. A veces Diego me pedía que le hiciera algún trabajo de oficina, o que lo llevara con el coche a algún sitio. Nos sentábamos y charlábamos un rato, y él me contaba las noticias que tenía de Fridita. Me hablaba de las últimas proezas de mi hermana (pero no de sus aventuras amorosas, por supuesto), o me explicaba los contactos que estaba haciendo para que algún crítico influyente de Nueva York viera su obra.

«Simon Weintraub va a escribir un artículo sobre Frida. ¡No se puede negar! ¡Me debe dinero!»

Verá, aunque no podían vivir juntos, aunque se peleaban constantemente, aunque Diego la trataba a patadas, él todavía la amaba. Sentían un gran cariño el uno por el otro, y eso no podía destruirlo nada. A Diego yo ya no le interesaba. Era amable conmigo; me compraba cosas: un candelabro de plata, una piñata de papel maché para los niños, un pañuelo de seda, un peine de plata. Un día le regaló a Isolda un póster de la película *Allá en el Rancho Grande*, en el que aparecía Tito Guízar. Pero las cosas no eran como antes. La sombra de Frida, nuestra traición, nos separaba. Era como un ogro terrible que no se separaba de nosotros. Al menos, eso sentía yo; no creo que él le diera tanta importancia. Para él, el sexo no era más que una forma de diversión, un juego; era lógico que se acostara con la primera mujer que se cruzara en su camino. Hay gente que no puede pasar junto a un perro sin acariciarlo, y gente que no puede pasar junto a una flor sin olerla. A Diego le pasaba eso con las mujeres. Supongo que por eso no se sentía culpable. Sea como sea, yo ya no le interesaba; había muchas otras flores que recoger por el camino. Lo que le puedo asegurar es que a Frida todavía la quería.

Sin embargo, cuando Frida volvió a casa, Diego no la estaba esperando con los brazos abiertos y la cama caliente. No, qué va. Diego estaba viviendo con Lupe Marín.

Estaba muy claro dónde tenía que instalarse Frida a su regreso. Estaba demasiado débil para estar sola. Parecía un montón de raíces de árbol arrancadas, y apenas podía caminar. Aunque ella no me había escrito durante su ausencia, ambas sabíamos que la única que podía ocuparse de ella era su devota hermana. Maty habría podido acogerla en su casa, pero ella también tenía problemas. Además, Frida quería estar conmigo, o quizá quería estar con sus queridos sobrinos. Necesitaba una enfermera, y yo ya me ocupaba de papá, así que ¿qué más daba que tuviera que encargarme de vaciar también los orinales de Frida? Yo me había convertido en una experta en preparar medicamentos y contar píldoras. Ponía inyecciones con la misma habilidad que una enfermera profesional, y podía meter un termómetro en un culo con la rápidez de un relámpago. La llevé a la Casa Azul y la instalé en su habitación, con su colección de muñecas, su esqueleto de papel maché y su cama con dosel.

Diego vino a vernos el día que llegó Frida. No vino solo, sino con Lupe e Irene Bohus, su nueva ayudante. Y con Paulette Goddard.

Lupe y Diego iban cogidos de la mano, como dos chiquillos.

«Mira, cariño, te he traído esto», dijo Lupe, y sacó un collar de madera pintado de vivos colores. Estaba hecho de cuentas y pequeños loros tallados, de color rosa con las alas verdes, de color azul con las alas amarillas, de color rojo con las alas violetas. Frida lo cogió y se lo puso, fingiendo que estaba encantada con el regalo. Pero miraba de reojo a Diego, que le acariciaba los dedos a Lupe, le ponía la mano sobre su cadera, fingiendo que no quería que Frida se diera cuenta, cuando en realidad lo hacía deliberadamente.

Irene no decía nada. Entonces no me di cuenta de que Diego engañaba a Lupe con Irene.

Paulette Goddard se sentó en el brazo de una butaca, exhibiendo su radiante sonrisa y sin pronunciar palabra. No sabía mucho español, y supongo que se sentía fuera de lugar. En la pantalla era una fiera, pero en persona era tranquila y callada, al menos hasta que te conocía bien. Sí, estoy hablando de Paulette Goddard, la diosa de Hollywood, la gran estrella. Yo había visto todas sus películas: *Tiempos modernos, El castillo maldito, Second Chorus, Diario de una mucama, Un marido ideal...* ¿qué más? *La antorcha...* ¿A usted también le gustan sus películas? ¿Cuál es su preferida? A mí me gustó mucho *Un marido ideal*, la encontré muy graciosa. Pues sí, Paulette vino a mi casa, aunque le cueste creerlo. Y nos hicimos amigas. Estuvo en mi cocina, tomando café y comiendo galletas de coco. Ya lo ve, he conocido a varias actrices famosas. Quizá yo nunca haya sido una gran artista como Frida, pero tenía amigos importantes. Pues bien, poco tiempo después Diego empezó a engañar a Lupe y a Irene con Paulette.

Fue muy cruel por parte de Diego presentarse en mi casa con tantas mujeres. Besó a Frida en los labios y le hizo unas cuantas carantoñas, pero ni siquiera le preguntó cómo habían ido las exposiciones. Él ya sabía que habían sido un fracaso, de modo que, en parte, quizá fuera mejor que no hiciera ningún comentario. Diego no quería que Frida tuviera que admitir que había vuelto a casa con casi todos los cuadros. No quería que ella tuviera que reconocer que en lugar de ganar dinero, lo había perdido. En cambio, fue una crueldad dejarle claro que ahora estaba con Lupe. Pero él era así.

Frida se dio cuenta inmediatamente de lo que pasaba. Comprendió que Diego estaba con Lupe, y seguramente también sospechó que había algo con Irene. Poco después pintó un autorretrato en el que aparece con un collar de espinas, como la corona de Jesús. Santa Frida, sufriendo en su cruz.

No es justo que diga estas cosas. Frida sufría de verdad. Primero había perdido a Nick, y luego a Diego. Y por eso decidí que tenía que ocuparme de ella. Mi hermana estaba destrozada, y ambas estábamos muy solas. Nos necesitábamos mutuamente; yo la necesitaba tanto como ella a mí.

A mí nunca me molestó tener que cuidarla. Bueno, quizá un poco, porque era normal que me fastidiara por todas las cosas que tenía que hacer, pero me daba cuenta de cuánto me necesitaba mi hermana. En aquella época yo también me sentía frágil. No andaba muy bien de salud, todavía no me había recuperado del todo de aquella operación de vesícula, y tenía que ocuparme de mis dos hijos. Isolda tenía diez años, y a esa edad las niñas se vuelven rebeldes. Mi hija y yo siempre estábamos discutiendo por algo. Si yo le decía que se pusiera el vestido azul, ella quería ponerse el amarillo. Si le decía que se quedara con su abuelo, ella quería ir a jugar al parque. Y cuando Isolda se enfadaba conmigo, siempre acudía a Frida, que le dejaba hacer lo que quería.

«Tía Frida, tía Frida, tía Frida.» Se pasaba el día detrás de ella. ¡Tía Frida es divertida e inteligente! Tía Frida pinta de maravilla. Tía Frida es guapa y moderna. Tía Frida fuma cigarrillos americanos. Tía Frida conoce a gente importante. Tía Frida cocina mejor que tú. Tía Frida me deja ponerme su maquillaje. Tía Frida me ha regalado este anillo. Tía Frida me quiere de verdad. Pobre tía Frida, la espalda la está matando. La pierna la está matando. La cadera la está matando, los riñones la están matando, el pie la está matando, la cabeza la está matando, los ojos la están matando, el tobillo, la pelvis, el dedo... Yo no aguantaba más. No aguantaba ni a Frida ni a mi hija.

De todos modos, he de reconocer que, si yo estaba en el purgatorio, Frida estaba en el infierno.

Déjeme hablarle de Irene Bohus.

No era una mujer espectacular. Era una de esas mujeres con las que Diego se acostaba sencillamente porque las tenía a mano. Irene era húngara; era alta y llevaba el cabello recogido en una coleta, como Andrea Palma en la película *Distinto amanecer*. Sólo que Irene no era tan guapa como Andrea. Había venido a México a estudiar la técnica del mural, y vivía en el estudio.

El día que Diego apareció con Lupe, Irene y Paulette, a Frida empezó a dolerle la espalda, así que fue a su habitación a acostarse. Al cabo de un rato fuimos a verla. A Frida no le importaba recibir a gente en la cama. Hacia el final, lo hacía continuamente, sobre todo después de la amputación. Cuando perdió la pierna, le costaba mucho trabajo levantarse de la cama. Pero eso ya se lo contaré en otro momento.

Lupe, Diego y yo estábamos de pie junto a la cama, e Irene estaba sentada a los pies de Frida, contemplándola con adoración. Frida cautivaba a la gente. Irene se acostaba con Diego, y sin embargo adoraba a Frida, que para ella era una especie de diva.

Lupe estaba irresistible con su blusa color burdeos y sus holgados pantalones blancos. Sus ojos de color chocolate destellaban. Tenía la barbilla ligeramente levantada, lo cual le daba cierto aire de arrogancia. Era como si estuviera posando desnuda para un colegial que la adorara. Frida, para no ser menos, se había puesto su vestido de tehuana más espectacular y se había adornado el pelo con rosas rojas y blancas. Llevaba un anillo en cada dedo; la mayoría eran baratijas: esmeraldas falsas, rubíes falsos, diamantes falsos, zafiros falsos y cosas así, pero en su conjunto causaban una impresión de opulencia. Frida tenía dos incisivos de oro, pero aquel día se puso unas fundas de oro con diamantes incrustados sobre las originales, y con ellas parecía una especie de potentada azteca. Se había quitado los pesados zapatos ortopédicos, pero aparte de eso, iba completamente vestida con sus mejores galas, y estaba tumbada en la cama hablando de París.

—Se creen que son unos cocineros excelentes, pero básicamente comen caracoles y hormigas con unas salsas grasientas. Te lo juro, mi amor —le dijo a Lupe—, no encuentras tortillas decentes en ningún sitio.

—¿Lo ves? ¡Debí ir contigo! Yo te habría preparado un delicioso mole poblano.

—No seas tonta, querida. Tenía una infección de riñón. Además, tú estabas demasiado ocupada tirándote a mi marido. —Frida soltó una carcajada y dio una calada al cigarrillo.

Lupe también rió, pero la verdad es que Frida la había atrapado desprevenida.

Diego e Irene se miraron disimuladamente; yo no me habría fijado en ese detalle si Frida no hubiera hecho un comentario socarrón:

—Mira, cariño, la fuente que llena demasiadas botellas acaba secándose.

Yo no lo entendí.

Diego se echó a reír y luego replicó:

—El cántaro que va demasiadas veces a la fuente acaba rompiéndose.

—No te preocupes por mí, tesoro. Todavía no me he roto, y pienso hacer un tour por todas las fuentes del mundo. —Frida esbozó una amplia y amenazadora sonrisa, exhibiendo sus diamantes. Parecía un animal feroz y exótico, un jaguar.

La expresión de Diego cambió; miró a Frida con cara avinagrada. No le gustaba que le recordaran que Frida era tan golfa como él.

Irene se estaba poniendo nerviosa.

—Irene, preciosa —le murmuró Frida—. ¿Por qué no vienes mañana sin todos estos insoportables? Puedo enseñarte a hacer enchiladas tapatías. No deberías regresar a tu país sin haber aprendido algo de arte. —Lo cierto es que Irene no volvió a su país cuando tenía previsto hacerlo, porque estalló la guerra.

Entonces fue cuando me di cuenta de que Diego se acostaba con Irene, porque vi que Frida estaba haciendo de las suyas. Ya se lo he contado, ¿lo recuerda? Mi hermana siempre se hacía amiga de las amantes de Diego; de ese modo, ellas dejaban de ser una amenaza. A veces hasta las apartaba de su lado. Era tan encantadora que ellas se sentían culpables y dejaban de hacerle caso a Diego.

Pero con lo que ni Frida, ni Irene ni Lupe habían contado era con que Paulette se trasladaría al lujoso hostal San Ángel. ¿Sabe dónde estaba el hostal? ¡Justo enfrente del estudio de Diego!

Irene no vino al día siguiente para la lección de cocina; en lugar de eso, Frida preparó una elaborada comida para ella y para Diego y me pidió que se la llevara al estudio. En realidad no la preparó Frida, sino Graciela. Graciela era la criada, la cocinera. Inocencia había muerto varios años atrás.

Puse la cesta con la comida en el coche. Hacía calor, pero el cielo estaba nublado, y el aire olía a verdura podrida. Había menos peatones que de costumbre por las calles, y las cosas no parecían estar en su sitio de siempre. La lavandería estaba en la esquina, con su letrero, «Lavandería Olmedo»; y al lado estaba el taller mecánico, con las grasientas herramientas esparcidas por el suelo. Los mecánicos estaban desmontando un motor delante del sórdido calendario que llevaba años colgado en aquella pared. Reconocí al vendedor de periódicos junto a la fuente y al vendedor de lotería apoyado contra la pared del edificio. Y sin embargo, me sentía desorientada, como si estuviera en otra ciudad y a otra hora, o como si estuviera yendo en dirección contraria. Todo era igual que siempre, pero nada me resultaba familiar. Me pareció oportuno dar media vuelta, volver a Coyoacán y empezar de nuevo. Cuando llegué al cruce, no supe si tenía que torcer hacia la derecha o hacia la izquierda, pese a que había hecho aquel trayecto cientos de veces.

Cuando llegué al estudio de Diego, estacioné el coche demasiado lejos del camino, pero lo dejé donde estaba y cogí la cesta con la comida. Tenía la impresión de que se me iba a caer, y de que todos se iban a poner furiosos conmigo: Diego, Frida, quizá incluso Irene.

Me abrió la puerta una sirvienta india a la que yo no conocía. ¿Dónde estaba Petronila, la criada de siempre? Aquella mujer iba hecha un desastre; aunque no esperaba mi visita, me dejó entrar en la casa. Pensé que Diego no se habría acordado de decirle que yo les iba a llevar la comida.

El maestro y su ayudante estaban tan enfrascados en su trabajo que ni siquiera me oyeron entrar. Estaban pintando los dos a la misma modelo, tumbada desnuda en una especie de diván, en la misma postura en la que Diego me había retratado a mí. La diosa, la rubia Chimalma. La madre sagrada del más reverenciado dios azteca, sólo que rubia, con largas piernas, piel blanca y unos pechos exquisitos. Es decir, perfecta.

—Hola, Diego —dije.

Él se volvió para mirarme, y al hacerlo les lanzó miradas de complicidad a las otras dos mujeres. Parecía más avergonzado que un novio que se tira un pedo en su propia boda.

¿Qué estaba pasando allí? ¿Qué significaban aquellas miradas? A primera vista parecía una situación perfectamente normal: el artista y su discípula pintando un desnudo. Pero algo se ocultaba bajo aquella capa de normalidad.

Paulette se levantó del diván, pero no parecía que tuviera prisa por taparse. Se movía como una bailarina, con las nalgas apretadas, el vientre tenso, los brazos ondulando con movimientos fluidos, dando pasos diminutos, controlados. Diego la observaba, hambriento pero no voraz. Era evidente que ya había disfrutado de aquel cuerpo, que había colmado sus ansias más inmediatas. Había calmado un poco su apetito; después pediría más, pero de momento podía esperar.

Irene, por su parte, miraba el cuerpo de Paulette con la avidez con que una niña mira una bandeja de merengues. ¿Estaban ambos enamorados de Paulette? ¿Se dedicaba Diego a mirar cómo lo hacían ellas dos? ¿O era Irene la espectadora? Quizá fuera una especie de triángulo poco convencional. No cabía duda de que Diego y Paulette eran amantes, ni de que Diego e Irene eran amantes, pero ¿qué más había? Y ¿dónde encajaba Lupe en todo aquel montaje?

Cuando iba conduciendo hacia mi casa, todavía me sentía más desorientada que durante el viaje de ida. Cerca de San Ángel me equivoqué en un cruce, y acabé dando vueltas por el mismo barrio durante horas. ¿Cómo podía haberme pasado aquello? Habría podido ir desde allí hasta Coyoacán con los ojos vendados. Pero todo estaba desbaratado.

¿Le cuento a Frida lo de Paulette?, me preguntaba. Ahora que mi hermana había decidido ganarse a Irene, ¿debía decirle yo que lo que tenía que hacer era empezar a conquistar a Paulette? ¿Cómo podía soportar Frida a Diego? Él las seducía a una velocidad asombrosa, y Frida apenas tenía tiempo de acoger a sus amantes bajo su ala protectora. Decidí no comentarle nada.

La verdad es que yo tenía otros problemas más acuciantes de que ocuparme. ¿Cómo iba a explicar por qué había tardado una hora y media en llegar a casa? ¿Cómo iba a explicar que me había perdido haciendo un trayecto que conocía al dedillo, y que había olvidado preparar la medicación de la tarde?

Pero, afortunadamente, no tuve que darle explicaciones a nadie. Papá todavía estaba atontado por el sedante que le había dado por la mañana, y Graciela, que se había encargado de darle la comida y acostarlo, me dijo que estaba haciendo la siesta.

Frida estaba demasiado borracha para saber qué hora era. Se había pasado toda la mañana bebiendo. Mientras Graciela cortaba cebollas para preparar la comida de Diego e Irene, Frida iba bebiendo de su petaca. Se fue amodorrando cada vez más, hasta que se tumbó en la cama. Había estado tomando más analgésicos de lo habitual, para la espalda, la pierna y el pie, y ahora tenía una infección fungosa en un dedo. El doctor Ovando, un especialista, le recetó unas pastillas y le aconsejó que no pintara tanto porque no era bueno que tuviera un pincel en la mano todo el día. Por eso era por lo que Frida no podía cortar las cebollas. En lugar de pintar, se ponía a beber y a tomar pastillas hasta que se ponía desagradable, luego histérica, y por último se quedaba inconsciente.

Decidí no darle mayor importancia a lo de Paulette Goddard. ¿Qué más daba que Frida se enterara o no? No era más que otra de las calaveradas de Diego. Y Frida estaba en baja forma, tanto física como emocionalmente.

Sin embargo, entonces empezaron los rumores. A Diego le encantaba hacer alarde de sus mujeres, y había ido al estreno de la película *Sólo para ti* con Paulette cogida del brazo. Había montones de periodistas, y Diego salió en todos los periódicos: «El famoso muralista y la actriz americana causan furor... Rivera y Goddard juntos en el estreno... Rubia, hermosa y ¡enamorada de Diego Rivera!... ¡El eje Hollywood-D.F.!

En otras circunstancias Frida habría podido soportarlo, pero después de la ruptura con Nick, y del fracaso de sus exposiciones en Nueva York y París, aquello era demasiado.

En cuanto salieron aquellas noticias en los periódicos, Lupe vino a mi casa.

«¡No me importa que se acueste contigo! —gritó—. A fin de cuentas, tú eres su mujer. ¡Pero con esa guarra americana! ¡Se está burlando de nosotras dos!»

Frida rompió a llorar. No se puso histérica, ni hizo teatro; lloraba en silencio, secándose los ojos con el pañuelo bordado de mami. Era evidente que lo estaba pasando muy mal, que aquello no era ninguna farsa. Ya sé lo que me va a decir: que todo aquello era culpa de Frida, porque, al fin y al cabo, ella había engañado a Diego con Nick. Pero si se marchó a Nueva York y se enamoró de Nick fue precisamente porque se sentía tan desesperada y abandonada.

Y cuando rompió con Nick, Frida regresó junto a su marido, ¿no? Estaba enferma y arruinada, y volvió junto a él. Y Diego, en lugar de ofrecerle su cariño y su apoyo moral, se estaba portando como un cerdo. Sí, fue a verla y le llevó regalos, pero nada más. Y aquella aventura con Paulette era demasiado para Frida. Paulette era demasiado hermosa, demasiado sexy, demasiado rubia. Creo que Frida tenía la sensación de que no podía competir con ella. Ya no podía ser para Diego la amante contorsionista, igual que no había podido serlo para Nick, y no soportaba pensar que ya no podía satisfacer las necesidades físicas de su marido. Eso la destrozaba. Y ahora que Diego exhibía su relación con Paulette, Frida se sentía vencida. Lo de Irene era diferente. Irene no era importante, no era más que una ayudante. En cambio Paulette... ¿quién podía competir con Paulette Goddard?

Frida inició los trámites del divorcio el 19 de septiembre de 1939, y a principios del año siguiente se lo concedieron.

Se cortó el pelo. Siempre hacía lo mismo cuando tenía problemas graves con Diego. Ésa era su forma de expresar el dolor, y quizá fuera incluso una forma de castigar a su marido, porque a Diego le encantaba el pelo de Frida.

Frida se había quedado sola. Sólo me tenía a mí. ¿Quién podía cuidarla mejor que yo? ¿Quién la quería más que yo? Yo tenía que permanecer a su lado. Cristina, su hermana, su compañera, su esclava.

22

RELACIONES

Se llamaba Ramón Mercader. Me hacía sentir líquida, límpida, ligera. Como una medusa flotando en un agua tibia, libre, meciéndome, cediendo al antojo de suaves corrientes. Cuando me sonreía, yo recordaba algo en que no había pensado desde hacía años. Una playita que hay cerca de Cozumel, a la que fui cuando era niña; estaba sentada al sol, embriagada de olor a mar. Pero ahora no era ninguna niña; era una medusa, informe, cristalina, dócil, y confiaba mi destino a unas fuerzas superiores, a unos dioses bondadosos, misericordiosos.

Ningún hombre me ha hecho sentir nunca como me hacía sentir él. Me hablaba de una forma, y, sobre todo, me escuchaba de una forma como si de verdad le importara lo que yo estaba diciendo. Me hacía preguntas. Quería saber lo que yo pensaba, lo que yo sabía. Era amigo de Frida, claro, un comunista español. Mi hermana lo había conocido en París, y ahora él estaba en México, y venía a visitarnos de vez en cuando.

No éramos amantes, aunque a mí me habría encantado. Yo creía que él era el príncipe que yo siempre había esperado, el

conquistador español decidido a llevarse a la hermosa donce-
lla azteca. Juntos crearíamos una nueva raza, la raza mestiza.
Pero Ramón no tenía tiempo para el amor, porque estaba demasiado ocupado con la política. Sin embargo, cuando hablábamos, era como si hiciéramos el amor. Él se entregaba a mí
como no lo había hecho ninguno de mis amantes.

A él le encantaba conversar. Hablábamos del Partido, por
supuesto; esa era su gran pasión. Hablábamos de Trotsky, de
Diego, del futuro del estalinismo. De si los soviéticos sobrevi-
virían a la ofensiva nazi, de si los americanos se involucrarían
en el conflicto o no. Él nunca me hacía callar, ni empleaba tó-
picos como hacían Diego y Frida. Cuando hablabas con Ramón, tenías la impresión de que todo lo que decía salía del
fondo de su corazón. Él reflexionaba sobre los asuntos y llegaba a sus propias conclusiones. Cada palabra que pronunciaba procedía de lo más profundo del insondable océano de su
alma.

Qué poético, ¿no? ¿Qué le ha parecido? «De lo más profundo del insondable océano de su alma.» Así era como hablaba Ramón. Esa expresión se la oí a él un día. «Ah, Cristina,
estas ideas las he rescatado de lo más profundo del insondable océano de mi alma.» Ramón me seducía con el lenguaje.
Era español, y tenía un hermoso acento peninsular que yo
encontraba muy gracioso. Hablar con él resultaba tan emocionante que a veces ni siquiera sabía qué me estaba diciendo; con sólo escucharlo tenía la sensación de que me iba a
morir.

Frida nunca estaba sola. Necesitaba estar rodeada de gente
que la adorara y elogiara. Después del divorcio envió un
montón de invitaciones. La casa parecía un hotel; los famosos
venían en tropel a socilitar una audiencia con la emperatriz.
Venía gente fascinante. Estrellas tan destacadas y sofisticadas
como la propia Frida. Bueno, casi. Cuando volvió a crecerle
el pelo, Frida recibía a las visitas con sus vestidos de tehuana,
un anillo en cada dedo y una corona de amapolas en la cabe-

za. Interpretaba el papel de mujer valerosa y maltratada, de víctima. Cojeando, enmascarando su dolor. Pero no sólo era objeto de admiración por su debilitada salud («Qué valor, recibir a los invitados con lo mal que se encuentra»), sino también por su nuevo estatus («Qué valor, apañárselas ella sola, sin Diego»). Era un verdadero fenómeno, la mujer divorciada. No era sencillamente una mujer que vivía sola; eso lo habíamos hecho muchas antes que ella. Frida era una trabajadora, una camarada, una mujer que cuidaba de sí misma y contribuía a la sociedad.

Frida interpretaba el papel de camarada a la perfección. La barbilla levantada, la mirada al frente, una sonrisa en los labios, una ocurrencia siempre preparada. A veces, durante las fiestas, se sentaba en la cocina con las sirvientas, bromeando con ellas. «¿Lo ven, compañeros? ¡Yo no hago distinciones!» «¿Dónde está Frida?», preguntaba alguien. «¡Desgranando elotes!» «¡Pelando papas!» «¡Preparando el pastel!» Cualquiera que fuese la respuesta, los invitados siempre expresaban su admiración.

He de reconocer que me encantaban aquellas fiestas. Me encantaba estar en medio de aquel torbellino, aunque yo sólo estuviera allí por ser la hermana de Frida Kahlo. A veces lo olvidaba. A veces dejaba de pensar en ello y me dedicaba a divertirme. La verdad es que todo el mundo era agradable conmigo. Y yo era alguien, formaba parte de aquel grupo, tenía mi lugar en él. Sí, es cierto. Pero ¿por qué siempre tenía la impresión de que tenía que demostrarlo?

La única persona a la que no necesitaba demostrárselo era Ramón Mercader.

—Tu hermana es la típica diletante política, ¿no crees?

Yo no le entendí, pero me daba vergüenza reconocerlo.

Ramón se dio cuenta de que yo no conocía aquella palabra, pero en lugar de hacer algún comentario desagradable, como habría hecho Frida («¡Por el amor de Dios, Cristina, ni siquiera sabes qué quiere decir "diletante"»), siguió hablando.

—Si quieres que te diga la verdad, Cristinita —me dijo en voz baja—, yo prefiero a la gente como tú, que no convierte sus ideas políticas en un espectáculo.

—Frida no hace teatro —repuse yo—. Ella cree sinceramente en el comunismo.

Ramón me acarició la mejilla y sonrió. Me dieron ganas de besarle la mano. Él estaba hablando de que uno tenía que vivir según su propio credo, expresar sus creencias con el día a día; de las importantes contribuciones de la gente corriente. A mí no me importaba nada de todo aquello. Lo único que quería era que él me tocara. Sus palabras eran como un baño caliente y perfumado.

Y de pronto, un buen día, Ramón Mercader desapareció. Lo busqué en todas las reuniones sociales, en todas las asambleas comunistas, pero al parecer se había esfumado. Me sentía como si me estuviera asando en un desierto. Nadie sabía decirme nada. No encontré su dirección. No tenía teléfono. Los asesinatos políticos no eran raros en México, así que repasé los periódicos buscando su nombre. Me preparé para la temida noticia: «Comunista español muerto de un disparo.» Pero si Ramón había muerto, la noticia no había llegado a los periódicos. Frida no se dio ni cuenta; tenía muchos amigos, y un comunista español de más o de menos no tenía importancia. Es cierto que, pese a las fiestas que organizaba y pese a la alegría de que hacía gala, Frida lo estaba pasando mal, pero eso no tenía nada que ver con Ramón; eso tenía que ver con el divorcio. Mi hermana no soportaba no estar casada con Diego. Y yo sabía lo que tenía que hacer: tenía que olvidarme de que estaba enamorada. Tenía que apartar a Ramón de mi mente y ocuparme de Frida. Me sequé las lágrimas y me mordí la lengua.

Fui a ver a Paulette Goddard. Pese a lo que dice la gente, pese a lo que usted piensa, yo quería a mi hermana, y no soportaba ver que las aventuras de Diego la consumían, perjudicando su salud y minando su energía. Era espantoso.

Frida seguía adorando a Diego, incluso después del divorcio, y se preocupaba mucho por él. «No sé si Diego estará siguiendo la dieta», «No sé si Diego habrá recibido aquellas camisas nuevas de Nueva York», «No sé si Irene chingará bastante con él». Lo siento, pero así era como hablaba Frida. «No sé si está enamorado de Paulette. ¿Y Modesta?» Modesta era una de las modelos de Diego, una india. Era una mujer increíblemente sensual. Diego la pintó desnuda, cepillándose el cabello.

Diego y Frida seguían viéndose. Es más, ella le llevaba las cuentas. Ya sé que parece increíble, pero es verdad. Diego era un desastre con los números, y Frida se encargaba de su contabilidad: controlaba quién pagaba, quién le debía dinero, lo que ingresaba y lo que gastaba. Seguía haciéndolo como si todavía estuvieran casados. Y cuando Frida no estaba con Diego, se ponía nerviosísima. ¿Qué estaba haciendo Diego? ¿Comiendo, pintando, pensando? Estaba obsesionada con él.

Aparentemente, Frida estaba tan animada y tan fresca como siempre, pero la procesión iba por dentro. Por eso fui a ver a Paulette. Pensaba decirle lo que le estaba haciendo a Frida. No esperaba que a ella le importara, pero al menos quería que lo supiera. Paulette era de esas mujeres que siempre estaban liadas con algún famoso. Había vivido con Charlie Chaplin, y acabó casándose con él. A mí me encantaba Charlie Chaplin. Era tan fabuloso, tan adorable, sobre todo en *Tiempos modernos*. Ésa era mi película favorita. Y yo me decía: si Paulette ha tenido hombres como Chaplin, ¿para qué necesita a Diego? ¿Por qué no lo deja en paz? Paulette lo tenía todo: dinero, belleza, fama. Hasta se presentó a una prueba para hacer *Lo que el viento se llevó*. Quería el papel de Escarlata, pero no lo consiguió.

Ya sé que no era culpa suya, que Diego era el que la perseguía a ella. Pero mi hermana estaba cada vez peor, muy abatida y desconsolada, y yo tenía que hacer algo. Cuando salía a la calle, Frida se comportaba como una estrella de cine, como una diva. Saludaba a sus admiradores, gritando «¡Hola, cuate! ¡Hola, mi amor!», coqueteando, guiñando el ojo, relamiéndose como si hubiera visto un suculento mango cuando veía a un chico guapo, o a una chica. Sin embargo, cuando volvía a casa se ponía a beber, y al poco rato se derrumbaba como un montón de ropa sucia, manchada de vino y vómito. Sí, cuando celebraba una fiesta o tenía que aparecer en público daba la talla, pero cuando se quedaba sola se desmoronaba. Sólo estaba bien mientras pintaba. Afortunadamente, aquel año pintó mucho, autorretratos sobre todo. Frida con su mono, y con un lazo rojo enrollado en el cuello, formando lo que parecían cortes sangrantes. Frida con un traje de hombre, sola, con el cabello muy corto. Tiene unas tijeras en la mano, y a su alrededor hay mechones de pelo esparcidos, sobre sus rodillas, sobre sus manos, sobre la silla, en el suelo, por todas partes. Cuando vi aquel cuadro me asusté; era una imagen de autodestrucción. Pedazos de Frida esparcidos por todas partes, inertes, muertos, tirados por ahí como si fueran basura.

Le estaba diciendo que fui a visitar a Paulette. La calle estaba cortada delante del hostal San Ángel, por motivos que yo todavía desconocía, así que estacioné en una calle lateral. El recepcionista me anunció.

—Señorita Kahlo —dijo. Y entonces, como si mi nombre le hubiera tocado la fibra sensible, añadió—: ¿Tiene usted algo que ver con Frida Kahlo, la esposa de Diego Rivera?

—Es mi hermana.

—¿Frida Kahlo? ¿La pintora?

—Sí.

—¿Es su hermana?

—Oiga, tengo prisa.

Pero no había motivo para correr, porque Paulette tardó bastante en abrirme la puerta.

—¡Un momento! —gritó desde dentro varias veces—. ¡Un momento! ¡Un momento!

Seguro que hay alguien dentro, pensé. Un hombre. Mientras Diego engaña a Irene y a Frida con ella, ella engaña a Diego con algún joven productor de cine con futuro. Pero cuando finalmente me abrió la puerta, no vi ningún indicio de que hubiera habido alguien más en la habitación. No había ceniceros llenos de colillas, ni copas de vino escondidas a toda prisa detrás de los cojines del sofá, ni olores reveladores.

No sabía si Paulette me había reconocido, a pesar de que me habían anunciado. En las fiestas, ella nunca me había prestado mucha atención. ¿Y si me tomaba por una admiradora que había averiguado dónde vivía y había ido a darle la lata? Pero Paulette sonrió y me hizo entrar en la habitación. Me sorprendió que una famosa actriz como Paulette Goddard no tuviera ninguna asistenta.

Era diáfana, celestial. No me habría extrañado ver que caminaba sin pisar el suelo. Vestía un jersey azul pastel. Tenía unos ojos enormes y húmedos, y llevaba los labios perfectamente maquillados, de color begonia. Su perfume olía a jazmín y a miel, a ambrosía; debía de ser francés.

Paulette me dio un beso en la mejilla, pero no la encontré tan agradable como a Lola. No tuve la sensación de que éramos amigas. Yo no era más que otra de tantas personas que a veces coincidía con ella. Paulette no tenía la ternura mexicana de Lola. Parecía un ángel suspendido por encima de ti, distante, intocable.

Fue hacia la ventana y contempló la calle, lo cual me extrañó. Yo acababa de entrar en la habitación, y cuando alguien va a visitarte a tu suite, no lo dejas plantado y te pones a mirar por la ventana, ¿no? Pensé que a lo mejor estaba espiando a Diego, intentando ver si Irene y él se lo montaban. Sin embargo, Paulette nunca había expresado celos hacia la ayudante de Diego. Para ella, Irene no era más que una pequeña molestia, como un mosquito, o una mosca.

Paulette se mordió el labio, pero sin estropearse el maquillaje. Yo, cuando me muerdo el labio, siempre lo echo a perder.

Dijo algo en inglés que no entendí, y yo me limité a sonreír. ¿Cómo demonios iba a explicarle el motivo de mi visita?, me pregunté.

«¡Un momento!» Dio una vuelta por la habitación, como si buscara algo. Parecía nerviosa, y no dejaba de mirar por la ventana. Yo también me acerqué y miré a la calle, pero no vi a nadie.

—Mire —dije en español, el único idioma que conozco—, no he venido para hacerle una visita de cortesía. He venido para hablar con usted de un tema muy importante.

Ella asintió dándome a entender que me entendía, pero repitió: «¡Un momento!»

Agarró el teléfono y se puso a hablar en inglés, como si diera órdenes. Pasados unos minutos un camarero llamó a la puerta; traía un carrito con café y dulces. Era un poco tarde para postres, pensé. En mi casa, dentro de una hora Graciela serviría la merienda. Paulette metió ella misma el carrito en la habitación y despidió al camarero. Será una costumbre yanqui, me dije.

Paulette me sonrió.

—Mire —empecé otra vez—. Esto no es una visita de cortesía. Necesito hablar con usted de mi hermana. ¿Me entiende?

—Sí, sí —contestó ella—. Comprendo perfectamente.

—Sin embargo, era evidente que había algo más que la preocupaba.

Yo estaba molesta. Se cree demasiado importante para hablar conmigo, pensé. Se cree que soy una admiradora suya, una fan estúpida de esas que rompen ventanas para acercarse a ella en los estrenos. Abrí la boca dispuesta a explicarle lo que le pasaba a Frida, lo desgraciada que se sentía, lo mucho que sufría; pero Paulette me hizo señas para que me callara.

Esperé en silencio, sin dejar de mirar a Paulette, cada vez más furiosa.

De pronto, su rostro adoptó una expresión de terror. Corrió hacia la ventana, y luego de nuevo hacia el teléfono.

—¿Qué pasa? —preguntó a su interlocutor. Le oí decir «Diego», «peligro», «Trotsky», «policía», «asesinato».

Me acerqué a la ventana y miré hacia abajo. La calle se había transformado. De pronto se me helaron los dedos. ¿Qué había pasado? Había policías por todas partes, y estaban acordonando el estudio de Diego. ¡Se estaban preparando para asaltar la casa! Algunos agentes habían desenfundado sus pistolas. ¿Por quién habían tomado a Diego? ¿Por un Pancho Villa? Es verdad que Diego se paseaba con una pistola y que hablaba más de la cuenta, pero nunca había matado a nadie. Sí, ya lo sé, se jactaba de haber luchado durante la revolución rusa y de haber matado a un montón de zaristas, pero eso no eran más que fanfarronadas. «Estaba escondido en un sótano y vi la capa de marta cibelina del conde Alexander Kaminoff, así que amartillé mi pistola y ¡bang!»; pero no eran más que bravuconadas, invenciones suyas. De modo que ¿a qué venía todo aquel jaleo?

—¿Qué pasa? —volví a preguntar.

—Trotsky.

Al principio no hice la conexión. Verá, yo sabía que alguien había intentado cargarse a León y a Natalia, pero no entendía qué podía tener eso que ver con lo que estaba pasando delante del estudio de Diego. Paulette intentaba explicármelo, gesticulando como una loca. «Diego», «peligro», «Trotsky», «policía», «asesinato». Para ser actriz, no era muy buena para comunicar mensajes; repetía las mismas palabras una y otra vez, en diferente orden. Finalmente, empecé a juntar las piezas del rompecabezas.

Yo no entiendo mucho de política, pero sé que León tenía muchos enemigos políticos. Por eso vino a México; lo habían expulsado de la Unión Soviética porque no se llevaba bien con Stalin. León pensaba que Stalin quería tener la última palabra en todo, pero que en realidad no entendía cosas como la industrialización. A Stalin no le gustaba que León señalara sus errores, así que lo echó del país. Sin embargo, ahora León vivía en el extranjero y estaba divulgando sus ideas antiestalinistas. En su país, los enemigos de León lo acusaban de haber tramado una gran conspiración antisoviética, y enviaron a sus agentes a liquidarlo. Diego estaba enfadado con Trotsky por otros motivos. No le había perdonado su aventura con Frida, así que cuando los antitrotskistas de México empezaron a comentar que había que librarse de León, Diego habló más de la cuenta. «¡Le voy a volar la tapa de los sesos a ese hijo de puta! ¡Ese cabrón es un traidor a la causa!» En aquella época, Diego intentaba hacerse pasar por estalinista.

A mí no me interesaba demasiado la política, y además Ramón Mercader decía que en realidad Diego no sabía lo que decía. Creía que Diego era un oportunista político, que siempre se ponía en el bando de los ganadores. Y tenía razón, porque cuando empezaron a soplar malos vientos para Stalin, Diego se hizo de nuevo trotskista. Ya lo he dicho antes: Diego era un gran artista, pero cuando se ponía a hablar de política, parecía un globo enorme soltando aire caliente. Y si se trataba de León, yo sabía que si tenía que ajustar cuentas con él era por motivos personales, no por sus ideas políticas. O, por lo menos, no del todo por sus ideas políticas.

Con todo, Diego cometió un gran error al ir por ahí amenazando con cargarse a León, porque cuando intentaron asesinar a Trotsky y Natalia, Diego se convirtió en el primer sospechoso. ¿Acaso no llevaba meses anunciando que iba a cometer aquel crimen? Por eso la policía había ido a detenerlo, y por eso Paulette había llamado al estudio por teléfono: para avisar a Diego.

Pero el verdadero culpable no era Diego, sino el pintor David Alfaro Siqueiros, el hombre con quien José Clemente Orozco había ayudado a Diego a poner en marcha el movimiento muralista. Para David, la política siempre había sido más importante que la pintura. Pintaba para divulgar el mensaje, pero para él el arte nunca había sido un fin en sí mismo. Era un luchador antes que un pintor, y estoy segura de que cuando disparó contra León y Natalia, no le habría importado morir en el intento. De hecho, morir por Stalin habría sido un triunfo para David, una especie de martirio. El caso es que David no murió intentando asesinar a Trotsky. La policía lo detuvo, pero David era amigo del presidente Cárdenas, y en menos de un año salió de la cárcel y se marchó a Chile a pintar murales. Pero lo que yo quería contarle es lo que pasó con Paulette.

Me acerqué a ella, que volvía a mirar por la ventana. Vi que temblaba. Estaba asustada. Ya no parecía un hermoso ángel, distante e inaccesible, flotando entre las nubes. Era una mujer de carne y hueso que se preocupaba por Diego. Le puse el brazo alrededor de la cintura y nos quedamos allí juntas, unidas por las caderas, como dos hermanas siamesas, esperando a que pasara algo.

Finalmente vimos salir un coche de detrás del estudio de Diego, sólo que Diego no iba en él. La que conducía era Irene.

Un policía la obligó a parar y a bajarse, y le formuló algunas preguntas. Irene parecía muy tranquila, incluso indiferente. El policía fue hacia la parte trasera del coche y abrió el maletero; levantó unos lienzos y lo cerró. A continuación abrió una de las puertas traseras y repitió la operación. Luego indicó a Irene que arrancara. Ella pasó despacio por entre el cordón policial y se perdió de vista.

Pasados unos segundos, los policías asaltaron el edificio. Se oyeron disparos y empezó a salir humo por las ventanas.

Solté un grito desgarrador:

—¡Virgen santísima! ¡Diego! ¡Diegoooo! —Era imposible que hubiera sobrevivido a aquella descarga.

Paulette rompió a reír.

Me di la vuelta y la miré, desconcertada.

—Diego está bien —me dijo, riendo a carcajadas. Ahora se parecía más a la Paulette de la pantalla, la comedianta, la payasa—. Está en el coche.

No la entendí.

—En el coche... el automóvil... con Irene. —Desplazó los dedos índice y medio de la mano derecha por la palma de la mano izquierda, representando a alguien que huye.

¿Qué quería decir con eso? ¿Que Diego iba en el coche con Irene? Pero si en el coche no había nadie; yo había visto con mis propios ojos cómo el agente lo registraba.

—¡Debajo de los lienzos! —me explicó Paulette intentando contener la risa—. ¡Escondido! ¡Escondido!

Yo no podía creerlo. ¡Lo habían conseguido! Gracias al aviso de Paulette, Irene le había salvado el pellejo a Diego.

Le pregunté a Paulette adónde habían ido, pero ella no quiso decírmelo. Fue presurosa al dormitorio y metió unas cuantas cosas en una bolsa de viaje. Luego me hizo salir de la suite.

Al cabo de unos días, Paulette se presentó en Coyoacán y me dijo que Diego estaba bien. Irene y él estaban escondidos, pero ella les preparaba la comida todos los días. No sólo tortillas y frijoles, sino todo tipo de exquisiteces: caviar, paté, *boeuf bourguignonne*, champán y pasteles. También le había llevado ropa limpia a Diego. No había que preocuparse; Diego estaba en el paraíso, con dos mujeres cuidando de él y tantos pasteles rellenos de crema como pudiera comerse. Paulette rió; dijo que Diego tenía amigos influyentes, y que estaban preparando su salida del país. Le habían encargado un mural en el Junior College de San Francisco, e Irene y ella iban a acompañarlo allí.

Frida estaba encantada y desolada al mismo tiempo. Diego estaba a salvo, y eso había que celebrarlo. Pero por otra parte, iba a marcharse de México, y no sólo eso, sino que iba a ir a California con Paulette y con esa tontita de Irene Bohus.

Poco después aparecieron en los periódicos mexicanos fotografías de los tres a su llegada a San Francisco. «Paulette es un ángel —declaró Diego a los periodistas—. Me ha salvado la vida. Es mi ángel de la guarda, mi diosa. Valía la pena pasar por el infierno aunque sólo fuera para refugiarse bajo sus delicadas alas.»

¿A qué infierno se refería?, le preguntaron los periodistas ¿Qué era lo que había provocado su repentina partida? Pero Diego se negaba a contestar. «Diego Rivera se niega a revelar las circunstancias que lo condujeron a huir de México», anunciaba *El Pregonero*. El misterio añadía atractivo a su aventura, ¿entiende? Diego el héroe, el hombre misterioso.

Dos años más tarde, Paulette se divorció de Charlie Chaplin, y antes de que la tinta de los periódicos se hubiera secado, ella ya se había enredado con Burgess Meredith. ¿No le decía yo que hay mujeres que siempre se las arreglan para atrapar a hombres que valen la pena?

Cuando Diego se marchó, la salud de Frida empeoró notablemente. Le costaba trabajo respirar. Los médicos sospechaban que la columna le estaba aplastando los pulmones, y le pusieron un aparato para enderezarle la espalda. «Si no me mata la enfermedad, me matarán estos malditos médicos —protestaba ella—. ¡Este trasto me hace un daño infernal!» Se habló de otra operación. Pero ¿cómo íbamos a pagarla? Y ¿de dónde sacaría yo la energía para ocuparme de mi hermana? La salud de papá también se estaba deteriorando, y él me necesitaba tanto como Frida. Por otra parte, Isolda y Toño me necesitaban más que nunca, sobre todo Toño. Mi hijo era tan activo, que yo me cansaba con sólo mirarlo.

El verano avanzaba. Los días eran largos y agradables, pero Frida siempre estaba malhumorada. Le había escrito una larga y lacrimógena carta a Diego, llena de lenguaje infantil y detalladas descripciones de los aparatos de tortura que los médicos habían diseñado para ella, e ilustrada con gráficos o vívidos bocetos de artilugios provistos de dientes y garras para desgarrar la piel. Diego le contestó, pero en lugar de expresarle su compasión, en su carta se limitaba a explicarle lo bien que iba su mural. Estaba pintando en público para el programa «Arte en acción» de la Golden Gate International

Exposition, y estaba rodeado de jóvenes admiradores, «muchachos brillantes», «gringas adorables», «aficionados encantadores», «estudiantes prometedores». Irene ya no vivía en el estudio de Diego, pero había muchas chicas que le iban detrás. Y también estaba Paulette, por supuesto. Según Diego, el tema de su obra iba a ser el panamericanismo, y en ella iba a incluir un autorretrato y un retrato de su ángel de la guarda, mirándose a los ojos con gesto de adoración. Ella, rubia y ártica como una reina de las nieves; él, oscuro y apasionado como un semental, simbolizando el amor entre las dos Américas. Diego ya había dejado de preguntarse si estaba a favor o en contra de Stalin, y promocionaba la idea de la solidaridad entre los países americanos. Era una causa fácil, que le permitía complacer a un gran público. Al fin y al cabo, todo el mundo ama a una persona que ama. Sólo que Frida no quería ni oír hablar de Paulette. Quería que Diego le dijera que la echaba mucho de menos.

—La idea suena muy bonita. La amistad de los pueblos, y todo eso —le dije a Frida. Intentaba animarla, hacerle ver el lado agradable de la situación.

—A mí me suena a mierda. Traeme una copa, ¿quieres?

No, yo no quería llevársela. Acababa de darle Demerol, y temía que el alcohol le sentara mal. La noche anterior, Frida se había desmayado y se había caído al suelo, y Graciela y yo nos dejamos los riñones intentando subirla a la cama. Aunque se había adelgazado, mi hermana todavía pesaba lo suyo. Y el aparato de tortura que llevaba en el cuello complicaba aún más las cosas.

—Ya te has tomado un par de copas, Frida. Y una de esas ampollas de no sé qué.

—Ándale, Cristi. Cristinita. Kity. Ándale, no seas mala conmigo.

—No, Frida.

—No seas cabrona. Dame una copa. Y si no, dame una inyección de morfina.

Se oyeron golpes en la puerta. Graciela salió de la cocina secándose las manos en el delantal.

—Tus admiradores creen que pueden presentarse aquí a cualquier hora del día o de la noche —dije con fastidio. Estaba agotada, y no me apetecía hacerme la simpática con los amigos de Frida.

Pero a Frida no le interesaba saber quién llamaba a la puerta.

—Ponme un poco de morfina, Cristi. ¡No seas malvada! ¡No soporto este dolor! Ándale, Kity. Kity. Kity. ¿Ya no me quieres? Dale un poco de morfina a tu hermanita. Ándale, Kity, dame un caramelito, te lo ruego.

Frida empezaba a quedarse dormida, y arrastraba las palabras al hablar.

—¡Abran! —bramó una voz de hombre desde el otro lado de la puerta principal.

Luego volvieron a oírse unos porrazos ensordecedores, como si golpeasen la puerta con la culata de una pistola. Graciela se echó a temblar.

—¡He dicho que abran!

—¡Abre la puerta antes de que la derriben! —le grité a Graciela. Pero la empleada se quedó paralizada.

Isolda asomó la cabeza por la puerta de la cocina, donde estaba estirando masa con Graciela. Su aprensión me impresionó más que los golpes, y también yo empecé a temblar.

—¿Qué pasa, mamá? —me preguntó con gesto suplicante, como un gatito a punto de ahogarse.

Frida consiguió separar los párpados, y sus ojos adquirieron la forma de dos largas y estrechas ranuras. Tenía toda la cara arrugada. Abrió la boca para decir algo, pero la lengua le pesaba demasiado, y sus palabras eran ininteligibles.

Yo no sabía qué hacer. Generalmente no era yo la que tomaba las decisiones.

Graciela se recuperó de su aturdimiento y abrió la puerta. Seis o siete policías armados con pistolas irrumpieron en la casa, apartando a la criada de un empujón. Graciela soltó un grito que nos taladró. Un policía corpulento, con la nariz ancha y con una cicatriz, le dio un codazo en el estómago, y Graciela apretó los labios para no gemir de dolor.

—¡Frida! —exclamé—. ¡Frida!

Frida tenía los ojos muy abiertos. Se había levantado y le hacía frente al matón uniformado que había pegado a Graciela. El alboroto la había despejado del todo.

—¿Qué significa esto? —bramó. Arrastraba un poco las palabras, pero teniendo en cuenta cómo estaba unos minutos atrás, su serenidad era sorprendente.

—¡Quedan detenidas!

Un hombre alto y gordo, de tez oscura, la agarró por un brazo y le puso unas esposas. Frida hizo una mueca de dolor.

—¿Qué significa esto? —repitió, pero esta vez le tembló ligeramente la voz.

Yo me quedé allí plantada, llorando. El policía que había golpeado a Graciela me agarró las muñecas y me las retorció.

—¡Déjenla en paz! ¡Y díganme qué significa esto! —insistió Frida.

—¡Puta comunista! —le espetó otro policía, un individuo enjuto con el cabello rizado—. ¡Están detenidas por asesinato!

—¿Asesinato? —Frida rompió a reír—. ¿A quién cree que hemos asesinado, imbécil? ¡Nosotras! Tres mujeres que nos pasamos el día preparando enchiladas y chiles rellenos. Mírenos bien, inútil. ¿Tenemos aspecto de asesinas?

El policía le pegó una bofetada en la boca. Frida empezó a sangrar, y la sangre le manchó la barbilla y el aparato ortopédico del cuello.

—Y ¿han tenido que enviar a siete matones para detener a tres mujeres, una de ellas inválida? ¡Cobardes de mierda!

Esta vez el policía levantó el puño y apuntó bien. Frida recibió el puñetazo debajo del ojo y cayó en redondo, se retorció bruscamente unos momentos y luego se quedó inmóvil.

Pero sólo estaba un poco aturdida. En cuanto el policía se dirigió hacia mí, Frida empezó a incorporarse.

—¡Déjela en paz! —balbuceó—. ¡Deje en paz a mi hermana!

Sentí una oleada de amor. Pese a lo débil que estaba, Frida intentaba protegerme; era como una leona que, a pesar de estar herida, le gruñía al cazador que amenazaba a su cachorro. Sin embargo, al mismo tiempo sentí una punzada de resentimiento. ¿Por qué siempre tenía que montar un espectáculo? ¿Por qué siempre tenía que interpretar el papel de heroína?

El policía hizo ademán de golpear a Frida en la boca.

—¡Por el amor de Dios, Frida, cállate ya! —grité.

—¡Eso! —gruñó el policía.

—¡Que se callen esos niños! —terció el policía de tez oscura. Los gritos de terror de Isolda y Antonio lo estaban poniendo nervioso. Recordé las historias que me habían contado de soldados nazis que mataban a niños sólo porque les molestaba oírlos gritar.

—¡No pasa nada, niños! —grité, intentando disimular el miedo que sentía—. No pasa nada. Quédense donde están y no hagan ruido. —Pero pese a mis esfuerzos por aparentar calma, me puse a llorar.

El policía enjuto y nervudo me agarró por el brazo y me apretó contra la pared con una mano, mientras con la otra abría la puerta. Luego me empujó hacia la patrulla. Yo todavía oía a Isolda y a Antonio, que gritaban histéricos. A continuación, metieron a Frida y a Graciela en la patrulla de un empujón. Un policía gordo y de cuello muy grueso se sentó al volante y puso el motor en marcha; me fijé en que tenía un lunar asqueroso e irregular en el cuello, que parecía una araña con las patas extendidas.

—¡Mis hijos! —grité—. ¡No puedo dejarlos solos!

—¡Llévenme a mí y dejen que ella se quede! —suplicó Frida—. ¡Los niños están solos! ¡Ella es su madre! ¡Dejen que se quede!

Pero la patrulla ya había arrancado.

—¡Al menos dejen a Graciela con los niños! —insistió Frida—. Ella no puede saber nada de esto. ¡Dejen que se quede en la casa con los niños!

Volví a sentir que me asaltaban emociones contradictorias. Por una parte, pensaba que Frida era un ángel; al menos, eso era lo que yo debía pensar. Eso era lo que cualquier persona razonable esperaría que yo pensara. Porque Frida se estaba sacrificando por mí. «¡Llévenme a mí! ¡Dejen que ella se quede!», decía. Y lo hacía por mis hijos. Con todo, aquel tono de mártir que empleaba me molestaba.

Yo no podía parar de llorar, y temblaba de tal modo que creí que me iba a romper. Tenía la sensación de que dentro de mí había estallado una tormenta, y de que todo volaba por todas partes. Las píldoras de Frida, los cuadros de Diego, el rodillo de Graciela, la muñeca de Isolda. Todo daba vueltas dentro de mí.

—Necesito rezar —susurré cuando finalmente recuperé el habla.

Y, aunque era comunista, Frida me dijo:

—Reza, Cristi. Yo rezaré contigo.

Dios te salve, María, llena eres de gracia…

Tengo que admitirlo: durante aquellos terribles años yo rezaba constantemente. Ya sé que eso iba contra la doctrina comunista, pero necesitaba hacerlo, no sé por qué. Cuando rezaba no me sentía tan sola. Rezar me tranquilizaba. Ahora soy vieja y me han abandonado todos, incluso Dios. Ahora ya no rezo. ¿Para qué voy a rezar? Dios no me escucharía. ¿Cómo iba a escucharme?

Una vez en la delegación de policía, nos llevaron a una habitación oscura. Nos dejaron mucho rato allí, no sabría decir cuánto. Yo no podía dejar de pensar en mis hijos, que se habían quedado solos en la casa. Graciela todavía no había preparado la cena. ¿Qué iban a comer?

Entraron tres agentes de policía y encendieron la luz. Llevaron a Frida y a Graciela a otra habitación, y luego regresaron. Entonces se les unió otro hombre, que llevaba un traje negro. Yo estaba empapada de sudor, y tenía ganas de orinar. Aquel individuo me recordaba a mi abuela materna, y también a mi maestra del jardín de niños, la señorita Caballero. Era cruel y autoritario. Yo sabía que no me dejaría ir al cuarto de baño.

Me dijo que habían asesinado a León Trotsky. ¿Qué sabía yo de aquel asunto?

Me puse a temblar. ¿Que habían asesinado a León? Yo sabía que habían atentado contra su vida, pero eso había ocurrido tres meses atrás. Y León había salido ileso del atentado. Natalia y él se metieron debajo de la cama y esquivaron la salva de balas que entró por la ventana. Yo creía que tras la detención de David el caso había quedado cerrado.

—¿Dónde estaba usted ayer por la noche?

—¿Con quién estaba?

—¿Quién la vio?

El individuo del traje negro me contó que le habían tendido una emboscada a León Trotsky, y que le habían matado con un punzón. Se lo habían clavado en el cráneo, y le había alcanzado el cerebro. Le habían atravesado la sien con un punzón y se lo habían metido en los sesos. En aquel hermoso y brillante cerebro, aquel cerebro donde se forjaban teorías e ideologías. Aquella noche, el cerebro de Trotsky despidió sangre como un géiser, un chorro de sangre que le manchó la cara, el cuello de la camisa, la barba, las extrañas gafas de carey. León, el hombre al que yo había visto correr por la calle gritando «¡Fuego! ¡Fuego!». León, el hombre que me había amado, que había amado a Frida. León, el hombre que había traicionado a Diego. León Trotsky, el hombre que se sentaba a mi lado en el coche. A León Trotsky le habían clavado un punzón en el cerebro.

Me mareé y sentí náuseas. Sentía el vómito revolviéndose en mi estómago. Tenía ganas de vomitar y de orinar. Tenía la sensación de que me habían clavado a mí un punzón en la cabeza, en la garganta, en el vientre.

—Tenemos motivos para pensar que usted participó en la conspiración.

—¿Por qué? —susurré.

—Porque usted era amiga del asesino. Sabemos que estaban relacionados.

—¿Quién es el asesino?

—¿Está insinuando que no lo sabe?

—No, no lo sé.

—Una persona que solía comer en su casa.

—A mi casa viene mucha gente a comer.

—Ramón Mercader.

No dije nada.

—Ramón Mercader.

Sentí un líquido caliente que descendía por mi pierna. Sentí que se formaba un charco junto a mis pies. Tenía los zapatos mojados. El olor de la orina impregnó el aire. Todo pareció oscurecerse, como si alguien estuviera apagando lentamente la luz.

Después de eso ya no recuerdo nada, salvo que lloraba por mis hijos. «¿Quién va a dar de comer a mis hijos? ¿Quién se va a ocupar de mis hijos?» Nos tuvieron más de doce horas encerradas en la delegación de policía, y después nos soltaron.

Frida estaba insoportable. Lloraba, gemía. Como si ella fuera la única que había perdido a un amigo. Como si ella fuera la única a la que Ramón Mercader había traicionado.

—¡Esto es culpa de Diego! —gritó.

—¿Cómo va a ser culpa de Diego?

—¡Porque si Diego no hubiera traído a León a México, esto no habría pasado!

Mi hermana llamó a Diego por teléfono. «¡Imbécil! ¡Subnormal!», le gritó. Luego se derrumbó en la cama, hecha un mar de lágrimas.

Después de aquel incidente Frida se sumió en una profunda depresión. Su salud empeoraba más deprisa que nunca. Los médicos creían que tenía tuberculosis, agravada por su lesión de columna, e insistían en que debía operarse. Pero el doctor Eloesser, su viejo amigo de California, le escribió diciéndole que él no creía que fuera tuberculosis. ¿Por qué no iba a San Francisco? Estaba seguro de que allí podría recibir mejor tratamiento médico que en México. Además, Diego la echaba de menos y estaba muy preocupado por ella. «¡Ven a San Francisco! El cambio de aires te sentará bien», la animaba.

Yo deseaba que Frida siguiera los consejos de su querido médico y se marchara, porque estaba demasiado cansada para ocuparme de ella. La muerte de León me había destrozado y, por si fuera poco, mi padre estaba muy enfermo. Tenía que ocuparme de papá las veinticuatro horas del día, y no me sentía con fuerzas para hacerle también de enfermera a Frida.

Frida se marchó a California antes de acabar el verano. Me dijo que no podía seguir más tiempo lejos de Diego. Lo necesitaba. Sabía que él no iba a cambiar, que siempre tendría que compartirlo con otras mujeres, pero estaba dispuesta a pagar aquel precio.

Diego y Frida se casaron por segunda vez el 8 de diciembre de 1940. La ceremonia, muy sencilla, se celebró en California. Yo no asistí porque no me invitaron, pero si quiere que le diga la verdad, no me importó. Ya me estaba hartando de los numeritos de Frida y Diego. Eran como dos niños mimados, y yo estaba agotada.

23

MUÑECAS ROTAS

Cuando has vivido una guerra, nunca la olvidas. Los recuerdos te persiguen. Un niño tendido en la calle con la cabeza destrozada; una mula con la panza reventada y las entrañas esparcidas por el suelo, con los ojos abiertos, chorreando sangre. Niños gritando, chillando, despavoridos. Imágenes borrosas. Dedos sueltos, una pierna sin pie, un brazo arrancado, cráneos aplastados... Me daban náuseas.

—¡Frida! ¿Qué has hecho? ¡Frida!

Un tronco desgarrado, una entrepierna destrozada, sin sexo; un hombro aplastado.

—¡Frida! ¿Por qué has hecho esto? ¿Qué significa esto?

Mechones de pelo, fragmentos de encaje, una sombrillita, un volante.

La oía en su dormitorio, llorando. Agarré una manita y la guardé en el puño.

—Pobrecilla —susurré—. Pobrecilla. —¿De quién era aquella delicada manita? ¿De la muñeca rubia de los tristes ojos azules? ¿De la morenita con el vestido de crinolina?

—¡Frida!

Toda la colección de muñecas estaba hecha pedazos. La revolucionaria mexicana con las cartucheras, la adolescente francesa con su bonito sombrero, la india con trenzas y un bebé a la espalda, las muñecas de porcelana con sus sonrisas perfectas y sus ojos inmóviles; todas destrozadas. Al verlas volvieron a mi mente aquellas imágenes de niños de verdad muertos y despedazados. Primero la Revolución y ahora la guerra de Europa. La historia se estaba repitiendo, sólo que en otro lugar. Jovencitas con vestidos de organdí hechos jirones, colgadas de las alambradas. Niñas que pocos segundos antes tenían las mejillas húmedas de lágrimas y los labios temblorosos. Muñecas. Muñecas de carne y hueso. Y aquí, ahora, muñecas de yeso con los labios lacados, brutalmente desmembradas. ¿Cómo había sido mi hermana capaz de semejante acto de violencia? ¿Qué monstruos podían haberla llevado a destruir su prole de adoradas muñecas? Tuve la sensación de que me estaba volviendo loca. Estaba harta.

—¡Frida!

Desde la muerte de mi padre Frida se había vuelto imprevisible. «¡Eh, cuate, ven aquí y dame un abrazo! ¡Trae un poco de tequila y juguemos a las cartas!» «Oye, manita, vámonos de compras. ¡Comprémonos un anillo para cada dedo o algún cachivache que nos guste!» Pero luego empezaba a beber y no podías hacer nada para pararla. Si lo intentabas, ella se ponía furiosa. «¡Cerda! ¡No soportas que me divierta!» Lanzaba cosas y rompía todo lo que tenía a mano. Era imposible controlarla. El alcohol combinado con los analgésicos la hacía enloquecer.

Y después de la muerte de mi padre las cosas fueron de mal en peor. Yo era la que se encargaba de cuidar a papá, la que le medía los medicamentos y le separaba los resecos labios para administrárselos. Yo la que le leía las cartas de viejos amigos para distraerlo. Aunque ¡menuda distracción! Los judíos se estaban pudriendo en los campos de concentración. Los periódicos mexicanos no hablaban mucho de ello, pero en las cartas nos lo contaban todo. Los judíos hacían todo lo posible para salir de Alemania y se dirigían a España, donde Franco les daba salvoconductos para viajar por el país. ¿Por qué? Diego decía que Franco era un monstruo, un aliado de Hitler y Mussolini. Sin embargo, Franco estaba salvando a muchos judíos. ¿Por qué lo hacía? Papá no lo sabía, pero le daba las gracias por ello. Mi padre no era un auténtico judío; ya no se consideraba judío, pero aun así se sentía identificado con ellos. La mayoría de los refugiados huían a Estados Unidos. Los que no lograban entrar, se dirigían a Argentina o México. Papá sufría mucho por sus parientes, personas a las que no veía desde hacía décadas, y personas a las que nunca había visto, y se preguntaba cuánto tardaría Estados Unidos en entrar en la guerra. Papá murió en 1941, y durante aquellos últimos años Frida estuvo en Nueva York retozando con Nikolas Muray, o en París codeándose con los surrealistas, o en San Francisco volviendo a disfrutar de la condición de señora de Rivera. Mientras tanto, yo atendía a mi padre enfermo. Ella estaba muy atareada con su vida, y sin embargo, cuando mi padre se estaba muriendo, era por Frida por quien preguntaba; y cuando todo hubo terminado, fue Frida la que enloqueció.

No, no lo digo con ironía. Ella era la favorita de mi padre, y le afectó mucho su muerte. Además, no olvide que acabábamos de superar la dura prueba del asesinato de León. Las desgracias se sucedían, y llovía sobre mojado. Paralelamente, la salud de Frida seguía empeorando: el pie, la espalda... Cuando regresó de Estados Unidos, se instaló de nuevo en casa de Diego, pero pasaba la mayor parte del tiempo conmigo. Se pasaba el día escribiéndole cartas al doctor Eloesser. «Mi pierna está mejor, pero tengo el estómago destrozado. Mi cuello está mejor, pero no me funcionan los intestinos. Mi cabeza está mejor, pero mi columna vertebral parece uno de esos aparatos de tortura inventados por la Inquisición española.» A veces hasta le telefoneaba.

—¡Qué tonta soy! ¡En mi última carta se me olvidó decirte una cosa muy importante! Tengo el aparato digestivo más atascado que las cloacas mexicanas. No paro de *burpted*.

—¡De *burpt*! —la corrigió Diego. Diego y yo estábamos sentados en el salón, cogidos de la mano. Era la primera vez desde hacía mucho tiempo que Diego me demostraba su cariño, pero supongo que él creía que no pasaba nada porque Frida estaba allí mismo, a menos de tres metros de distancia. ¿Cómo podía haber algo malo en aquellas caricias? Estábamos escuchando la conversación de Frida con su médico, aunque yo no entendía casi nada. Le pedí a Diego que me tradujera lo más importante, pero él me dijo que no había nada importante, que sólo hablaban de *eruptos*.

—¿De *eruptos*? —pregunté.

Diego rió.

—Yo soy pintor, no traductor —protestó. Pero al final me tradujo unas cuantas frases.

—Me duele mucho la barriga —iba diciendo Frida—, y si no *burpted*, me siento como un petardo a punto de estallar.

—¡Si no *burpt*! —intervino Diego, riendo en voz baja—. ¡Ya te lo he dicho!

—Y ¿quién sabe más inglés? ¿Tú o yo? —le espetó ella, con el ceño fruncido. Estaba convencida de que su inglés era perfecto.

—¡Se dice eructar, *burp*! —gritó el doctor Eloesser, tan fuerte que hasta yo pude oírlo. Reía a carcajadas—. ¡Se equivocan los dos! No se dice ni *burpted* ni *burpt*, sino *burp*. ¡Eructar! Si Frida no *eructa*, se encuentra mal, ¿de acuerdo?

Como ya le he dicho, no sé mucho inglés, pero después de oír aquella conversación al menos aprendí aquella palabra. ¡*Burp*! ¡Se me quedó grabada! ¿Cómo podía soportar aquello el doctor Eloesser? ¿Cómo soportaba oír hablar a Frida de sus eructos? ¿Cómo soportan los médicos en general oír hablar a la gente de gases, vómitos y deposiciones? No me imagino ningún trabajo más horrible.

Pero usted no es de esa clase de médicos. Usted no se ocupa de las funciones fisiológicas.

Pues bien, el día que destrozó su colección de muñecas, mi

hermana estaba muy deprimida. Era como si Dios le hubiera dado la espalda y se hubiera marchado dejándola plantada. Y al mirar a Frida, yo tenía la sensación de que estaba perdida en un túnel subterráneo sin entrada ni salida.

—Frida —le susurré al oído mientras le acariciaba el cabello—. Friducha, tus hermosas niñitas.

—¡Basta de niñitas! —dijo ella sollozando—. No quiero más niñitas. Yo nunca tendré niños.

Ambas sabíamos que era verdad: Frida no tendría hijos. Hacía tiempo que mi hermana lo había aceptado. Ahora ni siquiera intentaba tener un hijo, porque ya no tenía tiempo para ser madre. Estaba demasiado ocupada y era demasiado famosa. El asesinato de Trotsky y su divorcio y posterior boda con Diego la habían convertido en una superestrella. Todos los periódicos del país la perseguían para entrevistarla, y le llovían los encargos.

«Deberías divorciarte y volverte a casar más a menudo —le dije una vez—. Es bueno para tus negocios.»

Frida no lo encontró gracioso, pero la verdad es que siempre sonreía ante la cámara cada vez que un periodista iba a visitarla. Frida estaba muy solicitada, y yo no me quejaba. La buena suerte de Frida era la mía también, porque Frida era generosa conmigo. Me daba dinero, me compraba ropa, les compraba juguetes a Isolda y Antonio. Le encantaba ser la hermana famosa, noble y caritativa.

Por eso me tomó desprevenida el episodio de las muñecas. Yo creía que mi hermana estaba mejorando, que se estaba tranquilizando. Acababan de pedirle que pintara una serie de retratos de las cinco mujeres mexicanas más importantes de la historia del país. Frida las llamaba «las cucarachas». Estaba convencida de que las mexicanas corrientes eran más interesantes y más valientes que aquellas damas ilustres. De todos modos, iba a aceptar el trabajo porque, por muchos encargos que le hicieran, siempre necesitábamos más dinero. Las mujeres a las que tenía que pintar eran Josefa Ortiz de Domínguez, que, como saben todos los colegiales, fue una heroína de la independencia mexicana; sor Juana Inés de la Cruz, la famosa monja poetisa que también se dedicaba a la investigación científica; personajes así. Iban a colocar los retratos en el comedor del Palacio Nacional. Frida escribió al doctor Eloesser, pidiéndole que buscara información sobre las «cucarachas». El caso es que Frida era el sostén económico de la familia. Porque Frida, mis hijos y yo formábamos una familia. Yo era la madre y Frida era el padre. Diego era un tío libertino que de vez en cuando aparecía por allí.

Yo no soy más que una mujer sin estudios, y bastante estúpida, por cierto; pero no creo que aquello de las muñecas tuviera nada que ver con los hijos. Quizá lo que lo provocó fue la presión de tener que hacer aquellos retratos, combinada con todo lo demás. O quizá el hecho de que Diego seguía tirándose a cualquier mujer que tuviera a su alcance.

«Sé que tengo que aceptar la presencia de otras damas en su vida», le dijo Frida a alguien, no recuerdo a quién. Pero seguramente se trataba de alguien importante, porque dijo «otras damas», y no «otras mujeres».

Sin embargo, después, cuando estábamos solas, mi hermana explotaba. «¡Este maldito chingón en serie me está matando, Cristi! ¡Me está matando! ¡No lo aguanto más!»

«Macho incansable», lo llamó. Ésas fueron sus palabras exactas. Y la verdad es que eso era precisamente Diego: un macho incansable. ¡Un macho incansable! Perdóneme. No quería ser tan grosera.

No sé si lo entenderá usted. Cuando un hombre hace sufrir así a una mujer, cuando le dice que la ama y después la humilla... Porque poco después de que volvieron a casarse, Diego empezó a coquetear con María Félix. La pintó, fue a varias inauguraciones con ella. La fotografía de ellos apareció en todas las revistas, y cuando nosotras todavía no nos habíamos dado cuenta de lo que estaba pasando, Diego empezó a hablar de volver a pedir el divorcio.

«Por supuesto que estoy enamorado de María —le dijo Diego a un entrevistador—. Todo el mundo está enamorado de ella.» Y tenía razón. Desde que María protagonizara la película de Fernando Fuentes *Doña Bárbara*, la gente la veía como una especie de Jezabel, salvaje y sensual. Todo México estaba enamorado de María. Ella era la gran tentadora, la gran devoradora de hombres. Más tarde, cuando interpretó a una valerosa maestra que le planta cara al matón del pueblo, María Félix se convirtió en una heroína nacional. Ya sabe, la patriota, la defensora de la Revolución.

Pero ¿y Frida?, preguntaban los periodistas. «No tengo más remedio que dejarla —contestó Diego—. No soy bueno para su salud.»

Diego quería convertirse en un héroe, un hombre dispuesto a hacer sacrificios. Sí, iba a abandonar a Frida, pero por el bien de ella. Él añadía tensión a su vida, explicaba, y los médicos insistían en que Frida tenía que evitar la tensión.

Lo que pasaba, en realidad, es que Diego se había aburrido de Frida. Mi hermana cada vez bebía más, y ya no te divertías tanto con ella. Al fin y al cabo, una mujer que huele a vómito y muerte no puede ser una gran vampiresa. El vómito no es un buen afrodisíaco. Con todo, Diego tenía razón en una cosa: él no era bueno para la salud de Frida.

Mi hermana había prometido que dejaría la bebida, y hasta escribió al doctor Eloesser diciéndole que ya había dejado el alcohol. Pero yo encontraba vasos y botellas vacíos por todas partes. Frida bebía para aliviar el dolor físico, y también para atenuar el dolor emocional. El comportamiento de Diego la atormentaba, y ella se estaba matando, destruyéndose a sí misma. Las muñecas de su colección eran una especie de extensión de Frida. Y mató a aquellas niñas que representaban un sueño para el futuro. Creo que por entonces Frida empezó a comprender que para ella no había mucho futuro.

Al principio creí que con La Esmeralda cambiarían las cosas. Conoce La Esmeralda, ¿no? Era una escuela de arte creada por el Ministerio de Educación en los años cuarenta, hacia 1942, si no me equivoco. Dios mío, de eso ya hace más de veinte años. Pues bien, nombraron a Frida profesora de la escuela. Diego enseñaba composición (muchos artistas famosos fueron profesores de La Esmeralda), y creyó que a Frida le sentaría bien rodearse de gente joven. Porque a ella siempre le habían gustado los niños.

Sí, Frida adoraba a los niños. Los pintaba muy a menudo. Bueno, quizá no muy a menudo, porque básicamente lo que hacía era pintarse a sí misma; pero sí, le gustaban los niños, sin ninguna duda.

A veces yo iba con ella a la escuela para ayudarla. La acompañé el primer día de clase, y le llevé los lienzos. Recordé aquel día, muchos años atrás, en que llevé los lienzos de Frida desde Coyoacán hasta la ciudad para que ella pudiera enseñárselos a Diego. La escuela estaba en la calle Esmeralda. Frida no había preparado la clase, no había llevado libros ni reproducciones para enseñárselos a los chicos. Yo no tuve muchos estudios, y por lo tanto no soy ninguna experta, pero imagino que los maestros tienen que hacer algo para preparar sus clases. Al menos, saber lo que harán el primer día. Pero Frida no parecía darle mucha importancia a aquel asunto.

El local era tan nuevo que te producía mareo. Los efluvios de los tarros de colofina, aguarrás y témpera recién abiertos te dejaban aturdido, y creaban un perfume terrible pero maravilloso. Acre y embriagador. Yo estaba muy emocionada, aunque sentía náuseas. ¡Aquella escuela era tan fabulosa! Cada rincón ocultaba un secreto: en la sala donde hacían los mosaicos había pequeños azulejos de llamativos colores que se habían derramado de un saco, como un alijo de joyas de un cacique azteca. Había armarios *trompe l'œil* de madera con incrustaciones, tan hábilmente tallados que parecían abiertos a pesar de estar cerrados. Un retablo precioso con figuras de papel maché lacadas de color rosa, amarillo, turquesa, azul lavanda; muy mexicano, muy alegre.

Los chicos formaban grupos, y murmuraban como un motor a marcha reducida. La mayoría procedía de familias de clase trabajadora; eran hijos de vendedores ambulantes y criadas. La matrícula y el material del curso eran gratis. Algunos estudiantes eran campesinos. En general tenían dieciséis o diecisiete años, pero había uno o dos que no aparentaban más de catorce años. También había algunas chicas, pero eran la minoría.

Frida los tomó desprevenidos. Entró en el aula pavoneándose, con un vestido de tehuana blanco, con volantes y con lazos rosas y rojos. Llevaba el cabello recogido y adornado con rosas rojas, amarillas y rosadas, y un anillo en cada dedo. Parecía cualquier cosa menos una mujer cuyo trabajo consistía en enseñar a los jóvenes el sucio arte de la pintura.

Una de las chicas se acercó a Frida y la miró de arriba abajo. Debía de tener dieciséis años, pero parecía una niña de cuatro años ufanándose de zapatos nuevos.

—Yo siempre he tenido profesores, nunca profesoras —declaró. Escupió las palabras como si fueran trozos de tabaco.

Frida echó la cabeza hacia atrás y soltó una carcajada.

—¡Usted no es profesora! —añadió la muchacha—. ¡Hasta mi profesor de paisaje, Feliciano Peña, dice que usted no es profesora!

Frida miró a la joven con ternura.

—¡Tienes razón! —dijo—. Además, ¿cómo se hace esto de enseñar? —La risa de Frida cayó sobre los pies de la muchacha como una lluvia de diamantes—. ¡Les juro que no tengo ni idea de cómo dar una clase! ¿Serían tan amables de enseñarme lo que tengo que hacer?

La joven se quedó atónita.

—¿Cómo te llamas, tesoro? —le preguntó Frida.

—Fanny.

—Fanny qué más.

—Fanny Rabinovich.

Más tarde, cuando se hizo famosa por sus retratos de niños,

se cambió el apellido, y todo el mundo la conocía como Fanny Rabel.

—Bueno, Fannycita, tú serás una de mis muchachitas. Serás mi alumna y me enseñarás a dar clases, porque de verdad, querida, no tengo ni idea de cómo se hace. ¿Verdad que me harás ese favor, Fanny? ¿Me enseñarás a dar clases?

Frida había dejado a la muchacha completamente desarmada. También en ese sentido Frida era una artista: era tan graciosa y tan cariñosa que desarmaba a la gente.

Fanny seguía allí plantada, petrificada.

—¿No? Pues a ver, ¿quién quiere enseñarme a dar clases?

Nadie contestó, pero algunos muchachos empezaron a murmurar tímidamente.

—En ese caso, creo que dejaré que cada uno haga lo que le parezca. ¿Les parece bien? Porque lo que no voy a hacer es decirles lo que tienen que hacer, por supuesto. —Volvió a reír, y los alumnos la miraron perplejos.

Un chico que llevaba una andrajosa camisa blanca cambió varias veces el peso de pierna. Otro, que llevaba un poncho y un bigote sorprendentemente espeso para su edad se tocó repetidamente la oreja. Y poco a poco, uno a uno, rompieron también a reír.

Frida cumplió su promesa: les dejaba hacer lo que querían. Me refiero a que no les enseñaba a dibujar. Les enseñaba a abrir los ojos y contemplar el mundo que los rodeaba. Les dejaba pintar las cosas que había en sus casas: jarras, flores, escobas, pedazos de tela. Les enseñaba a apreciar la belleza de lo que los rodeaba, la mexicanidad de su entorno. Les dejaba elegir sus propios temas y trabajar a su propio ritmo. Nunca les decía: «Dibújalo así. Cópialo del libro. Utiliza mi cuadro como modelo.» Nunca les decía: «Calca esta página.» Les dejaba desarrollar sus propios estilos. «Dibujen lo que ven —les decía—. Dibujen lo que sientan.» Lo único que quería era que crearan imágenes extraídas de su propio mundo.

«Lo único que pretendo es ser su amiga —les decía—. Así

que pongámonos a trabajar, y ustedes me enseñarán a mí tanto como yo a ustedes. O mejor dicho, más que yo a ustedes, porque la verdad es que yo no tengo ni idea de enseñar.»

Aquellos muchachos nunca habían oído a ningún adulto hablar así, y mucho menos a un adulto con autoridad. Y picaron el anzuelo. Adoraban a Frida. La gran Frida Kahlo iba a ser su amiga.

Frida también los adoraba. Como maestra tenía un estilo muy original. Estaban pintando en un aula y de pronto ella decía: «¡Oh, qué aburrimiento! Vámonos a la calle. Ahí es donde se encuentra la verdadera belleza y el color de México. ¡Vamos, chicos! ¡Agarren los blocs de dibujo!» Se iban a los barrios bajos y se pasaban horas contemplando las coladas tendidas en las terrazas (faldas de algodón de vivos colores, rebozos, ropa interior, camisas), o un perro que orinaba en la fachada de un edificio, o un cactus en un tiesto.

A veces iban a una pulquería. Allí bebían y miraban cómo bebía la gente, y escuchaban la música de guitarras y cantaban canciones con los ex revolucionarios borrachos a los que Frida llamaba «sus camaradas», aunque no los invitara a sus elegantes fiestas con invitados como Dolores del Río o el presidente Cárdenas.

A veces Frida se presentaba en la escuela con cestas de comida para picar: empanaditas, flautitas, rodajas de plátano frito, galletas de coco. Aquellos chicos eran pobres, y para ellos una cesta llena de comida era algo importante.

Pasados unos meses, Frida se cansó de ir a La Esmeralda. En esa época vivía con Diego en la Casa Azul de Coyoacán, y cada día tenía que recorrer un largo camino hasta la ciudad, que la cansaba y le perjudicaba la espalda.

—Muy bien —dijo Diego—. No vayas más.

—¿Y mis muchachitos?

—¡Que vengan ellos aquí!

¿Los quería de verdad, o sólo se había enviciado con la devoción que ellos le profesaban? Guillermo Monroy decía que

Frida era una flor ambulante. Guillermo era muy pobre; su padre era carpintero. Creo que la presencia de Frida lo abrumaba; le impresionaba que Frida Kahlo, la famosa Frida Kahlo, le prestara atención.

Ja, ja, pensaba yo. Tendría que ver a su flor ambulante vomitando en el retrete. Tendría que ver a su flor ambulante cuando está tan borracha que se queda dormida encima del arroz con pollo. Pero luego me preguntaba: ¿Por qué soy tan mala? ¿Por qué soy tan injusta con ella? Porque en el fondo yo sabía que, pese a ser una mujer muy egoísta, hacía todo lo que podía por aquellos chicos.

—No puedo abandonarlos —me dijo—. Ellos me necesitan. Me adoran, Cristi.

Y era verdad. Los chicos la adoraban. Pero ¿la necesitaban? Ella los necesitaba a ellos, por supuesto, pero ¿la necesitaban ellos?

—Eres tan guapa, Frida. ¡Posa para nosotros!

—¡Enséñanos una canción revolucionaria, Frida!

—¡Ven con nosotros a la Organización de Jóvenes Comunistas esta noche, Frida!

Fridita, Friducha, Fridísima todo el santo día. Se hacían llamar los Fridos.

Al principio, unos diez o doce Fridos venían a la casa cada día. Montaban sus caballetes en el jardín y pintaban durante toda la mañana. Frida les daba de comer y les proporcionaba también pinturas y lienzos. Mientras ellos creaban imágenes de lujuriante hibisco, sandías a punto de explotar, monos retozando y jarras exuberantes, Frida pintaba más Fridas. Pintaba sus emociones, su dolor físico. Frida acosada por los demonios, Frida con un esqueleto en el cerebro, Frida con Diego en el centro de su frente, como un tercer ojo; Frida desconsolada, Frida con raíces creciéndole en las entrañas, Frida con la columna destrozada, Frida llorando, Frida con el cuerpo lleno de clavos, Frida destripada... Frida la diosa, Frida Jesucristo, Frida la señora de todo lo visible e invisible.

¡Dios mío! Había Fridos y Fridas por todas partes. La casa parecía el santuario de Santa Frida. Hasta le escribían canciones. ¡En serio! Guillermo Monroy escribió un corrido de quince estrofas. «Doña Frida de Rivera / nuestra venerada maestra...» No me pida que se lo cante, porque no lo recuerdo entero. Un santuario atendido por fervientes sacerdotes y sacerdotisas. Y yo también era uno de ellos, ¿no se da cuenta? Yo era la sacerdotisa mayor de la secta, el papa, la máxima autoridad de la religión de nuestra santa y divina Frida Kahlo de Rivera, porque yo era la que se ocupaba de ella, la que la medicaba, la que la alimentaba y la bañaba. Yo era la que la escuchaba, la que la tranquilizaba y soportaba sus tonterías, sus pataletas, sus borracheras, sus vomitonas en el suelo del cuarto de baño, sus lamentos, sus depresiones. Ningún sacerdote de ninguna religión ha entregado la vida a su dios con tanta devoción como yo entregué la mía a Santa Frida.

Váyase. No quiero seguir hablando. Por favor, doctor... márchese, se lo ruego.

Está bien, terminaré mi relato, pero prométame que luego se marchará.

Los alumnos de Frida dejaron de venir, uno a uno. Coyoacán estaba demasiado lejos de la ciudad, y la mayoría no estaban dispuestos a hacer aquel trayecto todos los días. De todos modos, Frida no hacía críticas de su trabajo. Sí, claro, de vez en cuando las hacía, pero muy esporádicamente. A veces Diego y ella salían al jardín y hacían un par de comentarios, como dos príncipes que arrojan sobras de comida a los perros; pero para algunos de aquellos jóvenes eso no era suficiente. Ellos querían un profesor de verdad, y por eso se marcharon. Aunque es posible que me equivoque. Quizá no fue eso lo que pasó. Quizá dejaron de venir porque no podían pagar el billete de autobús, o porque no tenían tiempo, o porque no tenían fuerzas. La verdad es que no sé por qué dejaron de venir, pero el caso es que lo hicieron. Sólo quedaron cuatro: Arturo García Bustos, Guillermo Monroy, Arturo Estrada y Fanny Rabinovich. Había otro que sólo venía de vez en cuando; tenía quince años y se llamaba Carlos Sánchez Ahumada. Era un muchacho guapísimo, un joven guerrero azteca, con la nariz aguileña y la frente alta y despejada. Yo lo imaginaba con un taparrabos y plumas en la cabeza, levantando el brazo como si fuera a lanzar una lanza, tensando los músculos. Tenía un cuerpo precioso. Era albañil, como su padre, y estaba acostumbrado a levantar piedras.

Frida se interesó por él inmediatamente.

Solía llevárselo a su dormitorio, donde ella tenía montado el caballete.

«Carlos, ven a ver el retrato de doña Rosita que estoy haciendo», le dijo una mañana. Los otros fingieron no darse cuenta. «Quiero que me des tu opinión sobre él. De verdad, cielo, dime lo que piensas. ¡Yo aprendo tanto de mis alumnos como ellos de mí!»

Nadie dijo una palabra. Los otros jóvenes sabían que Frida tenía gustos poco convencionales. Ésa era una de las razones por las que les fascinaba tanto: porque despreciaba por completo la moral tradicional. La moral de sus madres campesinas, la moral católica. Interpretaban las extrañas tendencias de Frida como una expresión de su compromiso con los ideales comunistas. «Abajo la clase media» y todo eso. Sólo que aquellos chicos no eran de clase media, sino muy pobres, y la moral de que Frida se burlaba era la moral con que ellos se habían educado. Y aun así, aceptaban a Frida. La adoraban. Era su Santa Fridita.

Con todo, el interés de Frida por Carlos fue una sorpresa, porque todos pensaban que a la que le tenía el ojo echado era a Fanny. Y quizá fuera verdad. Pero una cosa no impedía la otra.

—Carlitos, mi amor, ven a ver el retrato que estoy pintando.

—Sí, doña Frida.

—¿Cuántas veces tengo que decírtelo, Carlitos? ¡No me

llames doña Frida! Yo soy tu amiga, cariño, no tu tía solterona.

—Sí, doña Frida.

Frida le posó el brazo alrededor de la cintura y apoyó la cabeza en su hombro; se echó a reír, y su risa subió flotando hasta la copa de los árboles y se mezcló con el gorjeo de los pájaros.

Le guiñó un ojo a Carlos y se pasó la lengua por los labios.

—¡Carlitos, mi amor!

El muchacho bajó la cabeza y se miró las sandalias. Frida lo cogió de la mano y se lo llevó a su dormitorio. Yo lo vi desde la puerta de la cocina.

Carlos salió de la habitación de Frida al cabo de una hora, despeinado, con la camisa desabrochada y los pantalones blancos desaliñados. Los otros chicos seguían pintando. Carlos volvió a su caballete y se puso a trabajar, sin apartar la vista del lienzo.

Frida se apoyó contra la pared del patio, con una sonrisa maliciosa y mirada chispeante.

—Es irrecuperable —me dijo aquella noche. Estábamos sentadas en la cocina, pelando guisantes—. Cree que su mamacita lo está vigilando, que ve todo lo que él hace. Su mamacita y la Virgen de Guadalupe. Cuando le acaricias la entrepierna, tienes la sensación de que te acompaña una reunión de santos: santo Tomás, san Ignacio, santa Teresa, santa Rosa. Toda la pandilla, con su coro de ángeles. ¡Hay un montón de gente, desde doña Hortigosa, la vecina de al lado, hasta el papa escudriñando cada uno de tus movimientos!

—Soltó una risotada—. ¡Hay que ver la cantidad de tonterías que les meten en la cabeza a esos chicos!

Me enfadé porque Frida había utilizado la palabra «escudriñando», y yo no sabía qué significaba.

Me miró, esperando que yo expresara mi compasión. Pero yo seguí pelando guisantes.

—Al final lo convenceré, ya lo verás. —Chascó la lengua.

Luego se metió el dedo índice en la boca y se lo chupó con picardía—. Cuando son jóvenes, puedes hacer con ellos lo que quieras.

De pronto sentí náuseas. Carlitos no era mucho mayor que mi hijo Toño. Frida debió de ver la cara de asco que puse, porque me preguntó:

—¿Te pasa algo?

—No —mentí—. Nada.

—Te alegras por mí, ¿verdad, Cristi? —Lo dijo con absoluta sinceridad.

—Claro que sí, Frida.

—Te quiero mucho, Cristi.

Yo sabía que lo decía en serio.

—Yo también te quiero —repuse.

Estaba hecha trizas. Me mordí la lengua y salí de la cocina. ¿Por qué no podía aceptar a mi hermana tal como era? ¿Por qué me enfurecían tanto sus numeritos?

Poco después de aquello, Carlos Sánchez Ahumada desapareció. No sólo dejó de ir a la Casa Azul, sino que también dejó de ir a La Esmeralda. ¿Por qué? No lo sé. Nadie lo buscó. Nadie fue a su casa a preguntar qué le había pasado.

¿Cómo dice? ¡No! Claro que no. ¡Yo no tuve nada que ver! Nunca había hablado de esto con nadie hasta ahora, y ahora ya no tiene importancia.

Han pasado muchos años. Pues bien, nadie volvió a mencionar jamás a Carlitos. Se convirtió en un tabú, como los hijos. Había ciertos temas de los que no se podía hablar con Frida. Era como si no existieran. Frida quería olvidarlos, y al parecer, según ella la mejor forma de olvidarlos era borrarlos por completo.

Me he hecho muy mayor. Ya no quiero seguir recordando el pasado. Lo único que quiero es que se marche usted.

Está bien, seguiré, pero sólo un rato más. Tiene que comprender que estoy cansada.

Ya sé que he sido egoísta. Por todas las veces que juzgué

404

severamente a Frida. Por todas las veces que la envidié por su éxito. Lo reconozco: fui mala, cruel. Ahora me odio por ello, pero es que a veces no podía evitarlo. A veces mi hermana me fastidiaba tanto, era tan vanidosa, que me daban ganas de matarla. No, no quiero decir eso. Pero Frida era tan engreída; era como una almeja, que llena el espacio que hay dentro de la concha hasta que no cabe nada más. Le pondré un ejemplo: la inauguración de La Rosita.

¿No conoce La Rosita? Era una pulquería que había en la esquina de las calles Aguayo y Londres, muy cerca de nuestra casa. Era un establecimiento penoso, con suelos sucios y unos cuantos taburetes. Algunos Fridos habían estudiado pintura mural con Diego, y Frida obtuvo permiso para que sus alumnos decoraran las paredes exteriores del local. Decía que sería un buen ejercicio para ellos. Aunque la idea no era tan original como puede parecer, porque las paredes de muchas pulquerías estaban pintadas. Eran pinturas sencillas, casi se las podía llamar graffiti, inspiradas en el nombre del establecimiento. En las paredes de la pulquería El Cacto había un montón de cactos, por ejemplo. A veces las pinturas tenían contenido político (héroes revolucionarios y esas cosas), o hacían referencia a la historia de la ciudad. Por ejemplo, en San Pablo Guelatao, en Oaxaca, en todas las pulquerías había pinturas del famoso presidente Benito Juárez, porque había nacido allí. Un buen día el gobierno decidió que había que limpiar las pulquerías e hizo encalar las paredes. Pero Frida y Diego no estaban de acuerdo. Ellos decían que aquellas pinturas eran una muestra del arte del pueblo; eran hermosas, auténticas y espontáneas. El propósito de Frida era que sus alumnos practicaran la pintura de murales decorando las paredes de La Rosita. No era más que un ejercicio, decía; pero al mismo tiempo, las pinturas de aquellos jóvenes iban a recuperar un aspecto del arte folclórico mexicano.

Así que los Fridos se trasladaron allí, junto con algunos alumnos de Diego, los Dieguitos. Pintaron varios días. Fanny hizo una niña con muchas rosas, aludiendo al nombre de la pulquería. Frida y Diego iban a verlos de vez en cuando y hacían comentarios. En junio ya habían terminado.

¿En qué año? Creo que fue en 1943. Sí, estoy casi segura. Fue el mismo año que se estrenó la película *Distinto amanecer*. Pues bien, cuando los Fridos y los Dieguitos terminaron su trabajo, Frida hizo imprimir unos folletos muy graciosos, con dibujos de rosas y gente bebiendo pulque, en los que se anunciaba una comida espectacular, una barbacoa de carne acompañada con el mejor pulque de México. Era como si estuviera anunciando la inauguración de una exposición muy importante. Hizo distribuir los folletos por todas partes: en el mercado central, en las plazas... Los hizo enganchar en las paredes de las iglesias, los envió a los periódicos y a los personajes más importantes e influyentes de la Ciudad de México.

Como podrá imaginar, la inauguración de La Rosita fue como un circo, un desfile de celebridades.

«¡Dios mío! —exclamó Frida—. ¡No sospeché que llegaríamos a estos extremos!»

Pero mi hermana mentía. Ella era la causa de que se armara tanto alboroto. Al fin y al cabo, cada vez que Frida y Diego Rivera celebraban una fiesta, los periodistas acudían en tropel. Y en aquella ocasión Frida se había asegurado de informar a tiempo a la prensa. Había convertido la inauguración en todo un evento.

Concha Michel, la famosa cantante de música folclórica, cantó *Delgadina*, una canción sobre una niña que no quiere convertirse en amante de un cacique; y Guillermo cantó su corrido sobre su adorada profesora de arte. Salvador Novo, el viejo amigo de la Prepa de Frida, que ahora era un famoso poeta, recitó varios poemas. El padre Esteban, el párroco, besó a Frida en la mejilla, y la madre de uno de los alumnos le besó la mano. Los periodistas, por su parte, le besaron una vez más los pies.

Reinaba un ambiente muy animado: música de guitarras,

adolescentes risueños, niños alegres. Una anciana desdentada bailaba una jaranda con su nieto, meneando las caderas como una jovencita. Hasta los perros ladraban al son de la música; uno que iba persiguiendo a otro se metió entre un grupo de gente que bailaba, y los niños rieron a carcajadas. Las alumnas de Frida iban ataviadas con vestidos de tehuana con faldas largas de vivos colores, blusas con encaje y rosas y lazos en el pelo. Fridas en miniatura. Recuerdo que pensé que sólo faltaba que cojearan.

Se olía el delicioso aroma a barbacoa, y también a guayabas cocidas, a pastel de membrillo y queso y a galletas de azúcar. Y al mejor pulque de Ixtapalapa. Te emborrachabas con sólo olerlo. Frida la generosa. La gente creía que ella había pagado todo aquello, pero lo cierto es que lo habían pagado Diego y unos cuantos potentados más. Todos reían y disfrutaban de la exquisita mexicanidad de aquel momento, y Frida era la reina de su reino de cuento de hadas, donde al menos por una tarde todo el mundo estaba de buen humor y todo el mundo, desde el gobernador hasta el hijo del carpintero, podía hartarse de comer.

Lola del Río, mi vieja amiga Lola, la que en Xochimilco me había guardado mi mano en la suya y acariciado el cabello, se subió a una silla y felicitó a Frida por su enorme contribución a la cultura mexicana. Luego bajó de un salto y abrazó a mi hermana. Diego aplaudió. Frida estaba radiante. Los fotógrafos no paraban de disparar sus cámaras, y las fotografías saldrían en los periódicos al día siguiente. Miré a Lola y le sonreí, pero ella no se fijó en mí. «Lola», susurré, pero era como si yo no existiera.

Todos bailaban. Yo también bailaba, pero tenía la impresión de estar soñando. Flotando, cabeceando arriba y abajo como un globo atado de una cuerda. Yo estaba allí, en medio de todo aquello, y sin embargo veía la escena desde lejos, y las imágenes estaban desteñidas, un poco borrosas, como las de una película de mala calidad. Sentía que estaba fuera, observando desde algún lugar del cielo, donde flotaba como un pajarillo tembloroso.

El único que no bailaba era Benjamin Péret, un profesor francés de La Esmeralda. Era un hombre delgado con el cabello lacio, los párpados caídos y las muñecas fláccidas. Acababa de llegar de París y había dejado claro que, pese a que compartía el celo revolucionario de mis compatriotas, no tenía intención de tocar jamás a un mexicano de carne y hueso. Era un buen comunista y amaba a la humanidad, pero se lavaba con desinfectante cada vez que le estrechaba la mano a un campesino.

Diego le hizo señas indicándole que se acercara a la pista de baile. «Venga, compañero. Vamos a bailar un zapateado.»

Péret parecía horrorizado. «*Mais non!*», protestó, y se agitó de pies a cabeza como si lo recorriera un escalofrío. Parecía un gallo escuálido que acaba de tragarse un gusano de sabor amargo, o un trozo de cordel que ha confundido con un gusano.

—*Mais non!* —Sacudía la cabeza hacia uno y otro lado, manteniendo los ojos abiertos como platos—. Yo no sé bailar esas cosas, Diego.

Diego estaba borracho.

—Vamos, Benjamin —le animó. Le guiñó el ojo y le hizo señas, como si el francés fuera una muchacha tímida.

—No, Diego. No sé bailar así, de verdad. ¡No sé!

De pronto, el rostro de Diego adoptó una expresión perversa.

—¡Pues te enseñaré! —bramó.

Sacó la pistola que llevaba siempre al cinto. La gente que estaba a su lado se apartó rápidamente. Las madres cogieron de la mano a sus hijos y se los llevaron. Diego apuntó a los pies de Péret.

—*Non!* —gimoteaba el francés—. *Non, Diego!* —Estaba a punto de llorar.

Diego disparó y Péret saltó con un solo pie. Diego volvió

a disparar y Péret cambió de pie. Y así varias veces: Diego disparaba y el francés saltaba a la pata coja, dotado de una repentina agilidad.

—¡Pero si lo haces muy bien! —gritó Diego. Siguió disparando, y Péret siguió zapateando.

Todos los presentes rompieron a reír, menos el pobre Benjamin que tenía que sorberse los mocos.

Frida se acercó a Diego y deslizó suavemente una mano por su cintura.

—Venga, cariño —le dijo—. Déjalo ya.

Diego se dejó convencer.

Frida le quitó la pistola y se le arrimó; entonces Diego volvió a coger la pistola y la enfundó, y los dos se pusieron a bailar.

Frida y Diego me ponían enferma. ¿Cuántas veces puede uno ver la misma película? Ya era hora de que cambiaran de rollo, de que cambiaran de papel.

Aquella noche, Frida bailó durante horas. ¿Que cómo lo hizo? Yo sabía que mi hermana estaba molesta por el comportamiento de Diego, y que le dolía la espalda y la pierna, pero ella encontró la manera de sobreponerse. ¿Fue gracias a los litros de pulque que se bebió o sólo por obra de la emoción? ¿No sería que sabía que era el centro de todas las miradas y quería hacer una buena interpretación? ¿O que se había tomado una dosis adicional de analgésicos antes de que empezara el espectáculo?

Frida se estaba muriendo. Su cuerpo empezaba a descomponerse ante mis ojos. Y a pesar de todo, allí estaba, bailando.

«¡Sírveme otra copa!», gritaba de vez en cuando, y alguien iba corriendo y le llevaba otro vaso de pulque. Lo único que ella tenía que hacer era pedirlo. Bastaba con que abriera la boca y alguien cumplía sus deseos. El mundo entero se rendía a sus pies. Frida la emperatriz. Era tan buena actriz como Bette Davis.

Yo estaba indignada, he de reconocerlo. Me ponía furiosa

su egocentrismo, su pose de inválida valerosa. Me daba mucha rabia, pero al mismo tiempo me sentía culpable, porque gran parte del dolor que sentía mi hermana era producto de lo que yo le había hecho. Por mucho que lo intentara, no conseguía sacarme aquella idea de la cabeza. Yo había traicionado a mi propia hermana. La quería más que a nadie en el mundo, y sin embargo la había traicionado. De todas las desgracias que le habían ocurrido a Frida, mi traición era la que más le dolía, porque éramos hermanas. Los mexicanos somos así. Es algo que aprendes desde que naces: que sólo puedes confiar en los miembros de tu familia. Pero eso sí: en ellos puedes confiar ciegamente. De modo que yo había incumplido una ley sagrada. Si yo no hubiera traicionado a Frida, quizá las cosas habrían sido diferentes. Quizá ella no se habría divorciado. Yo tenía la sensación de que tenía que hacer algo para aliviar su sufrimiento, aunque eso significara convertirme en su esclava durante el resto de mi vida.

Veía a Frida girando y girando, cada vez más deprisa; tenía las mejillas sonrojadas, el pecho palpitante, y reía alegremente. Cambiaba constantemente de pareja, daba patadas en el suelo y palmadas, meneaba las caderas. Y sin embargo, se estaba muriendo porque tenía la espalda destrozada, una pierna podrida, el corazón roto.

Y entonces vi cómo Frida se transformaba gradualmente. Frida dejó de ser Frida: era un esqueleto. En lugar de ver su cara, su cuerpo, sus pies, veía su osamenta, con el vestido de tehuana encima, girando, riendo, moviéndose al compás de la música, dando golpes, oscilando; un cráneo que sobresalía por encima de la blusa de volantes que colgaba sobre el montón de huesos.

Miré a los demás: Diego, Lola, Guillermo, Fanny, Salvador Novo, Concha Michel; todos eran esqueletos. Diego, que un momento antes daba pisotones y hacía piruetas, ágil a pesar de su envergadura, un gigante liviano; ahora era un cráneo que sonreía morbosamente en lo alto de un cadáver. Lola, con su elegante vestido violeta y sus sandalias; Lupe Marín con su blusa de algodón blanca escotada, los campesinos con sus sencillos pantalones, camisas y huaraches. Todos eran esqueletos. Hasta la delicada Fanny, con sus finos pómulos europeos. Hasta Benjamin, que se paseaba con el cuello estirado, como un gallo, por el borde de la pista de baile.

Me dieron ganas de gritar, pero ¿para qué iba a molestarme? Me había vuelto invisible.

El proyecto de La Rosita tuvo tanto éxito que a Frida le propusieron muchos nuevos proyectos para sus Friditos. Pintaron un mural en una lavandería pública, con retratos de todas las lavanderas; también tuvo mucho éxito. En 1945 o 1946 hicieron una exposición en el Palacio de Bellas Artes que ofendió a mucha gente porque los temas eran izquierdistas. No recuerdo todos los proyectos, pero lo que puedo asegurarle es que Frida ayudó mucho a aquellos jóvenes, les consiguió trabajos y les montó exposiciones. Ellos la consideraban una especie de segunda madre, y eso fue un grave error. Ése fue el principio del fin.

Como supongo que ya sabe, en México celebramos el día de la Virgen de Guadalupe el 12 de diciembre. Un año, los alumnos de Frida decidieron hacerle un regalo ese día, y reunieron una colección de sus cuadros. Fanny pintó una maternidad, una madre con su hijo (pero que no eran la Virgen y el Niño). Otro pintó una familia de la Revolución: padre, madre, hijo e hija, pobres, con ropa de campesinos y huaraches, y con cartucheras cruzadas sobre el pecho. Otro pintó un nacimiento inspirado en el cuadro de Frida *Mi nacimiento*, que ella había pintado hacía más de una década. Todos aquellos cuadros eran pequeños, casi miniaturas. La idea era que Frida los colgara juntos en su estudio, en una misma pared, como un regalo de sus hijos espirituales. Los chicos se presentaron en la casa temprano, con los cuadros y un enorme ramo de flores: rosas, orquídeas, margaritas, claveles, amapolas... Un ramo enorme, adornado con lazos de colores. En el ramo había una tarjeta en la que se leía: «Para nuestra segunda madre.» Estaba firmada por todos.

Evidentemente, ellos pensaron que a Frida le gustaría el regalo. Sabían que lamentaba mucho no haber podido tener hijos.

Fanny le entregó el ramo con una amplia sonrisa en los labios.

—Maestra... —dijo con voz entrecortada.

—Nuestra adorada maestra —añadió Guillermo Monroy, como un eco.

Frida se quedó mirando a sus muchachos, paralizada. Movía los labios, pero de su boca no salía ningún sonido.

Monroy no se dio cuenta; se sentó y empezó a rasguear la guitarra. Había escrito otro corrido dedicado a Frida, y se puso a cantarlo. Las únicas palabras que recuerdo son «segunda madre»; formaban parte del estribillo, que Guillermo repetía una y otra vez. «Eres una segunda madre / para los niños que te quieren.» Algo así.

A Frida le temblaban los labios. Imaginé que soltaría algún comentario mordaz, encendería un cigarrillo y se quedaría contemplando el cielo, como si aquellos estúpidos regalos no le importaran ni lo más mínimo. Supuse que adoptaría una expresión de aburrimiento y un tono cínico. Pero me equivoqué: les dio las gracias educadamente y les dijo que no se encontraba bien, que tendrían que volver en otro momento.

—Pero maestra —protestaron ellos—. Hemos venido en autobús desde la ciudad.

—Lo siento, queridos —susurró ella—. Lo siento mucho, pero no puedo.

»¡Menudos imbéciles! —estalló en cuanto se hubieron marchado—. ¡Menudos subnormales! ¿Cómo se atreven a llamarme madre? ¡Yo no soy su madre! Yo no soy la madre de nadie. ¡No quiero sus regalos! ¡No quiero su compasión! No quiero ser la segunda madre de nadie. ¡Llévate esta mierda de aquí! ¡Llévatela de aquí ahora mismo!

Agarró un cuchillo y lo clavó en la maternidad de Fanny. Destrozó todos los cuadros, y luego la emprendió contra las flores. Las atacó como si fueran personas, niños. Arrancaba las corolas, las hojitas, partía los frágiles tallos. Estaba tan fuera de sí que hasta se metía los pétalos en la boca, los masticaba hasta destrozarlos y luego los escupía. Tenía los ojos fuera de las órbitas, chillaba y sollozaba. «¡Imbéciles! ¡Subnormales! ¡Idiotas! ¡Inútiles! ¡Yo no soy su maldita madre! ¡No soy su puta madre, malditos retrasados mentales! ¡Llévense sus condenados ramilletes! ¡Llévense sus cuadros de mierda! ¡Yo no soy su madre! ¿Me oyen? ¡No soy su madre! ¡Yo no tengo hijos! ¡Ustedes no son mis hijos!» Gritaba y lloraba, enloquecida. Me imaginé que el día que destrozó sus muñecas debía de haber vociferado y pataleado como lo estaba haciendo ahora. Se quedó ronca de tanto chillar. Al final se derrumbó en la cama y se echó a llorar.

Ya lo ve, yo no podía abandonarla. A veces pensaba: No lo aguanto más. Tengo que marcharme de esta casa. Pero Frida me necesitaba; yo tenía que seguir siendo su esclava, hasta el final.

24

AGNUS DEI

Lunes 12 de julio de 1954, 23.07 horas. La noche está negra como boca de lobo, pero hay niños correteando por la calle. Quizá han salido a comprar pulque para su padre, o a buscar tortillas a casa de su tía. No hay luna, aunque debería haberla. La señora Mayet, la enfermera, acaba de llevarle a Frida un poco de jugo de zanahorias. Frida se lo bebe y le dan arcadas; lo detesta, pero tiene que ingerir algo. La señora Mayet se mueve en silencio, levantándole la cabeza a Frida con manos expertas y acercándole la taza suavemente a los labios. En la calle, una risotada resuena en la oscuridad, y luego vuelve a reinar el silencio, un silencio pegajoso, como alquitrán. «Vamos, Friducha —dice Diego—. Tómatelo todo.» Los demás no dicen nada. La señora Mayet no desiste; inclina la taza para verter el líquido en la boca de Frida. Me levanto y le masajeo los hombros a mi hermana. Pasa alguien por la acera, cerca de la ventana, pero el sonido de los pasos pronto desaparece. Cierra los ojos, Frida. Cierra los ojos. Pronto llegará la hora. Frida cierra los ojos y se queda dormida.

La semana pasada asistió a una manifestación comunista, pese a que el doctor Farill le aconsejó que no saliera de casa debido a la bronquitis. «Tengo los pulmones como piedras, Cristi.» «Pues no seas tonta, Frida. ¡No vayas!» Pero Frida no hizo caso de mis consejos y se sentó en la silla de ruedas. «No tardaré mucho, pelona.» Se miró en el espejo e hizo una mueca; luego se puso una mustia rosa roja en el cabello. La rosa cayó al suelo, y quedó convertida en un triste montón de pétalos sueltos. Unos cuantos pétalos cayeron más lejos, formando aisladas gotas de sangre en el suelo. Miré hacia otro lado. «No puedo peinarme, Cristi.» «Pues yo no pienso ayudarte. Sabes perfectamente que no deberías ir a esa manifestación.» Frida frunció los labios. «No me importa. Si no quieres, no me peines. De todas formas, va a llover. Ya ha empezado a llover.» Se puso un pañuelo en la cabeza, pero no logró disimular su desaliño. Hacía una tarde triste, fría y húmeda que no invitaba a salir a la calle. Pero Frida estaba emperrada en ir a aquella manifestación. Era un evento importante y no podía perdérselo. Quería que todo el mundo la viera alzando el puño y gritando «¡Americanos! ¡Asesinos!» Protestábamos contra la CIA, que le había arrebatado el poder a Jacobo Arbenz. Arbenz, el presidente de Guatemala, el paladín del pueblo, se había negado a doblegarse ante los intereses del capitalismo. Eso decía Frida, aunque yo tenía la impresión de que Diego y ella no tenían ningún inconveniente en doblegarse ante el capitalismo cuando aceptaban dinero de los millonarios de Chicago y Nueva York. Allí estaba Frida gritando consignas: «¡Abajo los gringos! ¡Yanquis, fuera de Guatemala! ¡Asesinos! ¡Carniceros!» Parecía un gorrión, frágil y con los ojos saltones; tan cansada, tan pálida. Su voz apenas se oía, pero lo que importaba era la imagen. A Frida le quedaba poco tiempo para crear su leyenda. La gente la admiraba: «¡Qué alarde de solidaridad!» «¡Qué valiente! ¡Parece Juana de Arco!» «¡Es como Benito Juárez!» «¡Es como la Güera Rodríguez!» Los periodistas estaban encantados. Yo me imaginaba los titulares del día siguiente: «Frida Kahlo desafía a la enfermedad para manifestar su apoyo a las masas.»

¿Quién? ¿La Güera Rodríguez? Era una heroína de la época de la independencia. ¿No había oído hablar de ella? En México todos los colegiales la conocen. Pues bien, fuimos a la manifestación, pero yo habría preferido quedarme en casa. Mejor dicho, yo quería que Frida se quedara en casa. ¿Por qué? Porque la quería, por supuesto. Porque se estaba muriendo. Si me interrumpe continuamente nunca voy a acabar esta historia, y le aseguro que estoy deseando terminarla, doctor, porque quiero que se marche usted y me deje tranquila.

Cuando todo hubo terminado, Frida se metió en la cama, exhausta, y me pidió Demerol. Yo hice como si no la hubiera oído. Ella sollozaba, histérica. «¡Demerol! ¡Demerol!» Era la única palabra que podía articular. Fui al cuarto de baño y me lavé la cara. Yo también estaba agotada. Cuando salí del baño, Frida estaba tumbada en la cama, agitando su bastón. «¡Demerol!» Yo no tenía fuerzas para discutir con ella, pero intervino la señora Mayet. «No —dijo con firmeza—. Ya le he dado las medicinas en la manifestación. No hay que darle más analgésicos. Ni inyecciones. Ni pastillas.» «Sí, señora Mayet», dije. Luego fui al dormitorio de Frida y le puse una inyección de Demerol.

23.29 horas. Isolda entra de puntillas en la habitación. Ya no es ninguna niña; es una joven delgada y delicada. «¿Le traigo un poco de caldo a tía Fridita?» «No, cariño, hace media hora que duerme.» «Voy a leer un poco.» «Muy bien, ve a leer. Mañana ya se encontrará mejor.» Un borracho pasa por la calle cantando *Amapola*. Un perro ladra una vez, sólo una vez. Se oye reír a dos hombres más abajo, cerca de La Rosita. La enfermera dormita en un rincón. Diego le arregla las sábanas a Frida y le da un beso en la frente. «Deberías dormir un poco.» «No, Diego. Duerme tú. Yo la vigilaré.» Aparto la cortina y contemplo el cielo nocturno. La luna, verdosa, reluce débilmente detrás de las nubes. Una pareja de enamorados se besa a poca distancia de la ventana; más que verlos, me los imagino. Sospecho que esta noche crearán una nueva vida.

Martes 13 de julio de 1954. Medianoche. En mi país, el martes 13 trae mala suerte, doctor, como el viernes 13 en el suyo. Frida resuella como un fuelle oxidado, pero duerme. Diego descansa en una butaca, con la cabeza apoyada en la papada. Yo me he acercado una vez más a la ventana y he apartado la cortina. Esta noche no voy a dormir. Estoy esperando que llegue el momento adecuado. Pasa un anciano renqueando. No levanta la cabeza para mirarme; está absorto en sus pensamientos, no sabe que dentro de nuestra casa hay una persona que se está muriendo. Me aparto de la ventana y me siento a los pies de la cama.

—¡Diego!

Diego mueve la cabeza y gruñe un poco, como un cochinillo.

—Diego, Frida duerme. Si quieres ya puedes irte.

Diego abre los ojos; separa los párpados como si tuviera sal debajo.

—¿Qué? —Tiene el aliento rancio.

—Si quieres puedes volver al estudio. Frida duerme.

Diego intenta enfocar las imágenes, distinguir la silueta de Frida. Finalmente ve su mano, lánguida, sobre la sábana, y su pecho que sube y baja de manera irregular.

—Ya puedes marcharte, Diego. Yo me quedo con ella.

—¿Crees que dormirá toda la noche?

—Sí, creo que sí. Está tranquila.

Diego encoge las piernas, se da impulso y se levanta.

—¿No te importa?

—La señora Mayet e Isolda están aquí conmigo. Manuel está en la otra habitación.

Se acuerda de Manuel, ¿verdad, doctor? El criado de papá. Poco antes de que muriera mi padre, volvió con nosotros. Diego se inclina y la besa en la frente. «Adiós, mi amor.» Lo veo indeciso, como si no quisiera marcharse. Se queda un momento junto a la cama, acariciándole los dedos a Frida. Finalmente recoge su chaqueta y su sombrero. «Es posible que llueva antes de que hayas llegado al estudio.» Él se encoge de hombros. Ya en la puerta, aprieta mi mano contra su mejilla, como si el contacto de mi piel pudiera ayudarle a contener las lágrimas. Diego está ojeroso y le tiemblan los labios. Veo cómo se forma una lágrima en uno de sus ojos; se hincha y se desborda formando un hilillo que resbala por los pliegues de su barbilla. El dolor de Diego me traspasa el corazón.

Pero domino mis sentimientos. Recuerdo cosas. ¿Qué derecho tiene él a lloriquear de remordimiento ahora, cuando siete años atrás estaba enredado con María Félix?

Río escondido se estrenó en 1947. Sí, era una película estupenda. A los comunistas les encantaba. María Félix se convirtió en la niña mimada de México después de interpretar a Rosaura Salazar, la briosa maestra que se enfrenta a los poderosos y sale triunfante. La gente que veía la película identificaba a María con Rosaura. La tomaban por una santa. Compraban fotografías suyas, y había quien incluso le rezaba.

María Félix era una mujer hermosa y sensual, una mujer muy bien dotada en todos los sentidos. Iba a las fiestas con vestidos de noche sin tirantes que lo enseñaban todo. Tomaba el sol en las piscinas con unos trajes de baño diminutos; se tumbaba en una tumbona y dejaba las tersas piernas colgando. Llevaba el cabello, de color chocolate y regaliz, suelto y despeinado; era una invitación irresistible a acariciarlo. La gente la adoraba porque ella era la Virgen María y Eva en una sola persona. Dios y el demonio. En el retrato de María que pintó Diego, no se sabe si está pensando o rezando. Tiene los ojos ligeramente cerrados. Y sin embargo está tan atractiva, con el cabello suelto sobre los hombros desnudos. La luz se refleja en su coronilla. Parece una Magdalena.

Y dondequiera que fuera María, allí estaba Diego, pegado a ella como una especie de apéndice. Los fotógrafos los perseguían disparando sus cámaras. Siempre. En las fiestas, en las inauguraciones, en las conferencias de prensa. María reía, lanzaba besos y hablaba de patriotismo. Y Diego hablaba de divorciarse de Frida.

¿Y Frida? Ella hacía chistes. Llevaba meses diciendo que Diego iba a abandonarla, de modo que ya había tenido tiempo para preparar el guión. En una ocasión, un periodista le preguntó: «¿Qué tipo de relación tiene Diego con María Félix?» «A Diego le gusta cogérsela —respondió Frida—. ¿Qué tiene eso de extraño? ¡A mí tampoco me importaría acostarme con ella!» Quería demostrar a todo el mundo que las aventuras amorosas de Diego no podían hacerle daño, no porque ella no lo amara sino porque compartía sus pasiones. Seguían formando un equipo, sólo que en lugar de ser un hombre y una mujer eran dos machos hambrientos. Y si no lo cree, mire sus autorretratos, doctor. Cada vez eran más masculinos. «En ese cuadro parece usted un hombre. ¿Qué sentido tiene eso?», le preguntó un joven reportero. «Ah, ¿sí? ¿Eso cree usted? ¿Usted no sabe cómo nos conocimos Diego y yo? ¡Salíamos con la misma chica!», le respondió ella. Un día estábamos en una recepción en la embajada americana; Frida se llevó a un rincón a una dama de la alta sociedad de cabello plateado que estaba muy impresionada por haber conocido a la gran Frida Kahlo. «Mire, le voy a contar un secreto —le susurró Frida al oído—. Diego no es el padre de la hija de Lupe Marín, Lupita. —La mujer estaba encantada de que Frida le revelara un secreto—. ¿Sabe quién es el verdadero padre? ¡Yo!»

«Escúchenme —dijo dirigiéndose a la multitud reunida en el hotel de Eddie Kaufman. Eddie había venido a México y nos había invitado a todos a una gran recepción en el Moctezuma—. Óiganme todos. ¿Saben que Eddie, Diego y yo íbamos a bordo del *Titanic* cuando éste empezó a hundirse? Kaufman, que es un auténtico caballero y un héroe, gritó: "¡Las mujeres y los niños primero! ¡Que las mujeres y los niños suban a los botes salvavidas!" Pero Diego echó a correr hacia los botes, gritando: "¡A las mujeres y a los niños que los jodan!"Yo me quedé donde estaba, reflexioné un momento sobre lo que Diego acababa de decir y pregunté: "¿Crees que hay tiempo?"» Gritos de asombro. Chillidos. Silbidos. Carcajadas.

Yo tenía el corazón destrozado. Mi hermana se comportaba como una marioneta, uno de esos esqueletos danzantes que los titiriteros pasean por las calles el día de los Muertos. Un paso hacia la derecha, un saltito, un paso hacia la izquierda. Dondequiera que fuéramos, ella dejaba que la gente tirara de sus cuerdas. Había adelgazado mucho y se le habían afilado las facciones. Generalmente estaba tan borracha o drogada que no podía ni maquillarse bien. Llevaba los labios tan mal pintados que parecía un demonio necrófago. A mí me daban ganas de abrazarla y decirle: «Basta, Frida, por favor.» No soportaba ver cómo mi hermana se convertía en el juguete de la gente. Quería besarla, llevarla a casa y acostarla en la cama. Mi pobre y querida hermana. Quería decirle: «Diles que te dejen tranquila, Frida. Déjame llevarte a casa para que puedas morir en paz.» Pero ella tenía que seguir interpretando su papel. Tenía que seguir siendo la estrella.

El día que contó el chiste del *Titanic* en la fiesta de Eddie Kaufman, Diego y yo nos la llevamos a Coyoacán poco después. Mi hermana estaba histérica; durante todo el trayecto no paró de llorar y reír a un tiempo. Tenía el rostro desencajado de dolor; parecía una muñeca de trapo que alguien ha lavado y escurrido. Después de dejarnos en casa, Diego se marchó inmediatamente. La enfermera (la señora Mayet todavía no trabajaba para nosotras) le había preparado las medicinas, y cuando se inclinó para dárselas, mi hermana estiró el brazo y le agarró la entrepierna. La mujer dio un resoplido de impaciencia y dijo: «Vamos, señorita Frida, tómese la medicina.» «¡Sí, dame esas pastillas, pero dame también un poco de lo tuyo, zorra!» La enfermera rió y le dio un leve bofetón, como si fuera una niña traviesa. Frida agarró su bastón e intentó colocárselo entre las piernas a la enfermera. «Anda, corazón —le dijo—. Levántate la falda para Frida.» Las enfermeras no nos duraban mucho, porque Frida siempre las acosaba. Ninguna duraba más de una o dos semanas. Ninguna excepto una, porque compartía las tendencias sexuales de Frida. Estoy convencida de que además de darle Demerol y barbitúricos, de vez en cuando le hacía una paja. Pero al final ni siquiera ella soportaba los berrinches de Frida, y también acabó marchándose. Ni siquiera recuerdo cuántas enfermeras tuvimos, doctor. Venían y se iban continuamente. Venían porque Diego ofrecía un buen sueldo y porque era un honor vaciarle el orinal a la gran Frida Kahlo; y se iban porque ya no aguantaban más. Entonces me tocaba a mí secarle la frente y acariciarle la mano. «¡Ponme una inyección, Kity!», me suplicaba. «No, Frida, todavía no es la hora.» «Anda, Kity. Dame un poco de Demerol. Dame un poco de codeína, un poco de opio. ¡Lo que sea!» Su cuerpo no toleraba la morfina pura, así que teníamos que darle Demerol. «Kity, por favor. Te lo suplico.» «No puedo, Frida. Intenta dormir.» «Si no tomo nada no podré dormir. Anda, Kity, ponme algo.» Yo no soportaba ver su cuerpo. Pero Frida se ponía boca abajo y se levantaba el camisón. ¿Qué podía hacer yo? «¡Busca un sitio!» «¡No hay ninguno!» «¡Búscalo!» Temblaba y gritaba, y yo temía que le diera un ataque. ¿Qué quería que hiciera? Buscaba un punto y le ponía la inyección, y al cabo de un rato Frida se tranquilizaba.

2.51 horas. Frida tiene los ojos abiertos. He descorrido un poco la cortina porque me da miedo estar sentada, sola, en una habitación completamente oscura. La luz de la luna se refleja en sus pupilas, que destellan como cuchillos.

—¿Dónde está Maty?

—Maty se ha marchado hace horas, Frida. Vuelve a dormirte.

Pero no puede dormir porque le duele la pierna, la pierna que ya no tiene, porque se la han cortado. Es un dolor desgarrador, dice. Como si le clavaran un puñal en la pantorrilla. «¡Demerol!», grita. Pero todavía no es la hora, y yo tengo que cumplir las normas porque la señora Mayet está en la puerta. Ha venido a ver cómo está Frida.

—¿Por qué no duerme, señorita Frida?

—¡Ya sabes por qué no duermo, imbécil! ¡Me duele muchísimo! ¡Quiero Demerol!

La señora Mayet enciende una lámpara y le toma la temperatura a Frida.

—¿Por qué no se acuesta, señorita Cristina? Yo me quedaré con ella el resto de la noche.

—No se preocupe. Ya me quedo yo.

La enfermera no se fía de mí. Sospecha que no cumplo las normas. Sospecha que la desobedezco cuando ella no me mira. Yo intento aplacar su recelo.

—No tengo sueño, señora Mayet. Me quedaré un rato más. Puede ir a acostarse.

—Sí, señora Mayet. Váyase a la cama. Mi hermana me cuidará. —La voz de Frida me sorprende por su firmeza. La enfermera vacila, pero sólo un instante.

—No le dé ningún medicamento, señorita Cristina.

—No, señora Mayet.

—Si lo necesita, póngale una compresa en la frente. Pero nada de medicinas.

Frida no dice nada.

—Prométame que me llamará si me necesita.

—Por supuesto, señora Mayet.

La enfermera apaga la luz. Oímos sus pasos alejarse por el pasillo. La oímos tirar de la cadena. Silencio. Dos, cuatro, cinco, diez minutos.

—No puedo más, Cristi —dice Frida con un hilo de voz, con tono suplicante, desesperado.

—Ya lo sé, cariño.

Lleno la jeringuilla y le pongo la inyección. Frida me acaricia la mano, e intenta apretarme los dedos para expresarme su gratitud. Al cabo de un instante cierra los ojos y se queda inmóvil.

Cinco años atrás, Frida había pasado nueve meses en el hospital Inglés. Fue entonces cuando empezaron a hablar de la amputación. Tenía muchos problemas de circulación; se le habían puesto negros dos dedos del pie, y los médicos dijeron que tenía gangrena. Gangrena. Eso significa que tu cuerpo empieza a desintegrarse lentamente, tan lentamente que ni siquiera te das cuenta, hasta que un día te despiertas y una parte de ti está muerta. Tuvieron que amputarle los dos dedos.

Maty y yo íbamos a verla todos los días. Adri iba un día sí, otro no. Diego se instaló en otra habitación del hospital. Por aquella época había concluido su romance con María Félix. Pero quiero que quede claro que, incluso mientras estaba con María, Diego seguía queriendo a Frida. Siempre la quiso, igual que yo. Nos hacíamos daño, pero nos queríamos.

Después le operaron la espalda. No recuerdo todos los detalles. El caso es que la operación fue un desastre. Le pusieron un corsé espantoso para inmovilizarla, pero el corsé impedía que la herida se drenara adecuadamente, y no tardó en formársele un absceso en la espalda. Tenía toda la zona infectada; apestaba tanto que te daban ganas de vomitar. Maty decía que Frida olía a perro muerto; yo opinaba que olía a pedo de cerdo. Ya sé que es terrible decirlo, pero me daban arcadas cada vez que entraba en la habitación del hospital. Imagínese cómo debía de sentirse la pobre Frida, con lo coqueta y maniática que era con la ropa, el pelo, las joyas. Imagínese cómo debía de sentirse cuando el hedor de sus heridas empezó a alejar a la gente. «¡Hazlo, Cristi! —me suplicaba—. Una sobredosis de Demerol.» Pero en lugar de hacerle caso, yo le imploraba al médico, Juan Farill, que la salvara, que le diera algo más fuerte para calmar el dolor. Y rezaba. Tengo que reconocer que rezaba. Porque aunque Frida decía que la Iglesia católica era una mierda, que el catolicismo era una perversión, yo no sabía qué otra cosa hacer, así que rezaba.

Ahora ya no rezo nunca, aunque a veces me gustaría hacerlo.

Le hicieron un nuevo corsé de yeso con un agujero en la espalda para que la herida pudiera supurar. Pero su cuerpo era como una cloaca, y las heridas ya no se le curaban. Seguía oliendo a animal muerto, y sin embargo... Yo no podía. Sabía que ella quería morir, pero era mi hermana, y yo la quería.

Le llevaron un caballete a la habitación y lo ataron a la cama para que pudiera pintar tumbada. La gente iba a verla pintar. Diego le llevó a un indio huichol con un traje precioso para que posara para ella. Era un joven muy atractivo, con las facciones perfectas, el cabello largo, la piel cobriza y unos dientes perfectos y blanquísimos. Era una visión espectacular, con su sombrero de ala con adornos, su chal bordado, su capa roja, su cinturón de tela exquisitamente tejido. Llevaba un montón de brazaletes y una bolsa de tela con correas. Frida estaba encantada. Hacían muy buena pareja: ella con un anillo en cada dedo, sus corsés pintados, sus largos pendientes; él con sus adornos de cuentas y sus pulseras de bisutería. Durante un tiempo, aquel joven fue el juguete favorito de mi hermana.

Pero tenía otros juguetes. Tenía una colección de cráneos, que adornaba con flores y lazos y a los que ponía nombres. El mío era un sonriente cráneo de azúcar con adornos de gelatina de colores. En el suyo había pintado una hoz y un martillo y volantes y lazos rosas. Cristina muerta. Frida muerta. La vida y la muerte. Lo alegre y lo macabro.

A Frida le gustaba tener compañía. Yo siempre estaba con ella, por supuesto, y también Maty. Diego también. Pero la compañía no se limitaba a los miembros de la familia. Los médicos y las enfermeras se reunían a su alrededor, y constantemente entraban visitantes. María Félix (que, como era de esperar, se había hecho amiga de Frida), Lupe Marín, Isolda y Antonio, Fanny y los otros Fridos, viejos amigos de la prepa. Adelina Zendejas era una de las viejas amigas que venía más a menudo. Políticos y poetas, actores y niños del vecindario. Hasta la Reyna se acercó un par de veces. Diego se hizo con un proyector y pasaba películas del Gordo y el Flaco. A veces Diego bailaba y Adelina tocaba la pandereta. Yo les llevaba comida, cestas y cestas llenas de comida. Frida reía y contaba chistes obscenos. «¿Por qué llevaba la viuda un tampón negro? ¡Porque allí es donde más echaba de menos a su marido!» Desbordaba alegría y esperanza, siempre que tuviera público. Pero cuando las visitas se marchaban empezaba: «¡Píntame las uñas! ¡Arréglame el pelo! ¡Tráeme el espejo! ¡Búscame el anillo!» Tenía un anillo de plata con un quetzal de turquesa, y se le había metido en la cabeza que si lo perdía, se le pudriría otra parte del cuerpo: otro dedo del pie, un dedo de la mano o el lóbulo de una oreja. Si yo le decía: «¿Las uñas, Frida? Creo que ahora necesitas descansar», ella se ponía furiosa. «No me digas lo que tengo que hacer, gorda estúpida. ¡Mis amigos no tardarán en llegar, y no quiero que me vean así!» Le horrorizaba pensar que pudieran abandonarla. Necesitaba verse rodeada de gente constantemente. Tenía que ser el centro de atención. Su salud dependía de ello, así que yo tenía que pintarle las uñas, peinarla, decorarle las trenzas con lazos de seda y flores. Y cuando terminaba, Frida estaba preciosa. Tengo que reconocerlo: a pesar de que la enfermedad la estaba consumiendo, mi hermana estaba muy guapa. Como los cráneos de yeso adornados que llenaban su habitación. En cuanto llegaba la gente continuaba la fiesta; todo era pura alegría, salvo por un pequeño detalle: Frida se estaba muriendo y todo el mundo lo sabía. Sin embargo, la gente se dejaba consolar por el falso buen humor de Frida. Cuando los amigos se iban a sus casas, ella me apretaba la mano y me suplicaba: «Hazlo, Kity. Sácame de este infierno, por favor.»

Con todo, cuando finalmente salió del hospital Inglés y volvió a casa, Frida se alegró de seguir viva. A pesar de la silla de ruedas, a pesar del corsé de yeso. Se mantenía muy activa y seguía organizando fiestas; siempre tenía una sonrisa en los labios y un cigarrillo en la mano. Se rodeaba de estrellas: Josephine Baker, Concha Michel, María Félix. Lola ya no iba a verla, porque se habían peleado. Un buen día, Frida le envió un cuadro que Lola no le había pedido, y una factura. A veces Frida hacía cosas así cuando necesitaba dinero: enviaba cuadros a sus amigos y luego se los cobraba. Pero Lola se negó a seguirle el juego, y en lugar de mandarle un cheque le devolvió el cuadro. Lola ya había terminado con Diego, y no los necesitaba ni a él ni a Frida para nada. A Frida no le importó. Al fin y al cabo, ¿quién era Dolores del Río? Tenía a poetas como Carlos Pellicer, a pintores como el doctor Atl, fotógrafos como Lola Álvarez Bravo. Y un montón de estrellas de cine. Porque Frida necesitaba estrellas. Necesitaba ser la estrella de las estrellas.

A ella le gustaba hacerlo todo a lo grande: divertirse, sufrir, hasta llorar la muerte de otros. Cuando murió Stalin sufrió muchísimo. Tendría que haberla visto llorar y lamentarse ante los periodistas y fotógrafos. No estoy insinuando que su compromiso político no fuera sincero, porque estoy convencida de que lo era. Pero Frida siempre había soñado con conocer a Stalin, y ahora había perdido esa oportunidad. Tenía la impresión de que se le había escapado de las manos algo precioso, que el mundo se alejaba de ella. Pero aunque no pudiera conocerlo en vida, al menos podía estar con él a través del arte. Pintó un doble retrato: Frida y Stalin. Era un retrato dentro de otro retrato. En un lado había un caballete con un cuadro de Stalin, muy grande, muy dominante; y en el otro lado estaba Frida sentada y vestida con un traje de tehuana rojo. Él es grande; ella, pequeña. Él es una obra de arte; ella, una mujer de carne y hueso. Él es la obra de Frida, pero ella también es la obra de Stalin, porque sin él, ella no sería la ferviente comunista, no tendría la conciencia política que tiene.

El arte era lo que la mantenía viva. Crear belleza a partir del dolor la ayudaba a dar sentido a su existencia. Le daba sentido a su sufrimiento. Decoraba sus corsés ortopédicos, aquellos instrumentos de tortura, y los convertía en obras de arte. Les pintaba hoces y martillos, estrellas y flores, pájaros y niños recién nacidos. Pintó un feto en uno de ellos, y cuando lo llevaba puesto, tenía la sensación de que llevaba un hijo en el vientre.

3.47 horas. ¿Cuánto falta para el amanecer? Siento un hormigueo por todo el cuerpo. Mi mente bulle como una olla de mole. Soy pura electricidad. Esta noche expiaré mis pecados. Volarás como un águila, querida Frida. Hay alguien en la calle. Aparto la cortina y veo que es Marco Antonio, el panadero. Apenas lo veo, pero reconozco su robusta figura, sus greñas, su cojera. Cuando era pequeño, le dispararon en el tobillo. Pero el maltrecho pie no le impide pasarse todo el día haciendo panecillos. Para el día de los Muertos, prepara pan de Muerto, y para la Epifanía, rosca de Reyes con canela, anís y pasas. Él aprendió, como todos nosotros, a lamerse las heridas y seguir adelante. Lleva el sombrero bajo, casi tapándose los ojos, para protegerse de la húmeda brisa. ¿Cómo puede ver por dónde camina? Yo no alcanzo a ver sus pies en la oscuridad, pero oigo sus sandalias arrastrándose por el suelo mojado. Pronto llegará Ana Teresa, que prepara las tortillas; sus pasos son ligeros, como los de una gallina. Pronto se desvanecerán las sombras, y la mañana trepará por los tejados. Ya es mañana.

Abril de 1953. El año pasado. Parece que hayan pasado siglos. Frida estaba en la cama, como ahora, sólo que hacía horas que había salido el sol. Tenía los ojos cerrados, y estaba pálida.

Sí, es la primera semana de abril de 1953. Su mandíbula ha perdido la tersura que tenía antaño. Frida ya no tiene veinte años, sino cuarenta y seis, pero los criados siguen tratándola como a una niña mimada. Los cuadros han desaparecido; los embalaron y los mandaron hace varios días. La mano de Frida cuelga del borde de la cama. Tiene un cigarrillo en la mano, pero no está fumando. Pronto habrá que vestirla. El doctor Farill entra cojeando y se sienta junto a la cama. Frida lo adora porque es cojo, como ella. El médico lleva muletas. Es calvo, y tiene las cejas muy espesas, la cara redonda, y un gran sentido del humor. «Hola, preciosa», le dice a Frida.

428

«Hola, guapo», responde ella sin abrir los ojos. ¿Cómo puede estar tan segura de que es él? Frida lo sabe todo. «¿Te ha dado mi hermana algo de comer?» «Todavía no, pero lo hará. Cristi siempre me cuida bien.» «Espero que no demasiado.» La voz de Frida tiene un deje de sarcasmo.

La habitación huele a chile, lilas, alcohol, orina. Cuando el doctor Farill empieza a examinar a Frida, me marcho, aunque ella no me lo ha pedido. No le importa que yo vea cómo el médico manipula su magullado cuerpo.

Suena el teléfono. Es Maty. Está en la galería. Dice que ya han llegado los periodistas, que bloquean la entrada. Parecen un enjambre de abejas.

El doctor Farill dice que Frida tiene fiebre. Sería mejor que no fuera. «La herida no se ha curado —explica—. Está infectada.» El trasplante de hueso fue un fracaso, y Frida tiene la columna destrozada. Se pasa las noches gritando de dolor.

—No puede ir —declara Farill—. No puede caminar. Ni siquiera se aguanta de pie.

—Vete al carajo —dice Frida—. Voy a ir.

Diego está de pie en el umbral.

—Vete al carajo —dice—. Va a ir.

Frida llevaba mucho tiempo esperando este momento: su exposición en la Galería de Arte Contemporáneo de Lola Álvarez Bravo. Es la única exposición individual que ha hecho en México, la segunda de su vida.

—Mira, doctor —le dice a Farill con un tono más conciliador, más juguetón—, hoy no puedo morirme. Haz lo que sea para alejar a la pelona de aquí, aunque sólo sea unas horas.

Pero Farill niega con la cabeza. El dolor es muy intenso, y tendría que administrarle una dosis peligrosa de droga. Aun así, Frida no podría permanecer de pie tantas horas. No aguantaría ni siquiera sentada.

—No, Frida —insiste—. No puedo permitirlo.

Está de pie junto a la cama con dosel de Frida, con una mano apoyada en la columna.

—¡Largo de aquí, hijo de puta! —Frida le arroja el cigarrillo encendido a la cara, pero no tiene fuerza en los brazos. El cigarrillo da contra la chaqueta del médico y cae al suelo. Diego le hace señas a Farill de que lo acompañe al pasillo.

—Venga, Juan —dice—. Tiene que haber alguna forma.

—¡No! —grita Frida—. ¡No van a decidir esto sin mí! ¡No voy a permitir que me traten como si ya estuviera muerta! ¡Vengan aquí ahora mismo y hablaremos de esto juntos!

Otra llamada. Es Maty otra vez. Dice que en la galería los teléfonos no paran de sonar. Todos quieren saber si ha llegado Frida. Los cuadros ya están colgados. Están poniendo las etiquetas. Han traído flores frescas y champán. Lola Álvarez Bravo lo ha planeado todo, y con su excelente gusto, ha convertido la inauguración en un evento al estilo de Hollywood. «Pero la gente pregunta si Frida va a venir —dice Maty—. Todo el mundo quiere verla.»

Hace unas semanas, Frida envió las invitaciones, unos folletitos como los que hacen los poetas para sus amigos. Los poetas pobres que no tienen dinero para pagar a un impresor. Unos folletos atados con una cinta o un cordel, con los versos escritos a mano en papel de colores. Frida hizo cientos de folletos. «¡Es mi fiesta!», le grita a Juan Farill, su querido doctor. Pero él no cede un ápice. Ya está acostumbrado. Todos estamos acostumbrados. Todos, excepto Diego. Diego no soporta la histeria de Frida, y por eso ahora no viene tan a menudo. Ahora se queda en su estudio con Emma Hurtado, su marchante. La hermosa Emma, con su cabello color chocolate. ¿Quién iba a decir que al final acabaría casándose con ella? «Dile a ese hijo de puta que se largue de aquí —grita Frida—. ¡No quiero que ese matasanos me diga lo que puedo hacer y lo que no!» En el fondo le encanta que Farill le diga lo que puede hacer y lo que no; pero hoy es diferente.

La discusión la ha dejado agotada. Ahora está tranquila. Farill y Diego se han marchado, pero Diego ha prometido volver dentro de una hora. Le arreglo el pelo a Frida: se lo peino, le hago una trenza, se la decoro con lazos y rosas. Le pongo unos pendientes largos. Lleva una blusa de colores, con dibujos geométricos bordados.

Adri se pasea por la casa. De vez en cuando echa un vistazo a la calle. El teléfono no para de sonar, y ahora vuelve a hacerlo. «¡Es Maty! —grita Adri—. Dice que ya hay cientos de personas en la galería. No puede controlar a los periodistas. Quieren saber si Frida va a asistir a la inauguración.» «¡Dile que los distraiga! —contesto—. Que diga que todavía no lo sabe.» Frida sonríe. «Tráeme un espejo», me ordena. Le doy un espejo, pero ella está tan débil que apenas puede sujetarlo. Adri entra con un caldo de cola de buey. «Tómate esto y duerme un poco», dice. Pero Frida no puede dormir. No puede relajarse. Adri le da el caldo y yo le hago masaje en las manos. «¿Por qué tarda tanto Diego?», pregunta Frida a cada momento. «Lo está preparando todo. No es sencillo», contesto. La verdad es que Diego ya había hecho los preparativos unos días atrás.

«¡Ya están aquí!», grita Isolda desde la otra habitación. Diego y dos enfermeros entran en la habitación y ponen a Frida en una camilla. «Con cuidado... con cuidado.» «¿Dónde está Juan?», pregunta Frida. «Irá contigo en la ambulancia.» Los enfermeros llevan la camilla a otra habitación. Aparecen varios hombres corpulentos; levantan la cama con dosel de Frida como si fuera de juguete. Sin desmontar el dosel ni las columnas, la llevan a la calle y la meten en un camión. «Échame un poco de colonia en el cuello», me pide Frida. «Pero si ya estás más perfumada que una flor de invernadero.» Adri se ríe. «Sólo un poco más —insiste—. Huelo a muerto.» Adri y yo nos miramos. Es verdad: Frida huele a muerto.

Ahora vuelven los enfermeros. Levantan la camilla y la llevan a la calle; la introducen en la parte trasera de la ambulancia que está estacionada delante de la casa. La caravana de vehículos espera una orden para ponerse en marcha. Será como un rodaje de Hollywood. ¡Luces, cámara, acción! Una ambulancia con la sirena en marcha y una escolta de motos. Frida sonríe. «¡Lola se va a poner celosa!», murmura.

La ambulancia arranca. Las motos aceleran. Frida Kahlo, acompañada por su devoto marido Diego Rivera y sus hermanas Adriana y Cristina, recorre las calles de la Ciudad de México en dirección a la famosa galería de Lola Álvarez Bravo, situada en la elegante Zona Rosa. El local está abarrotado. Los periodistas se empujan unos a otros, intentando llegar hasta la puerta. Los fotógrafos manipulan sus objetivos. Pero cuando los enfermeros la bajan de la ambulancia, hasta los reporteros dejan sus equipos y se quedan mirando, atónitos. ¡La gran Frida Kahlo ha vuelto a causar una sensación! ¡Ha vuelto a dejar a todo el mundo asombrado! ¡Ha ido a la inauguración en camilla! Diego sonríe. Farill pasa cojeando, sin decir palabra. Frida, tumbada en la camilla, saluda a sus invitados y sonríe, pero apretando los dientes de dolor. Es una sonrisa de mártir. Pero ella se siente feliz. Quizá sea el momento más feliz de su vida. Los enfermeros la meten en la galería y la ponen en su cama, que han colocado en el centro de la sala, con dosel y todo. Sus admiradores forman una cola para saludarla; le besan la mano, se deshacen en elogios. Algunos se han quedado sin habla, paralizados por la majestuosa presencia de Frida. Allí tumbada, rodeada de admiradores, celebridades, periodistas y fotógrafos, Frida es la soberana, la gran emperatriz azteca. Y me invade una profunda sensación de gozo, una intensa satisfacción. Nadie me mira, nadie me dirige la palabra. Ningún fotógrafo me enfoca con su cámara, y ningún reportero me formula preguntas. Pero al menos he ayudado a hacerle este regalo a Frida.

4.05 horas. La primera luz del día acaricia el horizonte como un amante inseguro. Un pájaro gorjea alegremente, saludando al amanecer. Hoy será un día diferente. No va a llover. Tres o cuatro obreros bajan por la calle con decisión. Algunos llevan herramientas. Supongo que empiezan a trabajar a las seis. Quizá tengan que ir hasta la ciudad. Hombres cansados que trabajan duramente todo el día por uno o dos pesos que no bastan para alimentar a sus familias. Frida tiene razón: no hay derecho. Siento lástima por ellos. Pero ellos no me ven; ni siquiera saben que existo, ni que existe Frida. No saben quién es Frida. Ellos sólo saben que les duele la espalda, que en sus casas hay goteras, que sus hijos tienen el estómago vacío. Están absortos en sus propios pensamientos. Me pregunto si querrían morir. Oigo voces en la calle, voces de hombre, pero no distingo lo que dicen. ¿De qué hablarán esos obreros a los que tan apasionadamente amamos pero a los que no podemos comprender? ¿Cómo se sienten? «¡Cristi!» Frida se ha despertado. Tiene la voz pastosa. «¡Cristi!» «Sí, cariño, estoy aquí. Intenta dormir.» «Me duele...» «Ya lo sé, tesoro, ya lo sé.» «No la dejes volver.» Pero es demasiado tarde. La señora Mayet ya está de pie en la puerta. «Se ha despertado, señora Mayet.» La enfermera enciende la lámpara de la cómoda y coge una ampolla de Demerol de una caja cerrada con llave. «Póngame una dosis doble esta vez, señora Mayet. Me duele mucho.» La señora Mayet hace como si no la entendiera. Llena la jeringuilla y le pone la inyección. «¿No puede aumentar la dosis, señora Mayet? Está sufriendo mucho.» La enfermera me mira con gesto impasible. Apaga la luz y se marcha.

El año pasado le amputaron la pierna, poco después de la espléndida exposición en la galería de Lola Álvarez Bravo. Pobre pierna. Estaba tan atrofiada y deformada que me recordaba al fláccido pene de Diego. El doctor Farill fue quien le dijo que no había más remedio que amputar. «Esta vez no será sólo un dedo, Frida, sino la pierna entera, hasta la rodilla.» Adelina Zendejas estuvo con nosotros. Adelina, la vieja amiga de Frida, de la prepa. Frida soltó un chillido tan estridente, tan ensordecedor, que el tráfico se interrumpió, los aviones cayeron del cielo, las campanas de las iglesias se hicieron añicos y los jaguares del desierto cayeron muertos. «¡No!» Temblaron las paredes de todo Coyoacán, y en la pulquería de la esquina todos los cuadros cayeron al suelo. «¡No!» Gongorina, nuestra escuincle, perdió a sus crías, y en la iglesia de la plaza a una estatua de Nuestra Señora le cayeron lágrimas. «¡No!» Pero no había nada que hacer. Diego se sentó en la cama de Frida y le acarició el cabello. «Friducha —le susurró—. Mi Friducha.» Adelina no supo qué decir. «No pasa nada, Frida —dije yo—. Ya has sufrido mucho.»

Frida cerró los ojos y se quedó un rato callada. Entonces, de pronto, los abrió. «¿A qué viene tanto llanto? —nos espetó—. ¿Qué es tanto gimoteo? ¿Acaso no he sido siempre Frida Pata de Palo?» Se puso a cantar aquella tonada que le cantaban las niñas en el patio del colegio. *Frida Kahlo, pata de palo, un pie bueno, el otro malo.*

Yo lloraba más que ella. Frida pintaba. Pintaba Fridas con los pies enfermos, pero también melones, plátanos y mameyes rebosantes de vida. En cambio yo, como no sabía pintar, sólo podía llorar. Frida me consolaba. Sí, doctor, ella me consolaba a mí. «¿Para qué quiero esa pata si ya no funciona? —me decía—. ¡No me lleva a ningún sitio! ¡Que me la corten!» Pero era una pose. En el fondo, mi hermana gritaba, gritaba en silencio, despotricaba contra un destino que le impedía hacer lo que quería hacer: levantarse, bailar, pintar, amar. «No te preocupes, Cristi —me decía—. Mientras esté aquí, amaré la vida, y cuando me llegue la hora, me iré feliz. —Yo la miraba a los ojos—. Prométeme una cosa, Cristi. Si la pelona se entretiene demasiado, ayúdala un poco. Dale un empujoncito para que yo no tenga que sufrir innecesariamente. —No respondí—. Prométemelo —me susurró mientras describía círculos en la palma de mi mano—. Prométemelo...» Me miré las temblorosas muñecas y no dije nada.

—Se va a morir —me dijo Diego.

—Sí —coincidí—. Ya no puede más. Esta vez se va a morir de verdad. —Cuando llegó el día de la operación, fui con ella al hospital, como había hecho tantas veces.

El médico le hizo una pierna ortopédica. «No pienso ponérmela —protestó Frida—. Me hace daño, y además es muy fea.» «¡Póntela, mi amor! —insistía Diego—. ¡Te llevaré a bailar!» «¡Ve a bailar con Emma Hurtado, cerdo asqueroso!» Diego ya no ocultaba que vivía con Emma.

Pero en lugar de llevar a su nueva amante a bailar, Diego le hizo confeccionar unas botas a su esposa, unas botas rojas preciosas, con cascabeles, para que se las pusiera con la pierna ortopédica. «Son botas de baile —le decía Frida a todo el mundo—. Diego me va a llevar a los clubs.» Y reía y guiñaba el ojo. «Pienso menear el trasero como una enloquecida y coquetear con todos los jovencitos que vea. ¡Qué celoso se va a poner! Y de paso coquetearé también con las chicas.»

Pero Frida no fue a bailar. En realidad ni siquiera se sostenía de pie. Si tenía un día bueno, lo pasaba sentada en su silla de ruedas, pintando; aunque ya no podía controlar el pincel. Los días malos los pasaba bebiendo coñac de la botella y fumando cigarrillos que le dejaban un aliento fétido. Apestaba tanto que la única que aguantaba estar con ella era yo, y hasta yo, a veces, tenía que pasar la noche en mi departamento de la ciudad.

Una mañana yo estaba durmiendo en mi habitación de la Casa Azul, y Manuel me despertó golpeando la puerta y gritando como un lobo herido. «¡Algo le pasa a la señorita Frida! ¡No puedo despertarla!»

Frida estaba tendida en medio de un charco de vómito y excrementos. Tenía la lengua fuera, como un animal. La ropa de cama estaba arrugada y amontonada en el suelo, como si hubiera creído que alguien la atacaba y se la hubiera arrojado para defenderse. El hedor era insoportable. Había varios frascos de pastillas esparcidos por el suelo. Frida los había escondido debajo de la almohada y se había tomado las pastillas durante la noche. Llamé al doctor Farill a su casa. «¡Frida se ha suicidado!» «¿Dónde estaba la enfermera!» «¿Cómo quiere que lo sepa? ¡Venga inmediatamente!»

Pero Frida no estaba muerta. La llevaron a toda prisa al

hospital y le hicieron un lavado de estómago. Le salvaron la vida. Entonces fue cuando contratamos a la señora Mayet, porque Diego decidió que Frida necesitaba una enfermera las veinticuatro horas del día, no como las otras, que iban y venían. Tenía que haber alguien con ella todo el tiempo. Pero incluso después de que viniera la señora Mayet, la que estaba con ella todo el tiempo era yo. Porque, si quiere que le diga la verdad, no había nadie capaz de permanecer con ella día y noche, ni siquiera por dinero.

Ya se lo he dicho antes: a Frida sólo le interesaba una cosa. No, no era el comunismo ni la lucha de los trabajadores. Ni el arte, ni la pintura mural como instrumento educativo, ni la creatividad, ni dónde se podían comprar los mejores óleos. Tampoco el sexo. Lo único que a Frida le fascinaba de verdad era ella misma. La gente decía que yo era estúpida. Decían que no me enteraba de lo que estaba pasando. Pero soy lo bastante lista para entender esto: Frida Kahlo siempre estuvo enamorada de sí misma, y nadie, ni siquiera Diego, ni yo, podía sustituir a Frida en el corazón de Frida. Después de que le amputaran la pierna quedó destrozada. Le habían arrebatado una parte de su ser, y se sentía rota, fea, estropeada. Y le encantaba explicártelo. Le cautivaba su propio sufrimiento. Lloraba por su extremidad perdida, y quería que tú lloraras con ella. Sin embargo, ¿quién iba a querer escucharla? Todos estaban hartos de oírla. ¿Quién iba a estar dispuesto a escuchar la descripción de cada punzada y cada espasmo? ¿Quién, sino sus médicos? Al fin y al cabo, ellos cobraban por escuchar, ¿no? De modo que Frida se rodeó de médicos, los únicos que compartían con ella su fascinación por el deterioro de su cuerpo. Llamaba a larga distancia al doctor Eloesser constantemente. A ella le habría gustado estudiar medicina, y ahora, por fin, podía dedicar toda su atención a esa disciplina.

Finalmente vino un médico al que le interesaba de verdad oírla hablar, un nuevo tipo de médico, un juguete nuevo: un psiquiatra. ¡Un psiquiatra! Sí, un colega suyo. Y Frida volvió a ser una estrella: era la primera mujer de México a la que psicoanalizaban.

Y ahora usted me está psicoanalizando a mí, ¿verdad? Por eso lo han enviado aquí, ¿no? Para que se adentre en mi mente y averigüe por qué hice lo que hice. ¿No es así, doctor? Pero en realidad eso no tiene importancia, ¿verdad, doctor? Ser la octava, la décima o la decimoquinta mujer de México a la que psicoanalizan; eso no significa nada. Lo que importa es ser la primera. Yo sólo soy una paciente más.

¿De verdad me ha estado escuchando todo el tiempo, doctor? Si me ha escuchado, ya sabrá por qué lo hice. Lo hice porque la quería. Y todavía la quiero.

4.30 horas. Es ahora, en la calma que precede al amanecer, cuando Dios obra su magia. Curiosamente, cuanto más me adentro en el castillo secreto de mi propia alma, más atenta estoy. Mis sentidos lo captan todo: los pasos de un insecto, el zumbido de un mosquito, la silueta del dosel, la escultura formada por las torcidas hojas de un ramo mustio, el hedor de los orinales vaciados, pero que todavía huelen, la sangre que corre por mis venas, la respiración entrecortada de Frida, la cadencia de la mía. Frida gime y murmura algo que no entiendo. Todavía está viva. Me siento en su cama. Veo cómo mueve los ojos, bajo los párpados cerrados. El amanecer lucha por imponerse. Un débil resquicio de luz abraza los extremos de la cortina. Frida murmura: «Dolor... desgracia... insoportable... bailar...» ¿Bailar?

Señor, concédenos la paz.

—Cristi...

—Ya lo sé, cariño.

—Cristi, ¿sabes a quién he visto?

—Intenta descansar, cariño.

—¡He visto a la princesa Frida Zoraída!

—No hables, tesoro.

—¡A la princesa Frida Zoraída, Cristi! ¡Hacía años que no la veía!

Le arde la frente. Busco una compresa y se la pongo sobre las cejas.

—Tenía la misma voz, dulce y aguda, Cristi. «¿Eres tú, princesa Frida Zoraída?», le pregunté. Y ella me cantó, como hacía antes: «¡Estoy escondida en tu mente! / ¡Abre la puerta! / No me preguntes cómo. / ¡No te diré más!»

»Me acerqué a la ventana y eché el aliento en el cristal, y cuando el cristal se empañó, dibujé una puerta. Y entonces salí volando por esa puerta, sobrevolando la pradera. Cuando llegué a la lechería Pinzón, me metí por la O de Pinzón.

—¿Llevabas el delantal de cuadros?

—Llevaba un camisón, Cristi. Este mismo camisón con encaje blanco. Y mis botas rojas con cascabeles.

—Y ¿qué llevaba la princesa Zoraída?

—Era una anciana, Cristi, como yo. Pero llevaba el mismo lazo blanco que llevaba cuando éramos niñas, y una larga túnica roja adornada con espejos del tamaño de un peso, y cuentas, y lentejuelas, y un ribete morado, como antes, Cristi, igual que antes. Sólo que en lugar de aquellas botas de fieltro con las puntas hacia arriba llevaba unas botas rojas con cascabeles, como las mías. «Baila», me dijo. Yo no quería. «No puedo», le dije. Pero ella insistió, y yo empecé a renquear, primero hacia un lado y después hacia el otro. Ella bailaba conmigo, siguiendo mis movimientos liviana como un globo.

La princesa Frida Zoraída le dijo lo elegante que era y lo mucho que le gustaba su camisón con encaje, y Frida lloró de felicidad.

—Quiero volver con ella, Cristi. Quiero quedarme con ella para siempre. Ella cuidará de mí, cariño, y tú ya no tendrás que preocuparte por nada.

—No me importa cuidar de ti, Frida.

—Soy una carga para ti, hermanita. Te estoy consumiendo.

—No, Frida, nada de eso. ¡No me importa!

—Te quiero, Cristi, pero ahora tengo que irme con la

princesa Zoraída. Ayúdame a encontrarla. Ayúdame, por favor...

Me levanto y descorro la cortina. El amanecer ha vencido a la oscuridad, y puedo ver los ojos de Frida, esos hermosos ojos castaños bajo unas cejas que parecen un pájaro con las alas desplegadas.

—No soporto más el dolor, Cristi. Hay una botella debajo de la almohada...

—Deslizo la mano bajo su almohada y encuentro una botellita negra de láudano y un cuentagotas. Abro la botella y lleno el cuentagotas. Frida sonríe, y nos besamos por última vez. Entonces, lentamente y con ternura, coloco el cuentagotas bajo la lengua de Frida y aprieto, administrándole la medicina gota a gota.

Nota de la autora

Esta historia es una obra de ficción. Aunque los acontecimientos de la historia de México y de la vida de Frida aportan el marco general, muchos incidentes y personajes descritos aquí son invención de la autora. Por ejemplo, no he encontrado ninguna prueba de que Frida destruyera su colección de muñecas, ni de que sedujera a un alumno de quince años de La Esmeralda (ni a ningún otro menor). Pese a que la bisexualidad de Frida está ampliamente documentada, Leticia Santiago es obra de mi imaginación. Muchos biógrafos de Frida mencionan a su hermana Cristina, pero yo he convertido a la hija menor de los Kahlo en un perspicaz testigo de la vida de Frida. Las últimas horas de vida de Frida siempre han estado envueltas de misterio. En 1953 Frida intentó suicidarse, y algunos de sus biógrafos mencionan la posibilidad de que su muerte, en 1954, fuera de hecho un suicidio. Sin embargo, no hay ninguna evidencia de que Cristina participara en la muerte de Frida. Cristina murió el 7 de febrero de 1964.

Mi propósito al escribir este libro era captar la esencia de la personalidad de Frida Kahlo, no documentar su vida. Me interesaba, sobre todo, el papel de Cristina, una mujer que no tenía nada de extraordinario, como hermana de una mujer tan extraordinaria. La rivalidad entre Frida y Cristina por la atención de Diego es verídica, y las consecuencias psicológicas de la relación de Cristina con el marido de Frida dejan mucho espacio para las conjeturas. En líneas generales, me interesaban algunos aspectos subyacentes de las relaciones humanas, en particular nuestra capacidad, aparentemente ilimitada, para hacer daño incluso a personas a quienes amamos de todo corazón.

Me he basado en diversas fuentes para obtener información sobre Frida Kahlo. Las cartas de Frida (*Cartas apasionadas*, recopiladas por Martha Zamora, San Francisco: Chronicle Books, 1995) y su diario (*The Diary of Frida Kahlo: An Intimate Self-Portrait*, Nueva York: Harry N. Abrams; y México D.F.: La Vaca Independiente, 1995) me ayudaron a comprender el carácter de la pintora. (Con todo, las cartas incluidas en este libro son ficticias.) También extraje información de la excelente biografía de Hayden Herrera (*Frida*, Nueva York: Harper and Row, 1983), y de los estudios de Raquel Tibol (*Frida Kahlo: Una vida abierta*, México D.F.: Oasis, 1983; y Albuquerque: University of New Mexico, 1993), Rauda Jamis (*Frida Kahlo*, México D.F.: Diana, 1987), Martha Zamora (*Frida Kahlo: The Brush of Anguish*, San Francisco: Chronicle Books, 1990), Sarah M. Lowe (*Frida Kahlo*, Nueva York: Universe, 1991), J. M. G. Le Cézio (*Diego y Frida*, México D.F.: Diana, 1995), y Terri Hardin (*Frida Kahlo: A Modern Master*, Nueva York: Smithmark, 1997). Otra fuente de datos fue *Frida's Fiestas* (Nueva York: Clarkson Potter, 1994), una colección de las recetas favoritas de Frida, recopiladas por Guadalupe Rivera (hija de Diego Rivera y Lupe Marín) y Marie-Pierre Colle. *Drawing the Line* (Londres: Verso, 1989), de Oriana Baddeley y Valerie Fraser, y *Textured Lives* (Tucson: University of Arizona, 1992), de Claudia Schaefer, me ayudaron a comprender mejor a las pintoras latinoamericanas. Sobre Diego Rivera hay una amplia biografía. Para mí, los dos libros más útiles han sido *My Art, My Life*, del propio Diego (Nueva York: Dover, 1960), y la obra de Bertram D. Wolfe *The Fabulous Life of Diego Rivera* (Chelsea, MI: Scarborough House, 1969).

Quiero darle las gracias a mi marido Mauro por el apoyo que me ha prestado y por su inagotable fe en este proyecto. También les estoy muy agradecida a Hermann Lademann, de The Overlook Press, por su excelente trabajo como *editor*, a la novelista Janice Eidus por sus oportunas sugerencias, y a mi agente Anna Ghosh.